《呂氏家塾讀詩記》
正續編研究

黃 忠 慎 著

文 史 哲 學 集 成
文史哲出版社印行

國家圖書館出版品預行編目資料

《呂氏家塾讀詩記》正續編研究 / 黃忠慎著.
-- 初版. -- 臺北市：文史哲, 民 108.11
頁； 公分.（文史哲學集成；726）
ISBN 978-986-314-495-3（平裝）

1.(宋)呂祖謙 2.經學 3.研究考訂

831.18   108019038

文史哲學集成　726

《呂氏家塾讀詩記》
正續編研究

著　　者：黃　　　　忠　　　　慎
出 版 者：文　史　哲　出　版　社
　　　　　http://www.lapen.com.tw
　　　　　e-mail：lapen@ms74.hinet.net
登記證字號：行政院新聞局版臺業字五三三七號
發 行 人：彭　　　　正　　　　雄
發 行 所：文　史　哲　出　版　社
印 刷 者：文　史　哲　出　版　社
臺北市羅斯福路一段七十二巷四號
郵政劃撥帳號：一六一八〇一七五
電話886-2-23511028・傳真886-2-23965656

定價新臺幣三四〇元

二〇一九年（民一〇八）十一月初版

序

　　筆者於 2007 年 8 月至 2008 年 7 月執行一年期之科技部研究計畫——「從呂祖謙到戴溪——《呂氏家塾讀詩記》與《續呂氏家塾讀詩記》的比較研究」（NSC 96-2411-H-018-002-），如同其他的研究計畫案，筆者從不認為，執行時間已過就表示研究可以終止，以本計畫為例，研究成果的發表是陸陸續續的，而論文披露之後，有時仍不免要重讀，重讀過程中，又會止不住對論文的細節進行修改，研究成果的結集出書，延到今天，主要的理由在此。

　　現在的學術論文要求必須有「摘要」與「關鍵詞」置於文前，為了書籍體例的一致，現將五篇論文的「摘要」放在這邊，「關鍵詞」則省去。附錄〈呂祖謙、嚴粲《詩經》學之比較研究〉可視為獨立之篇，故仍將「摘要」、「關鍵詞」置於文前。

　　第一章〈經典的重構：論呂祖謙《呂氏家塾讀詩記》在《詩經》學史上的承衍與新變〉，摘要：呂祖謙的《呂氏家塾讀詩記》是南宋尊《序》派中的名作，此書採集解體式，廣納從漢朝到當代數十家的解釋，以《詩序》的詮釋為理解詩義的核心，另一方面又能掌握時代精神，將理學思維灌注在書中，著重《詩經》學探求義理的意旨闡發，對於《詩經》經典的重塑，委實具有一定的建樹。不過，《讀詩記》在近代竟然獲得兩極化的

評價，或謂呂氏解《詩》態度過於保守，無法突破《詩序》窠臼，或謂呂氏絕非一篤守《詩經》漢學傳統的學者，《讀詩記》不僅反對《詩序》，對於《毛傳》、鄭《箋》的解釋也展現了突破的力度。本文根據《讀詩記》的內外特質，以發掘與解釋為重心，說明《讀詩記》在《詩經》學史上的意義，並以實際統計出來的數據與動態經學發展史的觀念，修正兩種截然不同的評論。

　　第二章〈關於呂祖謙對於《詩序》的態度問題〉，摘要：呂祖謙學問淵博，著作宏富，堪稱為南宋時代一流的學術思想家。在《詩經》學史上，呂祖謙的《呂氏家塾讀詩記》也是名著，此書採用集解體的方式書寫，薈萃眾說，而以尊重《詩序》的解題為其詮《詩》導向。不過，陸侃如卻以為呂祖謙「力攻毛氏」，與朱熹同屬於「毛氏的敵人」，這可稱為石破天驚之論，本文透過呂氏對於《詩序》依違的統計，破除此說，並將相關學者對於呂氏質疑或不信《詩序》的指陳，重新檢視，而呂氏實際疑《序》卻為學者所忽略者，亦一一揀出，以求還原真相。基本上，呂氏說《詩》完全與《詩序》同義的約九成，而大致支持《詩序》之說的更是超過九成六，以《呂氏家塾讀詩記》為《詩經》學史中尊《序》派的著作，堪稱符合事實的劃歸。

　　第三章〈戴溪《續呂氏家塾讀詩記》的解經特質及其在《詩經》學史上的定位〉，摘要：呂祖謙的《呂氏家塾讀詩記》是宋代《詩經》學「舊派」中的名著，此書有戴溪為之續作，從書名《續呂氏家塾讀詩記》觀之，戴書的寫作目標不外是在為呂書進行補充、修訂，或者是延伸的工作，但兩書除了對於《詩序》的解經方向大致看法相同之外，著書體例與對傳統經解的

態度都有不小的差異，這就使得正續《讀詩記》之間的關連與成績有了比較的空間。目前學界對於呂祖謙的《詩經》學具有較為全面的認知，但少有專研戴溪《續呂氏家塾讀詩記》的論述，本文運用實證分析的方法，歸納戴書的表現內涵，研析其解經特質，並針對其訓詁特色與缺陷提出檢討與解釋，此外也將《續呂氏家塾讀詩記》回置到其著作的時空，將之與南宋新舊兩派《詩經》學名著對照觀察，並指出戴溪遊走於新舊兩派之間，《續讀詩記》與呂書從裡到外，同其血脈精髓者其實不多。戴溪對新舊兩種不同的解經路線與觀點，採取的是折衷的立場；新舊兩派的爭議在《續讀詩記》中並未出現，因為它們在形式與內容上並存。

　　第四章〈運用互文性理論解讀戴溪《續呂氏家塾讀詩記》：以比較面與影響面為論述核心〉，摘要：南宋呂祖謙的《呂氏家塾讀詩記》是《詩經》學史上的名著，此書被歸為尊《序》派著作。稍後於呂氏的戴溪有《續呂氏家塾讀詩記》之作，就書名觀之，其書應該為呂書之附庸，整體質性與呂書無異。然而實際檢視戴書，卻又可發現戴溪在著書體例與說解方式上與呂書大異其趣，若將呂戴二書同歸為宋代說《詩》中的舊派著作，實與真相不合。本文運用西方的互文性概念，解讀《續呂氏家塾讀詩記》所受自歷時性與共時性「前文本」的影響，指出其表現出的特質傾向新派，其所受到的主要影響乃在宋代新派的《詩經》學文本，傳統《詩經》漢學與呂祖謙的著作對其影響反而不大，但因戴溪仍以探索詩中蘊藏的聖人深意為依歸，所以本文也要將戴書的新舊標誌作一說明。

　　第五章〈呂祖謙《讀詩記》與戴溪《續讀詩記》之比較研

究〉，摘要：《呂氏家塾讀詩記》是南宋時代篤守《詩序》的名著，是書屬於完整之作，並不存在缺漏的問題。不過，《讀詩記》卻有戴溪為之續作，也因此，在《詩經》學史的論述中，戴溪的《續呂氏家塾讀詩記》一向被歸為守舊派的著作。這樣的浮面概念稍嫌粗略，與真相並不相符。本文採用比較法與統計法，將呂戴兩書之體例、對詩旨的理解與訓詁方式的差異等作了詳細的比較研究。依本文之見，戴溪與其他「新派」學者有相同的貢獻，即不再讓傳統篇旨共識與訓詁成果固限詩義，解放了《詩序》長期以來的的單一說解，但因戴氏解《詩》主要是從教化的角度切入，故戴書最大的特色就是融入新舊兩種不同的解經路線與觀點，其書雖以續承呂書為標榜，但卻可以獨立而存在。

　　2017 年 5 月，拙著《《毛詩李黃集解》研究》在摯友臺中教育大學彭雅玲教授的引介之下，交由臺北文史哲出版社發行，本書的得以問世，仍然是通過彭教授的協助，特此致謝，是為序。

黃忠慎 序於國立彰化師範大學國文系
2019 年 11 月

《呂氏家塾讀詩記》正續編研究

目　次

第一章　經典的重構

──論呂祖謙《呂氏家塾讀詩記》在
《詩經》學史上的承衍與新變

第一節　前　言

　　兩漢時代，曾經官方認可的《詩經》共有四家，其中，《毛詩》為唯一的古文經典，此一文本針對三百篇之詩旨，以《詩序》作出一一的說明，乃是當時讀者理解篇義的選擇之一。[1]隨

---

1 關於三家《詩》有無《詩序》以解釋詩旨的問題，古今學者說法不一。宋儒鄭樵以為「漢興，四家之《詩》，《毛詩》未有《序》，惟《韓詩》以《序》傳於世，《齊詩》無《序》，《魯詩》之《序》有無未可知。……《毛詩》至衛宏為之序」；程大昌以為，三家未見古傳正說，亦未見〈古序〉（案：指篇題與其下解題一語），《毛詩》有〈古序〉以總測篇意，故能勝三家；近人蔣善國謂三家《詩》皆有《序》；李家樹亦以為三家《詩》原有《序》，已佚。程元敏則從史志著錄與三家《詩》殘文斷定漢四家《詩》唯《毛詩》有《序》，兩漢傳本之三家《詩》皆無《序》，魏源所舉〈常棣〉（作〈夫移〉）、〈漢廣〉、〈螽蝝〉、〈伐木〉、〈雨無正〉五篇，真為〈韓詩序〉，然皆為南北朝末至唐初之間，由《韓詩》學先師著成。以上分見鄭樵：〈詩序辨〉，《六經奧論》，《通志堂經解》（揚州：江蘇廣陵古籍刻印社，1996年3月），第16冊，卷3，頁545；程大昌：《詩論》，《學海類編》（臺北：藝文印書館，1967年），頁20b-21a；蔣善國：《三百篇演論》（臺北：臺灣商務印書館，1980年6月），頁77-79；李家樹：《詩經的歷史公案》（臺北：大安出版社，1990年11月），頁24-26。程元敏：《詩序新考》（臺北：五南圖書出版公司，2005年1月），頁35-50、137-226、237-242。案：《六經奧論》內容真偽參半，本文不涉及此一問題。

著三家《詩》陸續亡逸,《毛詩》漸漸獨大,逮及孔穎達（574-648）《五經正義》書出,《毛詩》的的聲勢已達頂點,《毛詩序》的解題成為多數士子理解詩篇的唯一依據。到了宋代,解《詩》觀點出現突破性的進展,以《詩序》為代言人的傳統詩旨究竟應該解放或依然堅持,成為當代學者探究《詩經》學的聚焦之所在。

假若說,公開質疑《詩序》所代表的歷史性與傳統性的解釋,包括其來歷、作者身分以及詮釋方式與內涵,或者在其《詩》學著作中解釋詩旨常有突破《詩序》窠臼的現象者,可以稱之為宋代說《詩》中的新派人物,反之即為舊派陣營中的說《詩》者,那麼,呂祖謙（1137-1181）在多數人的印象中,無疑屬於後者。

由於疑古創新正是宋學精神的最大特色,基本上,舊派《詩經》學著作在當代難以具備引人矚目的特質,然而我們可以從另一個角度來看待這個問題,此即凡是舊派著作能在宋朝佔有一席之地,且能在後代受到重視、引發討論者,皆為《詩經》學史上的重要著作。呂祖謙的《呂氏家塾讀詩記》（以下視情況得簡稱為《讀詩記》）正是這樣的一部名著。此書孕育於宋代疑經改經的學術氛圍中,作者一方面站在肯定與維護傳統的立場,恪遵《詩序》,另一方面又能掌握時代精神,將理學思維灌注在書中,特重《詩經》學探求義理的意旨闡發。因此,對於《詩經》經典的重塑,堪稱具有一定的建樹。不過,《讀詩記》在近代竟然獲得兩極化的評價,論者或謂此書無法突破傳統《詩》說窠臼,無甚價值,或謂呂氏並非《詩序》與毛、鄭信徒,相反地,《讀詩記》經常批判《詩經》漢學。究竟兩

種議論，何者為是？本文從《讀詩記》的體例設計、解經立場
與態度、對於《詩經》漢學與宋學的整合與取捨等，重新理解
其特質及其在《詩經》學史上的重要意義，同時也要推翻上述
兩種失之偏頗的評論。

第二節　《讀詩記》的著書體例與

解經態度

　　南宋朱熹（1130-1200）與陸九淵（1139-1192）的學術思
想表現，堪稱南宋理學史中最耀眼的一頁，而全謝山
（1705-1755）在〈同谷三先生書院記〉中說：「宋乾、淳以後，
學派分而為三：朱學也，呂學也，陸學也。三家同時，皆不甚
合。朱學以格物致知，陸學以明心，呂學則兼取其長，而復以
中原文獻之統潤色之。門庭徑路雖別，要其歸宿於聖人，則一
也。」[2]這一段評論，將呂祖謙的學術高度提升到極點。呂祖謙，
字伯恭，其先河東人，根據文獻記載，「自其祖始居婺州（今
浙江金華）。其學本之家庭，有中原文獻之傳。長從林之奇、
汪應辰、胡憲游，既又友張栻、朱熹，講索益精。」在宦途方
面，「以祖致仕恩補將仕郎，登隆興元年進士第，又中博學宏
詞科，歷太學博士，兼史職。」後「遷著作郎。以疾請祠，歸。

2　〔清〕黃宗羲原著，〔清〕全祖望補修，〔民〕陳金生、梁運華點校：《宋元學
　　案》（北京：中華書局，1986 年 12 月），第 3 冊，卷 51，〈東萊學案〉，
　　頁 1653。

旋除直閣，主管武夷沖佑觀。病間，除著作郎，不就；添差浙
東帥議，亦不就；主管明道宮。淳熙八年七月卒，年四十五，
諡曰成。」在學術表現方面，「學以關、洛為宗，而旁稽載籍，
不見涯涘。……考定古《周易》、《書說》、《閫範》、《官箴》、《辨
志錄》、《歐陽公本末》，皆行于世。」呂祖謙學問淵博，著作
宏富，除上述諸書，另有《呂氏家塾讀詩記》、《東萊左氏博議》、
《春秋左氏傳說》、《春秋左氏傳續說》、《歷代制度詳說》、《大
事記》、《文海》、《呂東萊文集》……等十餘種，並與朱熹合撰
《近思錄》。在哲學思想上，呂祖謙繼承程顥「心便是天」之
說，強調「明心」在認識上的作用，認為「心即天也，未嘗有
心外之天；心即神也，未嘗有心外之神，烏可捨此而他求哉。
心由氣而蕩，氣由心而出」，與陸九淵的「宇宙便是吾心，吾
心即是宇宙」相類。然而，他也講「理之在天下，猶元氣之在
萬物也」，與朱熹「天下只是一個理」相似。在政治思想方面，
呂祖謙主張均田恤勞，發展生產，寬厚民力，恢復國土。在學
術行動上，力圖調和朱熹和陸九淵之間的矛盾，並吸收永嘉學
派、永康學派的經世致用之說，以此而被朱熹視為「雜博」。[3]

　　上述有關呂氏的傳略，對於我們認識《讀詩記》的整體特
質提供了一些作用。質實以言，呂祖謙的家學、師承造就了其

---

3 詳〔元〕脫脫等：《宋史》（北京：中華書局，1977 年 11 月），第 37 冊，卷
　434，頁 12872-12874；《宋元學案》，第 3 冊，卷 51，〈東萊學案〉，頁 1652-1653。
　陶文鵬：〈呂祖謙〉中國大百科智慧藏：，（網址：http://163.17.79.102/%E4
　%B8%AD%E5%9C%8B%E5%A4%A7%E7%99%BE%E7%A7%91
　/Content.asp?ID=64250&Query=1），張立文：〈呂祖謙〉，（網址：http://
　163.17.79.102/%E4%B8%AD%E5%9C%8B%E5%A4%A7%E7%9
　9%BE%E7%A7%91/Content.asp?ID=56959&Query=1），瀏覽日期：
　2010 年 2 月 19 日。

宏博的學術視野，[4]加以其人有復古的心態，又有與人為善、調
和爭執的性格，[5]表現在《讀詩記》上，使之成為一部尊重古說

---

4 全祖望以為，呂氏一門被選登於學案之中者，共計 17 人，但王梓材以為共有
七世 18 人之多，詳《宋元學案》，第 1 冊，卷 19，〈范呂諸儒學案〉，頁 789。
案：王說是，18 人為：公著、希哲、希純、好問、切問、和問、廣問、稽中、
堅中、弸中、本中、大器、大倫、大猷、大同、祖謙、祖儉、祖泰，分別登
於〈范呂諸儒學案〉、〈紫微學案〉、〈和靖學案〉、〈東萊學案〉等學案
中。呂祖謙自幼承趨庭訓，治學有成，其世族家門之士多飽讀詩書，家學淵
源，造就其不凡的學養與識見。又據《宋元學案・紫微學案》，全祖望謂呂本
中（1084-1145）：「先生歷從楊、游、尹之門，而在尹氏為最久，故梨洲先
生歸之尹氏〈學案〉。愚以為先生之家學，在多識前言往行以畜德，蓋自正獻
以來所傳如此。原明再傳而為先生，雖歷登楊、游、尹之門，而所守者世傳
也。先生再傳而為伯恭，其所守者亦世傳也。故中原文獻之傳獨歸呂氏，其
餘大儒弗及也。故愚別為先生立一〈學案〉，以上紹原明，下啟伯恭焉。」《宋
元學案》，第 2 冊，卷 36，〈紫微學案〉，頁 1234。亦有研究者指出，呂氏
一族是宋代最具文學色彩的理學世家，整個家族中文學成就最高的呂本中，
既是理學家，又是詩人、文學家，這種特點對呂祖謙有所影響。呂祖謙少時，
隨父去福州任所，從學於三山的林之奇，後來又問學於臨安的汪應辰等。林
之奇是呂本中的得意門生，特別講究文學，而汪應辰「於學，博綜百家，粹
然為淳儒」（《宋元學案・玉山學案》）。呂祖謙在學術上「博雜」的特點
與汪應辰也有一定的師承關係。此外，呂祖謙亦從胡憲學，胡憲是忠厚篤實
的君子，其處世態度也塑造了呂氏謙謙君子的人格。詳黃靈庚：〈呂祖謙與鵝
湖之會〉，《浙江師範大學學報（社會科學版）》第 139 期（2005 年第 4 期），
頁 3；朱黎輝、王金生：〈呂祖謙家學傳承及文學貢獻分析〉，《牡丹江師範
學院學報（哲學社會版）》第 145 期（2008 年第 3 期），頁 25-26。

5 宋代《易》學界存在著一股復古思潮，呂祖謙所編的《古周易》一書是「復
古《易》運動」中極為重要的一本著作。詳許維萍：〈呂祖謙與「復古《易》
運動」——兼談《古周易》版本衍生之相關問題〉，收於林慶彰主編：《經學
研究論叢》第八輯（臺北：臺灣學生書局，2000 年 9 月），頁 69-107。此外，
呂祖謙性格和易，故能周旋於朱熹與其敵派陸九淵、陳亮之間。最為人所稱
道的例子是，呂氏為了調解朱熹與陸九淵「道問學」、「尊德性」相持不下的
學術觀點爭議，企圖使二人的哲學觀點「會歸於一」，促成了學術史上頗負
盛名的鵝湖之會。最終雖未能平弭針鋒相對與相互批駁的學術爭議與論辯，
但就某種程度而言，也已達成了學問與觀念上的彼此切磋，故黃震
（1213-1280）稱「先生忠厚之至，一時調娛其間，有功於斯道何如邪！」由
此得見呂氏兼採各家優長的包容性學術性格。詳〈東萊學案〉，《宋元學案》，

（不表示毫不批評），力求兼容（不表示全無己見）的解經之
作。

　　呂祖謙於南宋孝宗淳熙元年（1174）開始編著《讀詩記》，
三年（1176）書成，六年（1179）開始進行修訂，淳熙八年（1181）
修訂到〈大雅・公劉〉首章後即去世，〈公劉〉二章之下條例
與前不同，其故在此。[6]呂氏不僅欽敬古之解經者，對於當代大
儒亦極為尊重，所以僅就《讀詩記》引述的家數來看，其所引
者以宋儒居多。此外，呂氏讀《詩》當然也有自己的心得，所
以是書吸納了《詩序》、《毛傳》、鄭《箋》、孔《疏》、蘇《傳》、
朱《傳》……等數十家的解說，兼採諸家詮解之優長，又攙入
一己研《詩》之意見，形成一部能夠匯集各家之要點，卻又不
失個人獨特見解的《詩經》學著作。

　　呂祖謙採用集解體的方式書寫《讀詩記》，這是一種薈萃
眾說的傳注體例，呂氏選擇此種體式解《詩》，動機即已清楚
揭示：讓子弟可以多方接觸前賢的解經內容，透過諸說的取

第 3 冊，卷 51，頁 1679；朱維錚編：《周予同經學史論著選集》（上海：上海
人民出版社，1996 年 7 月），頁 174；潘富恩、徐餘慶：《呂祖謙評傳》（南京：
南京大學出版社，1992 年 1 月），頁 31-38。

6　呂祖儉於《讀詩記》〈公劉〉首章下注云：「先兄己亥之秋復脩是書，至此而
終，自〈公劉〉之次章，訖於終篇，則往歲所纂輯者，皆未及刊定，如〈小
序〉之有所去取，諸家之未次先後，與今編條例多未合。今不敢復有所損益，
姑從其舊，以補是書之闕云。」〔宋〕呂祖謙：《呂氏家塾讀詩記》，中國詩經
學會編：《詩經要籍集成》（北京：學苑出版社，2002 年 12 月），第 7 冊，卷
26，頁 28a。案：此本為 1935 年上海商務印書館《四部叢刊續編》影宋本，
本文以是本為主，影印《文淵閣四庫全書》本（臺北：臺灣商務印書館，1983
年 8 月，第 73 冊）為輔。又，《呂氏家塾讀詩記》卷 1-4，收於《詩經要籍
集成》第 6 冊，卷 5-32 收於第 7 冊，本文在其後註解中凡引自此本者，僅標
出卷、頁數。

捨，顯露出自己的意見。[7]

　　理論上，集解體著作的用意是要包納各家的解釋，不過，假若毫無主見地將舊說悉數放入書中，則將成為一部極其龐大博雜之作，所以作者在從前說中進行揀選之時，即已透露出自己的解經意見。也就是說，當我們批評呂祖謙以陳詞爛調崇拜《詩序》的時候，[8]須知《讀詩記》一方面以兼總眾說、諸解並蓄為其特色，一方面也透過別擇去取、重新剪裁來呈顯一家之學（詳後）。

　　《讀詩記》全書共三十二卷。卷首由〈綱領〉、〈詩樂〉、〈刪次〉、〈大小序〉、〈六義〉、〈風雅頌〉、〈章句音韻〉、〈卷帙〉、〈訓詁傳授〉、〈條例〉各文組成。除了〈條例〉是在表明全書寫作方式之外，其餘各篇簡要討論了《詩經》學的一些基本問題。呂氏在〈條例〉中說：

　　諸家解定從一說，辨析名物，敷繹文義，可以足成前說者，注其下。說雖不同，當兼存者，亦附注焉。諸家解文句，小未安者，用啖、趙《集傳》例，頗為刪削。陸淳曰：「啖、趙所取三《傳》之文，皆委曲翦裁，去其妨礙，故行有刊句，句有刊字，實懼曾學三《傳》之人，不達斯意，以為文句脫漏，隨即注之，此則《集傳》之蠹也。」閱此《記》者亦然。諸家先

<hr/>

7 呂祖謙自己倒是說得較為客氣：「《詩說》（案：即《讀詩記》）止為諸弟輩看，編得詁訓甚詳，其它多以《集傳》為据，只是寫出諸家姓名，令後生知出處。」呂祖謙：《東萊別集》，影印《文淵閣四庫全書》，第 1150 冊，卷 8，頁 29b。
8 夏傳才：「與朱熹同時代的宋代漢學家，以呂祖謙為領袖，是堅持漢學體系的保守力量。……問他們這種尊《序》理論有什麼依據，他們只能重複說過千百遍的陳詞濫調……。」《詩經研究史概要》（臺北：萬卷樓圖書公司，1993年 7 月），頁 170。

後，以經文為序，或一章首用甲說，次用乙說，末復用甲說，則再出甲姓氏。經子史傳引詩，文句與毛氏不同者，各見章末。諸家或未備，頗以己說足之，錄於每條之後，比諸家解低一字寫。[9]

　　由此可見呂氏的編選方式是，篩選一家最適切的解釋置於諸說的最前方；應當並存的觀點，則附錄於下；[10]經、子、史、傳引《詩》與毛氏不同者，則在章末予以說明。若諸家說解皆無法賅備，則以己意裁斷，錄於每條之後，形式上則採低一字羅列。由此可見，呂氏著書，是有選擇性地尊重舊說，最被其認可的解釋排在最前面，[11]有輔助定說功能者次之，說解不同但仍有兼存必要的又次之。依其體例，尋常大小的字體（以下簡稱大字）部分屬於「正文」，小字者可稱作「注文」。正文中的諸說，排於愈前面者愈重要，注文各說也是如此處理。再者，

---

9 《讀詩記》，卷 1，頁 26b-27a。案：所引陸淳原文係出於陸氏所撰《春秋集傳纂例》，且「句有刊字」下，陸氏原文有「以至精深」之句，呂氏所引缺此四字。詳陸淳：〈重修集傳義第七〉，《春秋集傳纂例》，影印《文淵閣四庫全書》，第 146 冊，卷 1，頁 389：21b。

10 甚至，偶而連前說不合經旨者亦列出，例如〈小雅・常棣〉「喪亂既平，既安且寧。雖有兄弟，不如友生」之章，正文依序引陳氏、歐陽氏、程氏之說，注文先引蘇氏，再引王氏「友生約我以禮義者也。雖有兄弟，不如友生，有禮義，然後無失其愛兄弟之常心。友生約其外，妻子調其內，則兄弟加親矣。故曰『妻子好合，如鼓瑟琴。兄弟既翕，和樂且湛』」之說，而云：「王氏之說雖非經旨，亦學者所當知也。」《讀詩記》，卷 17，頁 18b-19a。

11 由於呂氏的行文方式是，每章之下羅列各家的解釋，故所謂「最被其認可的解釋排在最前面」，是指諸家對同一個字詞的解釋之順序，所以乍讀之下，會以為《讀詩記》並無章法可言，但其實呂氏自有其行文規範。例如解〈行露〉末章云：「楊氏曰：『牙，牡齒也。鼠無牡齒』（《說文》曰：『牙，牡齒也。』）○山陰陸氏曰：『雀有咪而無角，鼠有齒而無牙。』）○毛氏曰：『墉，墻也。』○朱氏曰：『使貞女之志得以自伸者，召伯聽訟之明也。』」《讀詩記》，卷 3，頁 10a。

呂氏強調，對於諸家的解釋文句，做過了一些刪削的工夫。這
樣處理的好處是，顧到了全書文字的統整性，缺點則是其所引
諸說若已亡逸，後世讀者通過《讀詩記》加以引述，將有文字
出入的疑慮。另外我們還得注意到呂氏所說「諸家或未備，頗
以己說足之」之言，「以己說足之」的部份，其質量也是此書
價值高低的判準之一，評論《讀詩記》者不容忽視這一部分。

　　第二至第三十二卷是全書的主體，呈現出篇旨的闡明與各
章字詞的解釋。解詩的程序是，先將《詩序》原文謄寫在前，
下依情況需要，以小字列出東漢末年鄭玄到南宋時人的解題意
見，若有自己的想法，則置於篇末。接著以各章為一單元，抄
寫經文，引錄諸家之說，或入大字正文，或歸為小字注解。凡
經文中的生難字詞皆標出音讀，有時也會總結每一章的詩文大
意，最末則以某詩幾章幾句為結。例如解〈鄭風‧東門之墠〉
一章云：

　　〈東門之墠（音善）〉，刺亂也。男女有不待禮而相奔者也。
東門之墠，茹（音如）藘（力於反）在阪（音反）。其室則邇，
其人甚遠。毛氏曰：「東門，城東門也。墠，除地町町（吐鼎
反）者。茹藘，茅蒐（所留反）也（孔氏曰：「除地去草，故
云町町。茅蒐，一名茜，可以染絳。」）。○《爾雅》曰：『阪
（彼宜反）者曰阪（孔氏曰：「陂陀不平而可種者名阪。」）。
○朱氏曰：「門之旁有墠，墠之外有阪，阪之上有草，誌其所
欲奔之處也。其室則邇，其人甚遠者，思之切，欲奔而未得間
之辭。」○《釋文》墠作壇，曰：依字當作墠。[12]

____
12　《讀詩記》，卷8，頁23b-24a。影印《文淵閣四庫全書》本文字與此同。見
　　影印《文淵閣四庫全書》，第73冊，卷8，頁24b-25a。案：原文的設計是，

此章除了隨文標示音讀之外，依行文次序，引述了毛氏、孔氏、《爾雅》、朱氏、《釋文》各家各書之說，其中，音讀、孔氏以小字處理，《毛傳》、《爾雅》、朱《傳》、《釋文》以大字處理。基本上，如前所言，大字的部分屬於正文，以小字處理者即為注釋，亦即字體之大小與其可靠性、重要性無關。例如上引文字之「孔氏曰」以其為註解《毛傳》之言，故入小字注文。若如孔氏之言解釋的經文本身，則依體例，當然得入正文，例如解〈關雎〉「參差」一詞引孔氏曰：「參差然不齊。」解〈樛

每行放入兩行小字，本文為了排版上的方便，改將小字放入括弧中。又案：所引朱氏曰者，今本朱《傳》作「……識其所與奔之居也。室邇人遠者，思之而未得見之詞也。」朱熹：《詩集傳》（臺北：中華書局，1971年10月），卷4，頁54。根據束景南之說，由於朱熹早年本之《毛詩序》而作《詩集解》，淳熙四年（1177）之後始黜《詩序》而作《詩集傳》，而朱熹為《呂氏家塾讀詩記》作〈序〉云：「此書所謂『朱氏』者，實熹少時淺陋之說，而伯恭父誤有取焉。」《讀詩記》，卷前，頁2a。故《讀詩記》所引「朱氏曰」者，即為朱子早期所作之《詩集解》。詳束景南：〈詩集解・輯錄說明〉，收於朱傑人、嚴佐之、劉永翔主編：《朱子全書》（上海：上海古籍出版社，合肥：安徽教育出版社，2002年12月），第26冊，頁99。不過，束景南之說有待驗證，據糜文開表示，朱子於孝宗淳熙四年（1177）完成了尊《序》的《詩集傳》，淳熙11年（1184）重寫廢《序》的《詩集傳》，淳熙十四年（1187）書早已完成，但到光宗紹熙五年（1194）又有所修改。詳糜文開、裴普賢：《詩經欣賞與研究》（臺北：三民書局，1987年11月），第4冊，頁417-418。束景南所言，或係依王懋竑《朱子年譜》而來，蓋依《年譜》，《詩集傳》完成於孝宗淳熙四年（1177），此係據《詩集傳・序》所題年代而繫，所指者當是尊《序》之舊本《詩集傳》，詳〔清〕王懋竑著，周茶仙點校：《朱子年譜》，見吳長庚主編：《朱陸學術考辨五種》（南昌：江西高校出版社，2000年），頁895-896。又據朱傑人的考證，朱熹最遲在淳熙丁酉（1178）開始對尊《序》的《詩集傳》進行修訂，至遲到淳熙己亥（1179），新《詩集傳》已具初稿；淳熙丙午（1186），新《詩集傳》成書，但尚未發表；淳熙丁未（1187），新《詩集傳》開始刊刻，並有可能在當年，至遲在次年（紹熙元年，1190）刊成。詳朱傑人：〈朱子詩傳綱領研究〉，鍾彩鈞主編：《朱子學的開展——學術篇》（臺北：漢學研究中心，2002年6月），頁36-40。

木〉「葛藟縈之」句引孔氏曰：「藟與葛異，亦葛之類也。」解
〈漢廣〉三章「蔞」字云：「孔氏曰：蔞，蔞蒿也。江東用羹
魚也。其葉似艾，白色，長數寸。」解〈出其東門〉「聊樂我
員」之「員」字云：「孔氏曰：云、員古今字，助語辭也。」
解〈車攻〉「田車既好，四牡孔阜」二句云：「孔氏曰：田車，
田獵之車。好，善也。阜，盛大也。」[13]以上解釋皆以大字正
文呈現。若不細審大字與小字的內容差異性，乍讀之下，會發
現毛氏、鄭氏、孔氏、朱氏之說散見正文與注文之中，似乎挺
為凌亂，其實編著的體例還是有其規則。[14]有待一提者，由於
呂氏的行文方式是，每章之下羅列各家的解釋，前云「最被其
認可的解釋排在最前面」，是指諸家對同一個字詞的解釋之順
序，所以初次接觸呂書，會以為《讀詩記》並無章法可言，例
如其解〈召南‧行露〉末章先引楊氏曰，再引毛氏曰，[15]理由
不是楊氏訓解比毛氏更為可信，而是楊氏解釋的是「牙」字，

13　以上分見《讀詩記》，卷2，頁 8a、15a、22b；卷8，頁 28b；卷19，頁 21b。
14　當然，〈公劉〉二章之下會有體例與此不合的情事，例如〈大雅‧卷阿〉二
　　章首二句「伴奐爾游矣，優游爾休矣」，《毛傳》：「伴奐，廣大有文章也。」
　　鄭《箋》：「伴奐，自縱弛之意也。賢者既來，王以才官秩之，各任其職，
　　女則得伴奐而優游自休息也。」《讀詩記》越過「毛氏曰」，僅云：「鄭氏
　　曰：『伴奐，優游自休息也。』」又如〈大雅‧蕩〉，《詩序》：「〈蕩〉，召穆
　　公傷周室大壞也。厲王無道，天下蕩蕩，無綱紀文章，故作是詩也。」《讀
　　詩記》開頭引《詩序》僅存〈首序〉一句，引蘇氏曰：「〈蕩〉之所以為〈蕩〉，
　　由詩有『蕩蕩上帝』也，《詩序》以為『天下蕩蕩，無綱紀文章』，則非詩
　　之意矣。」顯然同意蘇轍之意見，直接割棄「後序」。再如〈周頌‧清廟〉
　　開頭引《詩序》大字，其下小字注文先引「李氏（北宋李覯）曰」，再後才
　　引「鄭氏曰」、「孔氏曰」。〈維天之命〉與〈維清〉兩篇《序》說之下原本有
　　鄭《箋》的注解，《讀詩記》都未引，而改以「孔氏曰」放在最前面……等
　　等。以上分見《讀詩記》，卷26，頁 36a；卷27，頁 1a；卷28，頁 1a-1b、
　　3a、4b-5a。
15　詳《讀詩記》，卷3，頁 10a。

毛氏解釋的是「墉」字，詩文前兩句為「誰謂鼠無牙？何以穿我墉」，「牙」在「墉」前，故呂氏將「楊氏曰」置於「毛氏曰」之前。又如解〈召南‧羔羊〉首章，其大字正文為：

毛氏曰：小曰羔，大曰羊。素，白也。紽，數也。古者素絲以英裘，不失其制。大夫羔裘以居。○范氏曰：退食者，退而食於私家也。○朱氏曰：自，從也。公，朝也。○毛氏曰：委蛇，行可從迹也。○廣漢張氏曰：重言委蛇，舒泰而有餘裕也……。○《釋文》紽作它，曰：本或作紽。蛇作虵，曰：本又作蛇。[16]

諸家的排序是毛氏、范氏、朱氏、毛氏、張氏、《釋文》。這樣的設計方式是否合理，仁智互見，但不難適應則是可以肯定的。

由於是集解之作，所以《讀詩記》究竟引用了多少家之說，也引起後世讀者的關切。《四庫全書》本的《呂氏家塾讀詩記》在卷前有〈呂氏家塾讀詩記姓氏〉，明確列出呂氏所引各家名單，前面九位漢唐經師還特別標出其名：毛氏（萇）、鄭氏（康成）、孔氏（安國）、陸氏（璣）、何氏（休）、杜氏（預）、郭氏（璞）、韋氏（昭）、韓氏（愈），其下排列自明道程氏、伊川程氏至南軒張氏、晦庵朱氏等宋儒35位。[17]這份名單並不精確，《讀詩記》所引諸家總數其實不僅這些，[18]且誤毛亨為

---

16 詳《讀詩記》，卷3，頁10b-11a。

17 《讀詩記》，影印《文淵閣四庫全書》，第73冊，卷前，頁1a-3b。

18 關於《讀詩記》共引述多少家的意見，很難算得精準，例如〈呂氏家塾讀詩記姓氏〉列出兩「眉山蘇氏」，然呂氏所引東坡之語僅一處，以其〈和陶淵明三良詩〉為〈秦風‧黃鳥‧詩序〉四個註解中的最後一個，以此而謂蘇軾也是諸家中的一位，似有不妥。又如書中有引《周禮‧賈公彥疏》、《爾雅‧

毛萇，孔穎達為孔安國，此外，位序亦有錯亂情事，例如何氏
（何休）宜改置於陸氏（陸璣）之前，韋氏（韋昭）應挪至何
氏之後、陸氏之前，[19]但此表仍讓讀者迅即看到《讀詩記》所

邢昺疏》之語，然〈姓氏〉不見賈氏、邢氏。此外，有些「某氏」究竟是誰
已經無法確知，若寫某書曰，是否也算一家，難以取得共識。所以學者的算
法頗不一致，例如陸侃如表示，「呂氏此書是集注體裁，共引古今人四十四
家，古今書四十一種，取其長而棄其短，很可供初學的參考。」詳陸侃如：
〈詩經參考書提要〉，《陸侃如古典文學論文集》（上海：上海古籍出版社，
1987 年 1 月），頁 220-221。賴炎元則云：「呂祖謙在書中曾引用而卷首沒有
著錄的，有廣漢張氏（見〈周南・桃夭〉）、鄒氏（見〈大雅・靈臺〉）、晁氏
（見〈大雅・靈臺〉、〈周頌・桓〉）、譙郡張氏（見〈周頌・臣工〉、〈有客〉）
等。」〈呂祖謙的詩經學〉，《中國學術年刊》第 6 期（1984 年 6 月），頁 25。
依此則呂氏共引述 48 家之說。杜海軍：「據我統計，當在八十家上下。陸侃
如說是『共引古今人四十四家，古今書四十一種』，庶幾近之。」〈讀詩記
及其權屬與影響〉，《中國社會科學院研究生院學報》，2003 年第 6 期，頁 84。
顯見杜氏所謂八十家是將人與書合在一起統計。吳冰妮〈呂氏家塾讀詩記前
後文本比較分析——以公劉首章為界線〉則又以為呂書「徵引諸儒之說達
五十四家，徵引前代書籍也有六十二種」。《文獻季刊》2009 年 4 月第 2 期，
頁 106。

19 筆者將此表重新羅列，且盡可能在某氏之後標出姓名。自漢至唐：毛氏（毛
亨）、鄭氏（鄭玄）、何氏（何休）、韋氏（韋昭）、陸氏（陸璣）、杜氏
（杜預）、郭氏（郭璞）、孔氏（孔穎達）韓氏（韓愈）。宋儒：明道程氏
（程顥）、伊川程氏（程頤）、橫渠張氏（張載）、成都范氏（范祖禹）、
滎陽呂氏（呂希哲）、藍田呂氏（呂大臨）、上蔡謝氏（謝良佐）、龜山楊
氏（楊時）、盧陵歐陽氏（歐陽修）、眉山蘇氏（蘇軾）、眉山蘇氏（蘇轍）、
後山陳氏（陳師道）、臨川王氏（王安石）、永嘉陳氏（陳亮）、延平羅氏、
武夷胡氏（胡安國）、建安游氏（游酢）、河東侯氏（侯仲良）、河南尹氏
（尹焞）、南豐曾氏（曾鞏）、元城劉氏（劉安世）、三山李氏（李覯）、
長樂劉氏（此劉氏究為何人，不易確認。案：《宋元學案》卷 39〈豫章學
案〉：「劉嘉譽，字德稱，長樂人。受學於延平。子世南，從林之奇遊。」
又，劉彝，字執中，福州人。幼從胡瑗學，《宋史》有傳，朱《傳》引一條，
見〈信南山〉）、莆田鄭氏（鄭樵）、永嘉鄭氏（鄭伯熊）、長樂王氏、山
陰陸氏（陸佃）、渤海胡氏（胡安定）、什方張氏、導江鮮于氏（或為鮮于
侁）、董氏（董逌）、徐氏、邱氏、南軒張氏（張栻）、晦庵朱氏（朱熹）。

引的重要學者，依然有其存在價值。[20]至於《讀詩記》所引諸
家論述，已有研究者整理出其內容面向，大致有幾個方面，「第
一、總論某〈風〉，總論某詩，此類特別多，或闡述詩旨，或
評說詩義，或因詩論史，或以詩證史，或討論篇名。第二、專
論一章，此類或概述意義，或就一章內容進行評論。第三、評
述句義，有評述一句的，有評述兩句或三句的。或疏釋句意，
或引申發揮，或印證史實。第四、述釋詞語，或釋詞義，或釋
地名，或辨析近義詞，或指明詞源。第五、分析篇章，釋賦、
比、興，釋風俗制度。這些論述以義理為主，兼及語言、修辭
和其他」，[21]簡而言之，不論是面對《詩經》學的基本問題，
或是詩旨的研判、字詞句義的訓釋、詩歌的創作手法等，呂氏
都以廣引諸家之說的方式進行操作，當然，集解體式只要有意
求詳，必然有這樣的結果，稱不上是《讀詩記》獨有的特色。

　　整體而言，《讀詩記》刻意承接傳統漢學家的解《詩》統
緒，對於當代儒生的解釋也廣蒐博採，故「兼容並蓄」成為全
書最容易被人看到的一大特點，若不細細尋繹，甚至會以為這

---

20 案：影印《文淵閣四庫全書》本的《讀詩記》卷前有姓氏表，但最早的宋刊
　　本則無，目前學界公認最可靠且容易取得的《讀詩記》版本是《四部叢刊續
　　編》本，此書乃上海涵芬樓據瞿氏鐵琴銅劍樓藏宋刊本影印，原為宋孝宗時
　　本，為淳熙九年（1182）邱宗卿於江西漕臺所刻，卷前有朱熹〈序〉，書後
　　有尤袤「後序」，但無「姓氏」與「引用書目」，比較普及的影印《文淵閣
　　四庫全書》本所收係陸釴重刊本，此本有朱熹〈序〉，但不載尤袤「後序」，
　　行款與宋本不同，且多訛誤，此外，清本如嘉慶十四年張海鵬刻《墨海金壺》
　　本、錢儀吉《經苑》本……等也都有附此一姓氏表，甚至有附上引用書目者，
　　其詳可參郭麗娟：《呂祖謙詩經學研究》（臺北：東吳大學中國文學研究所
　　碩士論文，1994 年 10 月），頁 106-116。
21 程穎穎：《論呂氏家塾讀詩記》（濟南：山東大學碩士論文，2007 年 4 月），
　　頁 23-24。

是唯一的特點，且此一特點亦極為尋常，無足稱述，實際《讀詩記》的獨到特質並不如此單純，本文將在後面作進一步的申論。

第三節　《讀詩記》對《詩經》漢學的維護與批評

一、《讀詩記》對《詩序》的維護與批評

東漢末年，《詩經》在漢儒長期的苦心經營之下，完成了一個神聖的脈絡，此即以孔門弟子所傳授之三百篇為基點，通過具有權威性質的《毛詩序》，輔以《毛傳》、鄭《箋》，以探究經由聖人刪削、存有褒貶微言的《詩經》。這種神聖性脈絡的積極建構，被日後許多守《序》派的研《詩》之士普遍運用於三百篇的詮釋之中，對他們來說，這是一個必須信守的神聖譜系，也是研究上的先設條件。呂祖謙被歸為守《序》派的一位大員，依照上面這個說法，《讀詩記》應該全面接受《序》說，不僅要予以闡述，必要時，對於諸家之反《序》言論也會提出適度的回擊。檢視《讀詩記》，筆者發現呂祖謙解詩確實多依《序》說，偶亦批評《詩序》，措辭也很溫和，且其評論集中在「後序」（詳後），可見若以《讀詩記》為絕對篤守《詩序》之作，則與事實不合，畢竟其守舊程度比起范處義（紹興

二十四年〔1154〕進士，年代與朱熹、呂祖謙相當）仍有一段不小的距離。[22]若謂其為尊重《詩序》之作，那就全然合乎事實，近人或以為呂氏著書反對《詩序》（詳後），實不足憑信。

後世研《詩》學者通常將《詩序》分為〈大序〉與〈小序〉，其區分標準不一，但多數以〈關雎・序〉中不含首尾解題部分者為〈大序〉，〈關雎・序〉中直解〈關雎〉題義與其餘各篇〈序〉說為〈小序〉。為了敘述上的方便，〈小序〉開頭「發端之語」可稱為「首序」（或「古序」、「前序」），其下申說之語則為「後序」（或「續序」）。[23]呂祖謙在〈大小序〉一文中一開始即藉程氏之語，表達他對《詩序》的基本看法：

程氏曰：「學《詩》而不求《序》，猶欲入室而不由戶也。或問：『《詩》如何學？』曰：『只於〈大序〉中求。』」又曰：「國史得詩，必載其事，然後其義可知。今〈小序〉之首是也。其下則說詩者之詞也。」又曰：「詩〈小序〉要之皆得大意，只後之觀詩者亦添入。」[24]

以上這段文字以大字處理，是為正文。小字注釋部分，呂祖謙共引張氏、蘇氏、《釋文》、《隋書・經籍志》、董氏五家之

---

22 《四庫全書總目・詩補傳三十卷提要》：「蓋南宋之初，最攻《序》者鄭樵，最尊《序》者則處義矣。」《四庫全書總目》（臺北：藝文印書館，1974 年10 月），第 1 冊，卷 15，頁 337：16b-338：17a。范處義深信《詩序》保留聖人對三百篇的理解，在意義上具有不可動搖的神聖性，為了對抗疑經思潮的新觀點，他推出《詩補傳》，全書刻意採取擁護傳統的立場進行論述，詳拙著《范處義詩補傳與王質詩總聞比較研究》（臺北：文津出版社，2009 年2 月），頁 2-41。呂祖謙的性格與思維與范氏不同，《讀詩記》對於《詩序》尚未有如范氏那般強烈的忠誠度。
23 相關名詞的討論可參張西堂：〈關於毛詩序的一些問題〉，《詩經六論》（上海：商務印書館，1957 年 9 月），頁 116-120；蔣善國：《三百篇演論》，頁 79-83。
24 《讀詩記》，卷 1，頁 16a。

說，以此透露出他願意讓子弟知道前人對於《詩序》的一些意見，包括：(一)《詩序》有後人添入者，其內容淺近可辨。(二)《詩序》非出於孔子之手，其言時有反覆煩重，顯非一家之辭。(三)〈大序〉是子夏作，〈小序〉則為子夏、毛公合作。(四)《詩序》出自子夏，毛公、衛宏「更加潤色」……等。這些意見有的小有衝突，但呂氏並存之，不作優劣之評判，不過，正文又引王氏語，以為《詩序》所言，雖孔子亦不可得知，何況子夏？似又等於承認《詩序》早於孔子，子夏僅有整理之功。又引歐陽氏語，謂讀《詩》宜依賴《詩序》。[25]根據〈大小序〉一文所言，呂氏對於《詩序》的尊重可以確認，假若他在《讀詩記》中不時質疑、批駁《序》說，那麼其理念與實際操作即已完全脫節，如此則《讀詩記》也不可能成為尊《序》派中的名著了，陸侃如僅抓住《讀詩記》中的一兩句話，就直指「呂祖謙卻是一個力攻毛氏的人」，在呂氏筆下，「《詩序》的尊嚴完全失掉了」，[26]由本文後面的統計，可知此係背離事實之言。

　　雖然尊重《詩序》，但在呂氏心中，可以充分信賴的是「首序」，相較之下，「後序」可靠性就沒那般高，主要原因是兩著的完成時間不同，他在解〈召南・鵲巢〉篇旨時指出：

---

25 呂祖謙：「歐陽氏曰：孟子去《詩》世近，而最善言《詩》，推其所說詩義，與今《序》意多同，故後儒異說，為《詩》害者，當賴《序》文為證。」《讀詩記》，卷1，頁17a。案：歐陽修之言出自《詩本義》，不過，歐陽氏續云：「然至於二〈南〉，其〈序〉多失，而〈麟趾〉〈騶虞〉所失尤甚，特不可以為信。疑此二篇之〈序〉為講師以己說汩之，不然安得繆論之如此也！」歐陽修：《詩本義》，影印《文淵閣四庫全書》，第70冊，頁188：11a-11b。呂氏僅節引其肯定《詩序》作用的部分。

26 陸侃如：〈詩經參考書提要〉，《陸侃如古典文學論文集》，頁219-220。案：陸侃如所謂呂氏力攻毛氏，包括呂氏批評《毛詩序》與《毛傳》。

　　三百篇之義,首句當時所作,或國史得詩之時,載其事以示後人,其下則說詩者之辭也。說詩者非一人,其時先後亦不同。以《毛傳》考之,有毛氏已見其說者,時在先也;有毛氏不見其說者,時在後也。……〈鵲巢〉之義有毛公所不見者也。意者後之為毛學者如衛宏之徒附益之耳。《毛傳》尚簡,義之已明者,固不重出;義之未明者,亦必申言;如鳲鳩之義雖刺不壹,而其旨未明,故《傳》必言鳲鳩之養其子,平均如一,以訓釋之,今〈鵲巢〉之義止云德如鳲鳩,而未知鳩之德若何。使毛公果見此語,《傳》豈應略不及之乎?……是說出於毛公之後,決無可疑也。[27]

　　儘管呂氏在〈大小序〉一文保留了前儒數種說法,但上述議論,可以代表他個人的最終意見。呂氏既然認定「首序」「當時所作,或國史得詩之時,載其事以示後人」,那麼,依其個性,若非萬不得已,無需刻意直指其說之非;出自「為毛學者如衛宏之徒」之手的「後序」則不同,既是晚出之作,又與孔門無關,那就已無神聖性可言,若真不能認同其說,不妨直言。只是,在呂氏心目中,《詩序》是一個整體,故他雖然說「後序」「間有反復煩重,時失經旨,如〈葛覃〉、〈卷耳〉之類,蘇氏以為非一人之辭,蓋近之」,但他又反對蘇轍《詩集傳》拋棄「後序」的作法,以為蘇轍「止存其首一言而盡去其餘,則失之易矣」,[28]顯然對於「後序」,呂氏還是保持相當程度的尊重,起碼,他希望《讀詩記》的讀者可以接觸到完整的《詩序》。

27　《讀詩記》,卷3,頁1b-2b。
28　《讀詩記》,卷2,頁6a-6b。

　　呂祖謙說詩，每詩都先引《詩序》之言，以示尊重，但確實偶而會忍不住批評《序》說，這種批評《序》說出現的次數，以及用詞的平和或激烈，可以幫助我們理解《讀詩記》的解經傾向，假若要推翻呂祖謙為尊《序》學者之說，則《讀詩記》必須有相當比例的反《序》言論才行。陸侃如曾表示呂氏為一反《序》的說《詩》者，但其所舉之例僅〈衛風・氓〉、〈衛風・伯兮〉、〈王風・君子于役〉、〈鄭風・野有蔓草〉四篇。另據趙制陽統計，《讀詩記》不信《詩序》之例有〈邶風・簡兮〉、〈鄘風・柏舟〉、〈王風・君子于役〉、〈齊風・著〉、〈小雅・祈父〉、〈小雅・白駒〉、〈小雅・黃鳥〉、〈小雅・我行其野〉、〈大雅・文王有聲〉等九篇，[29] 其中，僅有〈君子于役〉與陸氏所舉重複。杜海軍的觀察則又與此完全不同，他舉出《讀詩記》批評《詩序》者五篇：〈周南・葛覃〉、〈召南・采蘋〉、〈召南・摽有梅〉、〈衛風・氓〉、〈大雅・旱麓〉。[30] 以上十七篇中，筆者重新翻檢《讀詩記》的結果，確定僅有〈葛覃〉、〈柏舟〉、〈氓〉、〈伯兮〉、〈君子于役〉、〈野有蔓草〉、〈我行其野〉、〈旱麓〉八篇可以見出呂氏對《序》說稍有微辭。若謂上述學者僅是信手舉例，那麼本文可以將幾篇呂氏似有質疑《序》說之意，而前

---

29 案：趙制陽在「《讀詩記》不信《詩序》之例」中，所舉之例依序為〈小雅・祈父〉、〈小雅・黃鳥〉、〈齊風・著〉、〈王風・君子于役〉、〈大雅・文王有聲〉與〈鄘風・柏舟〉六篇。在結論中則謂呂氏否定《序》說者有七篇，依序為〈邶風・簡兮〉、〈鄘風・柏舟〉、〈小雅・祈父〉、〈白駒〉、〈黃鳥〉、〈我行其野〉與〈大雅・文王有聲〉，故筆者謂其以為《讀詩記》不信《詩序》之例有共有九篇。趙氏之論詳《詩經名著評介〔第三集〕》（臺北：萬卷樓圖書公司，1999 年 11 月），頁 194-196、217。

30 詳杜海軍：《呂祖謙文學研究》（北京：學苑出版社，2003 年 7 月），頁197-198。

人未曾言及的詩篇，全部列舉出來：〈周南‧麟之趾〉、〈召南‧
鵲巢〉、〈江有汜〉、〈邶風‧北風〉、〈鄭風‧緇衣〉、〈齊風‧東
方未明〉、〈唐風‧葛生〉、〈豳風‧破斧〉、〈楚茨〉、〈白華〉、
〈緜蠻〉、〈大雅〉的〈靈臺〉、〈行葦〉、〈既醉〉、〈民勞〉、〈蕩〉、
〈召旻〉、〈周頌〉的〈絲衣〉、〈酌〉、〈桓〉，以上共計二十
篇，加上前舉八篇則是二十八篇，佔三百五篇的 9.18％。上面
的〈鄘風‧柏舟〉，呂氏引《史記》、《國語》質疑〈序〉說，
但並未提供新解。既然如此，筆者不妨也將呂氏持闕疑態度的
〈小雅‧雨無正〉、〈周頌‧般〉、〈魯頌‧泮水〉等三篇納入計
算，這樣《讀詩記》未能盡依《詩序》之說的共計三十一篇，
占了全《詩》的 10.16％。假如，這個數字代表呂祖謙另立新
解的詩篇有一成的比例，那麼學者來質疑其對於《詩序》的忠
誠度，或許還有理可說，但情形絕非如此，上述三十一篇中，
與《詩序》大同小異的有二十一篇（含不錄「後序」之四篇）、
大異小同的四篇、完全相異的二篇，以及闕疑的四篇（含質疑
《序》說，未立新解的一篇），[31]其中以大同小異者最多。僅統
計呂氏說詩全與《詩序》同義的就有二七四篇，比率高達 89.83
％。若加上二十一篇大同小異的部份，則更有 96.72％的超高
比率，可見呂氏《讀詩記》被劃入尊《序》一派陣營完全合乎
事實。值得注意的是，以上所說的呂氏未能完全接受《詩序》
的三十一篇中，主要是針對〈續序〉而發，且〈蕩〉、〈召旻〉、
〈絲衣〉、〈酌〉四篇，《讀詩記》僅引「首序」，不引「後序」，

---

31 案：三十一篇中，說與《詩序》大異小同的是：〈東方未明〉、〈葛生〉、〈破
　斧〉、〈我行其野〉，完全相異的是：〈楚茨〉、〈民勞〉，闕疑的是：〈柏舟〉、〈雨
　無正〉〈般〉、〈泮水〉，其餘二十一篇與〈序〉說大同小異。

前兩篇有引蘇轍語以表達異議，後兩篇則無一字的批評文字。
這四篇都在〈公劉〉之後，屬於呂氏來不及修訂的範圍，設使
當年呂氏可以修畢全書，補進四篇「後序」的機會很大，因為
這關聯到全書體例的問題。

二、《讀詩記》對《毛傳》、鄭《箋》的
維護與批評

　　宋儒對於漢儒的章句之學往往不能接受，以為破碎害道，
故多有撥棄傳注、務求標新的作風，呂祖謙對於徒誦詁訓、迂
緩拘泥的前儒也頗反感，他曾上疏宋孝宗，指斥那些不知內省
的儒生，不過，呂氏對於王肅、鄭玄這些古代大儒的注經成績
依然極為肯定，[32]他曾如此說道：
　　學者多舉伊川語，云：「漢儒泥傳注。」伊川亦未嘗令學
者廢傳注。近時多忽傳注，而求新說，此極害事，後生於傳注
中，須是字字考始得。[33]
　　顯然呂祖謙肯定傳注之學對於讀經者的必要性，所反對的

---

32 呂氏上疏宋孝宗：「……今陛下不待箴諫，此累自除，恢明聖道，無若此時
　之易。章句陋生乃徒誦詁訓，迂緩拘攣，自取厭薄，不知內省。……陛下所
　當留意者，夫豈鈇鑕傳注之間哉？」〈乾道六年輪對箚子二首〉，《東萊集》，
　卷 3，頁 8a-9a。又云：「傳註之學，漢之諸儒專門名家，以至於魏晉梁隋
　唐，全經固失，然而王肅、鄭玄之徒說存，而猶有可見之美。自唐太宗命孔
　穎達集諸家之說為《正義》，纔經一番總集。後之觀經者，便只知有《正義》，
　而諸儒之說無復存。」呂祖謙：《左氏傳說》，影印《文淵閣四庫全書》，第
　152 冊，卷 2，〈莊公〉，頁 2a。
33 呂祖謙：〈己亥秋所記〉，《東萊外集》，卷 6，頁 39b。

是極端繁瑣的章句義疏之學，從《讀詩記》之行文有力求簡約
的傾向，可知此一想法的確落實在其解《詩》的成果中，而此
一概念正是呂祖謙「讀《詩》應先看其大義」的一貫主張，[34]在
他看來，窮研訓詁，不僅無益，反而有礙對詩之大義的探求。
訓詁的講究，用在其他經典中，或許有其必要性，但三百篇不
過是詩人性情的表現，做為讀者，最重要的是要能知曉詩人之
心，而非一味從事章解句釋的工作。本著此一理念，呂祖謙強
調詩的平易性，也跟許多宋儒一樣，鼓勵讀者善用涵泳諷誦、
優游玩味的讀《詩》法以貼近詩人之心，進而理解詩義。[35]清
代漢學家常以為透過文字訓詁是通經的最佳方法，甚至表示聖
人義理就在典章制度之中，[36]不過，宋儒不論是尊《序》派或

---

34 呂祖謙：「學者多不要看先儒議論，如至大至剛，以直必有事焉而勿正。此
　　本是趙岐說，後生却謂伊川創出此說。今所編詩，不去人姓名，正欲今人見
　　元初說着詩先要看大義，又要研窮，如不以文害辭，不以辭害意，是看大義。
　　研究時，却須子細看。」《東萊外集》，卷 6，頁 33a。

35 呂祖謙引述謝氏之說：「《詩》須諷味以得之，古詩即今之歌曲，今之歌曲往
　　往能使人感動，至學《詩》却無感動興起處，只爲泥章句故也。明道先生善
　　言《詩》，未嘗章解句釋，但優游玩味，吟哦上下，使人有得處。」《讀詩記》，
　　卷 1，頁 6a。他服膺張載「置心平易始知《詩》」之語，也如此強調：「詩者
　　人之性情而已，必先得詩人之心，然後玩之易入。」「《詩》三百篇，大要近
　　人情而已。」「看詩且須諷詠，此最治心之法，看詩者欲懲穿鑿之弊，欲只
　　以平易觀之，惟平易則易看，若有意要平易，便不平易。」「今之言《詩》
　　者，字爲之訓，句爲之釋，少有全傳一篇之意者。」呂喬年編：《麗澤論說
　　集錄》，影印《文淵閣四庫全書》，第 703 冊，卷 3，〈門人所記詩說拾遺〉，
　　頁 1a-2a。

36 錢大昕：「有文字而後有訓詁，有訓詁而後有義理。訓詁者，義理之所由出，
　　非別有義理出乎訓詁之外者也。」〈經籍纂詁序〉，《潛研堂文集》，卷 24，
　　錢大昕著，陳文和主編：《嘉定錢大昕全集》（南京：江蘇古籍出版社，1997
　　年 12 月），第 9 冊，頁 377。戴震：「訓故明則古經明，……賢人聖人之理
　　義非它，存乎典章制度者是也。」〈題惠定宇先生授經圖〉，戴震著，張岱年
　　主編：《戴震全書》（合肥：黃山書社，1994 年 7 月），第 6 冊，頁 505。

反《序》派，幾乎都不特別考究聲音訓故，而認為諷詠玩味才是最好的讀《詩》法，譏評呂祖謙為毛、鄭佞臣的朱熹，也有這樣的特質與表現。[37]基本上，判斷後儒對於傳統《詩經》學究竟抱持什麼樣的態度，考察其對《詩序》的依違程度，是一個最快捷可靠的方法，其次則是《毛傳》與鄭《箋》，不過，當解《詩》者幾乎認同《詩序》的解釋時，其對毛、鄭的接受度即便不高，也無妨於其為傳統《詩經》學的擁護者。這是因為《詩序》的任務在理解全詩所要傳達的言外之意或內層意義，亦即其從事的是一種探索、詮釋聖人深意的工作，《毛傳》雖也有統釋全篇的意圖，但主要還是在解釋字義，其次是標出興體，讓讀者注意到詩的創作用心；至於鄭《箋》的寫作用意在「表識《毛傳》」，[38]有時也以今文說修正毛意，[39]此外就是針

---

37 朱子：「人言何休為《公羊》忠臣，某嘗戲伯恭為毛、鄭之佞臣。」黎靖德編，王星賢點校：《朱子語類》（臺北：華世出版社，1987 年 1 月），第 8 冊，卷 122，頁 2950。朱子又云：「且置〈小序〉及舊說，只將元詩虛心熟讀，徐徐玩味。」「須先去了〈小序〉，只將本文熟讀玩味。仍不可先看諸家注解。看得久之，自然認得此詩是說箇甚事。」「讀《詩》正在於吟咏諷誦，觀其委曲折旋之意，如吾自作此詩，自然足以感發善心。」「讀《詩》之法，只是熟讀涵味，……上蔡曰：『學《詩》，須先識得六義體面，而諷味以得之。』此是讀《詩》之要法。」「讀熟了，文義都曉得了，涵泳讀取百來遍，方見得那好處。」「某注得訓詁字字分明，卻便玩索涵泳，方有所得。」以上分見《朱子語類》，第 6 冊，卷 80，〈論讀詩〉，頁 2085-2088。另，朱熹《詩集傳》的訓詁過分簡略，也有研究者以為是一大缺陷，詳李家樹：《詩經的歷史公案》，頁 114-118。

38 鄭玄《六藝論》：「注《詩》宗毛為主。毛義若隱略，則更表明。如有不同，即下己意，使可識別也。」引自陸德明：《經典釋文》（臺北：學海出版社，1988 年 6 月），上冊，卷 5，頁 1a。

39 惠棟：「鄭《箋》宗毛，然亦間有從《韓》、《魯》說者……。」《九經古義》（北京：中華書局，1985 年《叢書集成初編》影印《貸園叢書》本），卷 6，頁 77。馬瑞辰：「鄭君箋《詩》，自云：『宗毛為主，其間有與毛不同者，多

對部分《序》說進行箋釋。所以，宋代不論是尊《序》派或反《序》派都可以批評毛、鄭的訓釋，最擁護《詩序》的范處義都可以「補」毛公在文義上所不足的「傳」，且目中無鄭《箋》了，[40]呂祖謙當然也可以批評毛、鄭之說。問題是，引述毛、鄭的數量如果多，而批評的比例卻很少，那麼就更加可以顯現其對於傳統《詩經》漢學的支持心態了。

在最容易發現的體例部分是，《讀詩記》在〈小雅〉的分什方面與傳統《毛詩》不同，傳統《毛詩》將〈小雅〉區分為〈鹿鳴之什〉、〈南有嘉魚之什〉、〈鴻鴈之什〉、〈節南山之什〉、〈谷風之什〉、〈甫田之什〉與〈魚藻之什〉八個單元，其中〈鹿鳴之什〉與〈南有嘉魚之什〉連同有目無辭的詩作分別都有十三篇之多，最後一個單元〈魚藻之什〉則是十四篇；《讀詩記》則將〈小雅〉分為〈鹿鳴之什〉、〈南陔之什〉、〈彤弓之什〉、〈祈父之什〉、〈小旻之什〉、〈北山之什〉、〈桑扈之什〉與〈都人士之什〉，共八個單元。呂氏這樣的作法是沿襲蘇轍的《詩集傳》而來，主要是因他也認為如此改什才能恢復孔子之舊。[41]

當然，〈小雅〉的重新分什，僅是形式上的出入，與經旨的解釋無關。不過，據杜海軍的觀察，「呂祖謙並非本《序》說詩，也未堅守毛、鄭舊說。許多地方呂祖謙糾正了漢人說《詩》的穿鑿。」[42]假若此說為是，那就顛覆了傳統的認知，所以本

　　本三家《詩》。』以今考之，其本於《韓詩》者尤夥。」〈雜考各說〉，《毛詩傳箋通釋》（北京：中華書局，1992 年 2 月），上冊，卷 1，頁 20-23。

40 詳拙著《范處義詩補傳與王質詩總聞比較研究》，頁 23-24。

41 呂祖謙：「蘇氏曰：毛公推改什首，予以為非古，於是復為〈南陔之什〉，則〈小雅〉之什皆復孔子之舊。」《讀詩記》，卷 18，頁 2a。

42 杜海軍：〈呂祖謙的《詩》學觀〉，《浙江社會科學》2005 年第 5 期（2005

文有必要檢視杜說的真實性。

以《四部叢刊續編》本《讀詩記》來說，全書引《毛傳》大字正文多達 1547 條，小字注文 98 條；引鄭《箋》大字正文 1087 條，小字注文 315 條。[43]只要統計出呂氏反對毛、鄭之說者佔所引條數的比例，即可知其對於《毛傳》、鄭《箋》的接受程度。

杜海軍為了證成其說，具體地表示，呂氏指出《毛傳》和鄭《箋》不得詩人之意的有〈鶴鳴〉、〈東山〉、〈緜〉、〈甫田〉四篇，批評《毛傳》和鄭《箋》訓詁內容的也有四篇：〈卷耳〉、〈鴟鴞〉、〈伐木〉、〈六月〉，指出鄭《箋》對《毛傳》的誤解有〈采葛〉一例。[44]即便杜氏所舉之例全部屬實，則《讀詩記》批評毛、鄭舊說的也僅佔其所引條數的 0.295%，不到千分之三，比例可謂極低，何況細讀上述諸篇之《讀詩記》文字，筆者發現，呂氏措辭不僅極為溫和，且往往並無杜氏所云有反對毛、鄭之意，例如解〈鶴鳴〉云：「此詩既不見所指，諸家雖互有所長，然未必得詩人之意也。今存其訓故，以待知者。毛氏最在眾說之先，恐其傳有自，亦附注焉。」[45]這樣的說解，豈能以之為呂氏批評毛、鄭之例？又如解〈東山〉云：「蘇氏曰：東征之士皆西人也，方其在東，未嘗不曰歸耳。而未可以歸，故其心念西而悲。」又以小字標出毛說：「『我心西悲』，公族有辟，公親素服不舉樂為之變，如其倫之喪。」

---

43 若據影印《文淵閣四庫全書》本，則《讀詩記》引《毛傳》大字正文計 1536 條，小字注文 97 條；引鄭《箋》大字正文 1082 條，小字注文 311 條。

44 〈呂祖謙的《詩》學觀〉，《浙江社會科學》2005 年第 5 期，頁 137-138。

45 《讀詩記》，卷 19，頁 38a。

[46]杜氏謂：「據《讀詩記・條例》……，知呂祖謙此處主蘇而棄毛。呂祖謙又闡述己見說：『勿士行枚，亦歸士之情也。自幸全身而歸，願勿從事於行陣也。所謂序其情而閔其勞也。』呂祖謙此說最得詩意。」[47]可是，根據《讀詩記・條例》，此處毛說若非「可以足成前說」，即是「說雖不同，當兼存者」，非如杜氏所言，呂氏「主蘇而棄毛」。再如呂氏解〈伐木〉「諸父」、「諸舅」之詞，以大字正文引朱氏曰：「諸父，親朋友之同姓而尊者也；諸舅，朋友之異姓而尊者也。」下以小字注釋引毛氏曰：「天子謂同姓諸侯，諸侯謂同姓大夫皆曰父；異姓則稱舅。國君父友其賢臣，大夫士友其宗族之仁者。」[48]杜氏謂：「知呂祖謙此處主朱而棄毛說。」[49]所犯之錯誤如前所言。筆者檢視杜氏所舉詩篇，發現杜氏所舉之例，可確定呂祖謙批評毛、鄭之說者僅有〈卷耳〉（批評毛說）、〈縣〉、〈甫田〉（以上兩篇批評鄭說）、〈鴟鴞〉（毛、鄭一併批評）。不過，呂氏在〈檜風・素冠〉末章後云：「鄭康成、王肅皆以素冠為大祥之冠，蓋引〈喪服小記〉『除成喪者，其祭也，朝服縞冠』之文，其說誤矣。」於〈小雅・楚茨〉三章下云：「為俎孔碩，謂薦孰也。或燔或炙，謂從獻也。鄭氏以為一事，誤矣。燔肉與肝炙，豈得謂之孔碩乎？」[50]這兩篇批評了鄭《箋》，而為杜氏所忽略，加上呂氏批評鄭《箋》解〈小雅・鴛鴦〉「鴛鴦在梁」句較為僵化，此篇杜氏在他書中曾予指出（詳後），

---

46 《讀詩記》，卷16，頁23b。
47 〈呂祖謙的《詩》學觀〉，《浙江社會科學》2005年第5期，頁137。
48 《讀詩記》，卷17，頁23a-23b。
49 〈呂祖謙的《詩》學觀〉，《浙江社會科學》2005年第5期，頁138。
50 分見《讀詩記》，卷14，頁3b-4a；卷22，頁16b。

如此，則呂氏反對毛、鄭之說的，分別僅佔所引條數的 0.12%
與 0.42%，正可見呂氏不僅極度尊重《詩序》，也相當重視毛、
鄭之解釋。

第四節　《讀詩記》的特質及其在
《詩經》學史上的意義

　　宋代是經學史上最具革命性的時代。在《詩經》的研究部
分，宋儒在嚴格的方法論上並無明顯的創新之處，但是在解
《詩》的觀點上卻有突破性的進展。質疑《詩序》的學者強烈
懷疑《毛詩》所代表的歷史性與傳統性的解釋，認為這些解釋
只能算是延伸性甚至是迂曲的說法，對於《詩經》本義的探索
反而是一種障礙。呂祖謙不屬於這一陣營中的學者，他的《讀
詩記》擁護《詩序》，尊重毛、鄭的解釋，對於孔《疏》的引
述條數也極多，全書所引「孔氏曰」大字 468 條，小字 1137
條，〈公劉〉二章以下引「（孔）疏曰」大字 4 條，小字 2 條，
全部合計多達 1611 條，若不論大字與小字的質性差異，這樣
的引述次數已經超過鄭《箋》的 1402 條，接近《毛傳》的 1645
條了。整體來看，《讀詩記》對於傳統《詩經》漢學的支持程
度，無庸置疑。另一方面，呂祖謙對於宋代對立面的研《詩》
之士的解經成果也給予相當程度的尊重，當然，對於鄭樵那樣
的極端反《序》人物，他持保留態度，所以《讀詩記》引述鄭
樵之說，大字正文僅 10 條，小字注釋更僅有 4 條。相對之下，

他對於幾位「新中帶舊」的學者的引述次數顯得頗為大方，例如引歐陽修大字正文 170 條，小字注釋 37 條；引蘇轍大字正文 342 條，小字注釋 110 條；引朱熹大字 698 條，小字 363 條。上述三家就有兩家超過其所引程氏的大字正文 215 條，小字注釋 79 條，可見呂氏對於新派說《詩》者確實能夠給予足夠的肯定。[51]

表面看來，即使是引述最夥的宋儒朱熹，其被引述的條數依然不及孔《疏》之多，但若僅從大字正文觀之，朱熹的 698 條仍遠多於孔氏的 468 條，在全書中，僅次於《毛傳》的 1547 條，與鄭《箋》的 1087 條，何況，《讀詩記》全書引述的宋儒家數在三、四十家以上，如此，若謂呂氏著書有融貫群言、兼採漢宋之意，當是合理的推論。

漢宋兼採是《讀詩記》的一大特色，但呂祖謙自有其一貫立場，事實上只要就其幾乎全引《詩序》之文，且負面評論之處極少，此一解經立場即已不言而喻。

就研習經典的目標而言，《詩經》詮釋的重點在詩義的解說。在孔穎達之前，《毛詩》學者想要對於〈序〉文有進一步的理解，僅能依靠鄭《箋》，不過，鄭玄箋《序》並不全面，311 篇《序》文，無箋注的有 76 篇，占總數的 24%。[52]孔穎達《毛詩正義》對於《詩序》一一作疏解，此書以隋劉焯《毛詩

---

51 雖然朱熹不忘強調，「此書所謂朱氏者實熹少時淺陋之說，而伯恭父誤有取焉」，《讀詩記》，卷前，朱熹〈序〉。但新說的不同於舊說，其差異是在對於《詩序》的態度上，以及朱熹自言「有所未安，如雅鄭邪正之云者」的部分，章旨、作意、訓釋方面，不會有太大的不同。

52 李世萍：〈《鄭箋》對《毛詩序》的箋注〉，《蘭州學刊》第 173 期（2008 年第 2 期），頁 176。

義疏》、劉炫《毛詩述義》為稿本,可謂集六朝《詩》說之全。
[53]《毛詩》的愛好者有了孔《疏》,漢唐經師對於詩旨的闡明,
幾乎盡在目前。《讀詩記》大量引述鄭、孔之見,有其含意。

此外,《讀詩記》雖廣引宋儒之說,但對於南宋早期批判
《詩序》最為激烈的三家——鄭樵、王質(1135-1189)、朱熹
之引述狀況,[54]更透露出其解《詩》態度。黃震(1213-1280)
《黃氏日抄·讀毛詩》云:

雪山王公質、夾漈鄭公樵,始皆去《序》而言《詩》,與
諸家之說不同。晦庵先生因鄭公之說,盡去美刺,探求古始,
其說頗驚俗,雖東萊不能無疑焉。[55]

黃氏所述王、鄭、朱三家中,王質的年代與呂祖謙相當,
其《詩總聞》內容未見於《讀詩記》,當是其書原先罕見,[56]呂

---

53 黃焯:《毛詩鄭箋平議》(上海:上海古籍出版社,1985年6月),〈序〉,頁
　　6。

54 《四庫全書總目·詩序二卷提要》:「《詩序》之說,紛如聚訟。……以為村
　　野妄人所作,昌言排擊而不顧者,則倡之者鄭樵、王質,和之者朱子也。」
　　〈詩補傳三十卷提要〉:「蓋南宋之初,最攻《序》者鄭樵,最尊《序》者則
　　處義矣。」〈詩總聞二十卷提要〉:「南宋之初,廢《詩序》者三家,鄭樵、
　　朱子及質也。鄭、朱之說最著,亦最與當代相辨難。質說不字字詆〈小序〉,
　　故攻之者亦稀;然其毅然自用,別出新裁,堅銳之氣,乃視二家為加倍。」
　　以上分見《四庫全書總目》,第1冊,卷15,頁330:2a-2b;337:16b-338:
　　17a;338:18a。

55 《黃氏日抄》,影印《文淵閣四庫全書》,第707冊,卷4,頁1b。黃震於章
　　叔平〈讀詩私記·序〉下又云:「《詩》自衞宏作〈小序〉,諸儒往往憑之以
　　說《詩》,隨其所發,理趣雖精,而《詩》之所以作,則世遠未必知其果然
　　否也。王雪山、鄭夾漈始各捨《序》而言《詩》。朱晦庵因夾漈而酌以人情
　　天理之自然而折衷之,所以開示後學者已明且要。」〔清〕朱彝尊:《經義考》
　　(臺北:中央研究院中國文哲研究所,2004年12月),第4冊,卷110,頁
　　107。

56 據黃震所言,其時論《詩》的學者,王質與鄭樵二人都「去《序》言《詩》」,

氏手中無此書之故,不能解釋為其對王氏另有偏見。最需注意
的是鄭樵,鄭氏廢《序》,其批評矛頭同時指向《毛傳》、鄭《箋》,
朱子原本對於《詩序》採取接受的態度,其後因受鄭樵《詩辨
妄》的影響,改寫《詩集傳》,[57]不過,呂祖謙《讀詩記》雖廣
引宋儒之說,書中的「莆田鄭氏曰」卻極少,且多屬於無關宏
旨的文字訓釋,例如解〈小雅・苕之華〉「牂羊墳首」句云:「牝
羊首小,今也羸瘵,反首大而身小。」解〈大雅・大明〉「會
朝清明」句云:「會朝者,會戰之朝。」解〈大雅・緜〉「聿來
胥宇」之「聿」字云:「聿,遂也。」[58]再者,《讀詩記》引朱
《傳》文字雖總數超過一千條,數目驚人,但朱熹在為《讀詩
記》作〈序〉時不忘強調:「此書所謂『朱氏』者,實熹少時
淺陋之說,而伯恭父誤有取焉。其後歷時既久,自知其說有所
未安,如雅鄭邪正之云者,或不免有所更定,則伯恭父反不能
不置疑於其間,熹竊惑之。方將相與反復其說,以求真是之歸,
而伯恭父已下世矣!」[59]晚期的朱熹大肆抨擊《詩序》,呂氏則
一路走來始終如一,[60]朱呂二家對於「雅鄭邪正」的問題更是

與一般諸家不同,由此可見王、鄭二人的特出之處已引起學者注意,不過,
王質的《詩總聞》要在其過世五十年後才刊行,因此論及反《序》、廢《序》
動作對時人的影響,王質仍不能跟鄭樵相比。詳拙著《范處義詩補傳與王質
詩總聞比較研究》,頁 94-95。

57 朱熹:「舊曾有一老儒鄭漁仲,更不信〈小序〉,只依古本與疊在後面。某今
亦只如此,令人虛心看正文,久之其義自見。」《詩序》實不足信。向見鄭
漁仲有《詩辨妄》,力詆《詩序》,其間言語太甚,以為皆是村野妄人所作。
始亦疑之,後來仔細看一兩篇,因質之《史記》、《國語》,然後知《詩序》
之果不足信。」《朱子語類》,第 6 冊,卷 80,頁 2068、2076。

58 分見《讀詩記》,卷 24,頁 24a;卷 25,頁 15b、17b

59 〈呂氏家塾讀詩記序〉,《讀詩記》,卷前,頁 2a。

60 朱熹自謂其與呂氏的個性差異,造成了兩人立說上的不同;呂氏論學「平恕
委曲之意多」,故能兼涵容眾,以博見長;朱氏「所論皆有奮發直前之氣」,

始終爭論不下，[61]在呂氏過世後，朱熹仍然不忘利用機會表達
其對呂氏執意用其舊說的遺憾之意，也由此可見，呂氏一方面
承認其友敵朱熹為當代一大儒，必須尊重，但又堅持其一貫的
解《詩》立場，只肯在《讀詩記》中引述朱熹舊說。此中透露
出的訊息是，呂氏說《詩》古今並蓄，但仍以傳統漢學為主要
解釋取向，宋儒之說，家數雖極多，但主要是拿來作為輔助說
明與補充論述之用，並且，宋儒涉及到反傳統的鮮明議論，很
難被其引述。

　　目前研究《讀詩記》的學者，對於呂祖謙《詩經》學特質
與成績，呈現兩種截然不同的研判。其一是以為《讀詩記》對
於《詩經》篇目的詮釋，有關詩旨部分，大多採信《詩序》觀
點論述，此一尊《序》立場，注定其對詩旨的討論難以翻出新
意，就經義的闡釋而言，即是一個限囿；縱有偶發之創見，亦
僅為細枝末葉的陳說。[62]另一種說法以為，呂氏為一反《序》
的說《詩》者，對於毛、鄭的解釋也展現了突破的力度。[63]後

　　故能精益求精，見微知著。詳洪春音：《朱熹與呂祖謙詩說異同考》（臺中：
　　東海大學中國文學研究所，1995 年 5 月），頁 235。
61 朱呂二家關於《詩經》的論辯包括《詩序》之辯、「思無邪」之辯、「雅鄭邪
　　正」之辯與《詩經》是否入「雅樂」及其功用之辯，詳姚永輝：《朱熹與呂
　　祖謙關於詩經的四大論辯平議》（成都：四川大學碩士論文，2005 年 4 月），
　　頁 11-31。又據李家樹所言，朱呂二人爭論最激烈的焦點，其實是「雅鄭邪
　　正」的問題，也即所謂「淫詩」問題，詳李家樹：〈宋代淫詩公案出探〉，收
　　於《詩經的歷史公案》，頁 83-112。
62 夏傳才譏彈呂氏之語已見前引，趙制陽則云：「呂氏尊信《詩序》，……遵《序》
　　說詩為呂氏基本信念。於今觀之，其詩旨討論既已局限於此，雖有創新之見，
　　亦只是細枝末葉而已。」《詩經名著評介〔第三集〕》，頁 217。
63 陸侃如謂呂氏《讀詩記》力攻毛氏，其語已見前引，杜海軍引述魏了翁恭維
　　呂氏與朱熹之語，謂「足見呂祖謙突破毛、鄭之說的力度。」《呂祖謙文學
　　研究》，頁 203-204。

者應該是有為呂氏平反的用心，但由本文在前面所提的一些數據，可知其為誇張之詞，不需深信。至於前者，幾乎已成學術上的通識，實則這樣的評議有其盲點存在，筆者擬由反批其論點，以見《讀詩記》在《詩經》學史上的存在意義。

　　首先，我們可以直問：宋代以及之後的《詩經》讀本，無論其書如何開拓格局，是否只要受到《詩序》的限囿，詩旨詮釋無由自出新意，就可以被宣判為陷入傳統的窠臼，不能獲得較高的評價？其實，這關涉到經典詮釋的角度。有論者以為呂氏解說詩義，雖間有議論，「亦多從儒家教義與《左傳》人事上談，從未領會『風謠』的來歷與特性，故所論常難以跳出古文《詩》說的範圍」。[64] 這是以三百篇為純歌謠的成見所作出的批評，無視兩三千年前的周代並無純文學總集這樣的事實，[65] 假若論者可以從動態之經學發展史的觀點來看待古人的研《詩》成果，就不會有此先入為主的時代錯置（anachronism）概念。[66] 回到經學史的論述：《詩序》詮釋詩旨，往往有超越文字表面意義所指涉者，為了讓解說能具體化，《詩序》盡可能尋找歷史記載，甚至不惜塑造歷史情境，這是時代說《詩》的一大特色。作為研究者，我們可以認為《詩序》如此編排詮釋內容的

64　趙制陽：《詩經名著評介〔第三集〕》，頁 218。

65　有關三百篇並非皆屬歌謠的討論可參楊晉龍：〈兩岸比較《詩經》學前論：20 世紀 50 年代後臺灣學者對〈秦風・蒹葭〉的詮釋〉，收於洪漢鼎、傅永軍主編：《中國詮釋學〔第五輯〕》（濟南：山東人民出版社，2008 年 3 月），頁 123-125。

66　余英時謂其「一向是從史學的觀點研究中國傳統的動態，因此不但要觀察它循著什麼具體途徑而變動，而且希望儘可能地窮盡這些變動的歷史曲折」，余英時：《中國思想傳統的現代詮釋》（臺北：聯經出版事業公司，1992 年 2 月），〈自序〉，頁 7。這裡借用其言，使用「動態之經學發展史」之言。

用意在將三百篇回歸到聖人精神風貌所凝聚的經典，但必須承認，在《毛詩》忠實讀者的心目中，《序》說依然代表了詩篇原意。呂祖謙在面對反《序》聲浪大起的當代，仍然願意以《詩序》為詮釋詩義的核心論述，後世的研究者只能尊重他的選擇，並檢核其在尊重《序》說的立場下，實質上作出了什麼樣的成績？而非將任何尊《序》派的著作一體視為保守、落伍的表徵。[67]以《讀詩記》為例，就其體式而言，以集解的形式，掇拾數十位古今治《詩》名家，匯採各家的解釋，將其認同者重整文字而置入書中，使得讀者可以極有效率地接觸到各家言《詩》之文，不能不說是一個對讀者十分便利的編書方式。雖然呂氏此書「以編代著」，但對於系統上的明晰與證成卻是頗具理序；斷語不多，但顯得明確精到，且揀選材料本身，即存有預設的立場與前見（pre-judice），對聚訟紛紜的「道問學」、「尊德性」的研學路數，呂氏給出了兼取其長的去取與裁斷。

　　呂氏著書，於其所摘錄之文，大可直引，但他卻著意刪削，此中必然含有頗費一番去蕪存菁的精審功夫。這是全書的一個特點，對於其子弟，或許可因此提高閱讀效率，但就求實存真的學術態度而言，這倒是一個缺失。另一方面，其尊《序》立場，也成為其裁奪《詩》論異說的判準，此一作法必然引發異議，蓋進入宋代之後，即使重視三百篇的教化功能，也未必得唯《序》說馬首是瞻。然而，無論採取尊《序》或反《序》的

67　事實上，《詩序》所訂部分詩旨有其合理性，且其觀點與儒家思想相應，甚至，即使沒有儒家道德觀的掩護，其說也反映了部分的史實，說詳林慶彰：〈《毛詩序》在《詩經》解釋傳統的地位〉，楊儒賓編：《中國經典詮釋傳統（三）文學與道家經典篇》（臺北：喜瑪拉雅研究發展基金會，2002 年 3 月），頁 38-41。

態度，本身即已抱持一種立場，秉持一種判斷。當然，前者必須站在《序》說的基礎上，作出更進一步的詮釋，又或者在訓詁名物度數上擁有比前人更豐富、細膩的成績，才能在宋代以後的《詩經》研究史上佔有一席之地。

近代哲學詮釋學主張經典是開放的文本，[68]此即表示經典可以不斷地積累各種說解與作出再進一步的闡釋，將這樣的概念運用在《詩經》學上，固然表明了三百篇重新應運時代而增添新詮釋的可能性與必要性，另則也正表示舊說依然值得尊重，特別是代表傳統漢學解釋的《詩序》。

其次，呂祖謙《讀詩記》的原初撰作動機，如前所言，僅在作為教導子弟讀《詩》的入門書，並無經國略世之志，是以書中所現一己之見解相對較少，三百篇中加入其說解者僅 131 篇，其餘 174 篇單純地引進他人的說釋以疏解詩文，自己並未措置一辭，[69]這樣的說詩成果，當然無法與朱熹的《詩集傳》比擬。不過，既然《讀詩記》的用意在於引導初學者接觸古今眾說，理解三百篇，則此一著書動機與目的，無疑地也必然框限了《讀詩記》的體式。檢視《讀詩記》，筆者發現，呂氏廣為蒐羅前說的目的並非纂輯資料，而是在於發明文意。先行謄錄《詩序》在前，而後徵引自漢至當代的諸家說辭，或作簡單的文意點撥，或完全不表明己意，直接劃上句點，這樣的寫作

---

68 洪漢鼎：「詮釋學主張意義多元性，但這不是主張什麼都行的相對主義；詮釋學主張意義相對性，但這不是否認客觀真理的主觀主義。相對性表明意義的開放性，多元性表明意義的創造性。無論是開放性還是創造性，都表明詮釋學的與時俱進的理論品格。」《詮釋學史》（臺北：桂冠圖書公司，2002年6月），〈序言〉，頁 VI。

69 趙制陽：《詩經名著評介〔第三集〕》，頁 191。

方式，論述點必然有所不足，但作為《詩經》入門讀本實已夠
用，是以呂書在宋代亦廣受歡迎。[70]

　　復次，針對《讀詩記》加入個人見解的一百多篇予以觀察，
筆者又發現，呂氏依據《詩經》文本，綜合《詩序》以降的諸
家說解，統攝一己史學的涵養，對詩義加以釐析，增補前人未
盡之處，試圖賅備《詩》說的全旨大意。這裡面也展現出一些
解放詩旨的企圖心，特別是，呂氏將其「寬解詩意」的主張，
[71]用在實際的解詩操作中，意欲掙脫出《詩序》所提的指實意
義之框架，突破封限以求得更寬闊的詮釋。[72]有此作為，已算
開明，若依然咎責其缺少突破性的表現，則可謂是一種偏見。
誠如歷史學家所指出的，對於從事於科學論述的人來說，任何
陳述都必須屈就於由方法與判準所建構的有效性上，而這些方

70　《四庫全書總目・呂氏家塾讀詩記三十二卷提要》：「魏了翁作〈後序〉，則
　　稱其能發明詩人『躬自厚而薄責於人之旨』。……了翁「後序」乃為眉山賀
　　春卿重刻是書而作。時去祖謙沒未遠，而版已再新。知宋人絕重是書也。」
　　《四庫全書總目》，第 1 冊，卷 15，頁 341：24b-342：25a。
71　呂祖謙謂《左傳・襄公十三年》引「儀刑文王，萬邦作孚」語：「意只在能
　　法則上，古人引《詩》意寬，看《詩》者當如此。」《左氏傳續說》，影印《文
　　淵閣四庫全書》，第 152 冊，卷 9，頁 24a。
72　杜海軍曾對此舉出三例：〈行葦〉、〈十畝之間〉與〈鴛鴦〉。見杜海軍：《呂
　　祖謙文學研究》，頁 207-208。案：呂氏評張載解〈十畝之間〉為「場圃之
　　地」：「橫渠指桑為場圃，合於古制，但又謂魏地侵削，外無井受之田，徒
　　有近郭園廛而已，則似不然，果如是，民將何所食乎？政使周制果家賦園廛
　　十畝，魏既削小，豈容尚守古法？容或數家共之也。況詩所謂十畝者，特甚
　　言之爾，未可以為定數也。」評氏以《儀禮》解〈行葦〉：「學者讀此詩，
　　當深挹順弟和樂之風以自陶冶，若一一拘牽禮文，則其味薄矣。」評鄭《箋》
　　解〈鴛鴦〉「鴛鴦在梁」句：「鄭氏曰：『梁，石絕水之梁……。』此詩獨以
　　鴛鴦為興者，詩人偶見人之掩捕，適有所感耳。梁，橋梁、魚梁皆是，不必
　　專以為石絕水之梁也。」以上分見《讀詩記》，卷 10，頁 8b-9b；卷 23，頁
　　4b；卷 26，頁 15b-16a。

法與判準在原則上絕不能屈從於意識型態，可是，「另外有一些陳述是不能用有效性來判斷的，它們是不同種類的論述。它們會提出極為有趣而困難的哲學難題，特別是當它們使用敘事體時（例如具有代表性的藝術，或者對於具有創造性的作品與作者進行評論），尤其困難。」[73]《詩序》在某種程度上就是對於具有創造性的作品與作者進行評論與解釋，何況，一個時代有一個時代的觀念，觀念的合理性存在於人們對它的認同之中。[74]宋代開始，雖然逐漸有人揚棄了《詩序》，但主張以《詩序》（尤其是「首序」）為解《詩》門徑者，代不乏人，甚至直至現代，仍有倡言「不明《詩》與《序》相關之理者，不可以解經；不知《詩序》之義例者，不可以論《序》」、「《詩序》去古未遠，得詩人肯綮者實多」者。[75]《詩序》或許無法為所有詩篇提供準確理解詩人原旨的保證，但批評呂氏《讀詩記》缺乏突破性的作為者，更是忽略了站穩立場、揀選材料本身，即代表一種價值判斷。呂祖謙處於質疑《詩序》的歐陽修、廢除「後序」的蘇轍之後，引述歐、蘇詩解共達 659 條，對於歐、蘇的《詩經》學顯然十分重視，不可能完全不考慮追隨其腳步，思考《詩序》的存廢問題，何況他與當代大儒朱熹關係密切，來往頻繁，眼見對方受到鄭樵影響，轉變原先的守《序》態度，

---

73 詳〔英〕艾瑞克・霍布斯邦（Eric J. Hobsbawm）著，黃煜文譯：《論歷史》（臺北：麥田出版社，2002 年 8 月），頁 221-222。

74 葛兆光：〈思想史：既做加法也做減法〉，楊念群、黃興濤、毛丹主編：《新史學》（北京：中國人民大學出版社，2003 年 10 月），上冊，頁 234。

75 引文分見王禮卿：《四家詩恉會歸》（臺中：青蓮出版社，1995 年 10 月），第 1 冊，頁 20；文幸福：《詩經毛傳鄭箋辨異》（臺北：文史哲出版社，1989 年 10 月），頁 209。

重作《詩集傳》，必然也在其心理上造成衝擊，但最後，呂祖謙依然固守尊《序》陣線，僅小幅度地批評《詩序》，偶然性地推翻毛、鄭、顯然，《讀詩記》是一本選定立場後，有計畫性地、有意識的撰作。

　　呂氏在說明《讀詩記》的體例時，指出：「諸家解定從一說，辨析名物，敷繹文義，可以足成前說者，注其下，說雖不同，當兼存者，亦附注焉」，由此足以顯示其胸有定見，以「諸家解」而統攝在「從一說」上，有其一貫的取捨原則，「注其下」、「亦附注」的編排正見其徵引絕非隨興之所致，而毫無章法。前人的解說頗夥，如何抉擇定解，又如何決定何說有「辨析名物，敷繹文義」之功，何者有兼存之必要，以及視說解內容、性質，以大字正文與小字注釋作為區隔等等，這些編排設計的主要考量，完全是以其整體解經取向與價值判斷為依歸。甚至，在反《序》聲音甚囂塵上的當際，呂祖謙堅持向傳統《詩》說靠攏，再廣納宋儒之說，合漢宋《詩》學於一爐，這樣的解《詩》方式，有違當時的時代氛圍，從此一角度觀之，實可視為一突破性之作法。

　　再者，《讀詩記》雖然充滿了漢學風味，但又體現了《詩經》宋學的明顯特徵，守住《詩序》，以《序》為理解詩旨的中心，再以訓詁、義理詮釋詩義，全書內容又具體展現了宋儒獨有的理學色彩。[76]整體而言，《讀詩記》吸收了《詩經》漢

76 呂祖謙：「看《詩》須是以情體之，如看〈關雎〉詩須識得正心，一毫過之，便是私心。」呂喬年編：《麗澤論說集錄》，卷 3，〈門人所記詩說拾遺〉，頁 1b-2a。李冬梅：「呂氏之作開篇就儘量徵引張載、二程及程門弟子的論《詩》言論作為讀《詩》的綱領，並將《詩經》作為修身養性的聖典。而且在融合漢學與宋學的基礎之上，他既重視《詩經》在心性涵養中的功用，也

學之長，而不以訓詁來範限《詩》義，刻意藉宋儒詮釋來沖淡
漢學氣味。既能兼總眾說，又能適時以己意予以裁斷，如此意
識明確的撰作，使得詩篇意旨呈現多視角的解讀。

　　宋儒對於《詩經》學的爭執聚焦在《詩序》的存廢問題上，
後世研究者也以尊《序》、廢《序》作為宋代解《詩》兩大取
向之主要標誌。從倫理教化的角度詮釋詩篇，或者以探索詩人
本義為最終目標，這本來就是兩種不同的解經路線與觀點，也
由此劃出宋代新舊兩派說《詩》的不同陣營。《讀詩記》由於

突出其在實際政治生活中的實用價值，這些正是他作為理學家的身份所展現
出來的理學《詩》學觀。」李冬梅：《宋代詩經學專題研究》（成都：四川
大學博士論文，2007 年 4 月），頁 26。案：呂祖謙大量引述宋儒之說，自
然使其書沾滿理學色彩，他在《讀詩記・綱領》中引程子曰：「興於《詩》
者，吟詠情性，涵暢道德之中而歆動之。」《讀詩記》，卷 1，頁 1b。這是一
句很具關鍵性的解詩法之說明，今人蔡方鹿、付春在析論呂氏之解〈漢廣〉
時即說：「從呂祖謙盛贊〈漢廣〉詩為窒欲之大用，可見其既客觀地承認人
之情，又以義理加以調節的解《詩》原則，也就是『吟詠情性，涵暢道德之
中』，把吟咏情性納入道德調節的範圍，體現了理學家言《詩》注重道德教
化的特色，但也給人的情感留下一定的位置。」〈呂祖謙的詩經學探析〉，《寧
波黨校學報》，2008 年 2 月，頁 104。有關呂祖謙引述宋儒充滿理學色彩之
說以解詩的另可見《讀詩記》，卷 1，頁 2a，〈綱領〉引謝氏曰：頁 5a-5b，〈綱
領〉引張氏曰（大字正文）、張氏又曰（小字注文）；卷 2，頁 15a，〈樛木〉
引永嘉葉氏曰；卷 5，頁 7a-7b，〈桑中〉引張氏曰；卷 8，頁 30a-30b，〈溱
洧〉引王氏曰；卷 9，頁 2a，〈雞鳴〉引范氏曰；卷 10，頁 1b，〈葛屨〉引
范氏曰；卷 12，頁 18b，〈渭陽〉引廣漢張氏曰；卷 13，頁 11a，〈防有鵲巢〉
引程氏曰；卷 16，頁 3b，〈七月〉引楊氏曰；卷 16，頁 34a-34b，〈狼跋〉
引程氏曰；卷 17，頁 5a，〈鹿鳴〉引長樂劉氏曰；卷 17，頁 9b，〈皇皇者華〉
引陳氏曰；卷 17，頁 45b，〈魚麗〉引朱氏曰；卷 18，頁 11b，〈湛露〉引程
氏曰；卷 19，頁 15a，〈六月〉引王氏曰；卷 20，頁 28b，〈節南山〉引李氏
曰；卷 23，頁 11b，〈青蠅〉引陳氏曰；卷 23，頁 22b-23a，〈魚藻〉引長樂
劉氏曰；卷 24，頁 1a-1b，〈都人士〉引長樂劉氏曰；卷 25，頁 1b，〈文王〉
引朱氏曰；卷 25，頁 35a，〈思齊〉引長樂劉氏曰；卷 31，頁 9b-10a，〈魯
頌・泮水〉引李氏曰。

體現了不同於北宋以來強調「本義」解詩的思路，解詩取向復歸於傳統，故呂氏被視為擎起擁《序》大旗的指標學者，也是唯一可與對立面的朱熹相抗衡的人物。然而《讀詩記》若僅被視為守舊型的著作，則難以見出其實質價值，實際上，呂氏通過多重視角的研讀，重塑了經典，賦三百篇以新的意涵，透顯出特殊的時代意義。

第五節　結　語

馮友蘭（1895-1990）以為，中國中古、近古時代之哲學，大都需從其時之經學中尋求，依其說，其中有哲學成分之經學為：今文家之經學、古文家之經學、清談家之經學、理學家之經學、考據家之經學與經世家之經學。[77]呂祖謙為學重視明理躬行，治經史以致用，其經學可謂理學家與經世家之經學。[78]

呂氏《讀詩記》以集解的方式，鉅細靡遺地摘錄了歷代《詩經》研究者闡釋詩義的見解。其所保存的《詩經》學資料可謂

---

77 馮友蘭：〈中國中古近古哲學與經學之關係〉，《中國哲學小史》（北京：中國人民大學出版社，2005 年 2 月），頁 130。

78 雖然《讀詩記》宗毛，而呂氏亦自謂「魯、齊、韓、毛，師讀既異，義亦不同，以魯、齊、韓之義尚可見者較之，獨《毛詩》率與經傳合，〈關雎〉正風之首，三家者乃以為刺，餘可知矣，是則《毛詩》之義最為得其真也」，但不可以《讀詩記》為古文家之經學，蓋其時三家《詩》早已亡佚，如同朱熹所言，「《詩》自魯、齊、韓氏之說不傳，而天下之學者盡宗毛氏」，要到南宋末年的王應麟（1223-1296）纂輯三家遺說，推出《詩考》之作，此後《詩》學流派才有可能再出現古今文之分。以上呂、朱之言分見《讀詩記》，卷 2，頁 6a；卷前，朱熹〈序〉，頁 1a。

宏富，而剪裁適切，首尾通貫，引述諸家雖多，但章法整齊，頗能反映呂氏既能統攝，又具包容性的學術性格，故陸鈇為呂書作〈序〉云：「其書宗孔氏以立訓，考註疏以纂言。剪綴諸家，如出一手，有司馬子長貫穿之巧……。」[79]陳振孫評為：「博采諸家，存其名氏，先列訓詁，後陳文義，翦裁貫穿，如出一手。己意有所發明，則別出之。《詩》學之詳正，未有逾於此書者也。」[80]

　　中國的《詩經》學是在全力塑造傳統、不斷地反傳統，以及傳統的再形成中持續前進的。呂氏《讀詩記》對於傳統中的漢唐注疏，基本上抱持接納的態度，保留了極多的古說，其面對《詩經》漢學，遵守「首序」，重視毛、鄭古注，但對於「續序」則並非全盤接受，這正是多數宋代「舊派」說《詩》者的共識。毫無疑問地，呂氏對於《詩》學傳統的維護與承傳，的確有其不可磨滅的貢獻。[81]同時，《讀詩記》對於當代新舊兩派學者的詩解，也能給予相當程度的重視，但對於當代學者廢《序》的大動作則持保留態度。以呂祖謙的身份地位，《讀詩記》的論述立場與方式，對於宋代在新舊兩派中猶疑的讀者，

79　《讀詩記》，影印《文淵閣四庫全書》，第 73 冊，卷前，〈原序〉，頁 1a。案：《四部叢刊續編》本無此〈序〉。

80　陳振孫：《直齋書錄解題》（臺北：廣文書局，1979 年 5 月），上冊，卷 2，頁 100-101。

81　尤袤：「……後世求詩人之意於千百載之下，異論紛紜，莫知折衷。東萊呂伯共病之，因取諸儒之說，擇其善者，萃為一書。間或斷以己意，於是學者始知所歸一。……使學者因是書以求先王所以厚人倫、美教化，君子之所以事君、事父，則於聖學之門，之豈小補哉！」《讀詩記》，卷末，頁 405，尤袤「後序」。案：此據《四部叢刊續編》本，影印《文淵閣四庫全書》本無此文。

必然具有不可忽視的影響力。

　　根據本文的論述，可知《讀詩記》在《詩經》學史上的自有其重要價值與意義，若執定成說，以為其書就僅是在肯定與維護傳統《詩》說，恐怕未能全觀地給予它應得的評價；也有學者僅以其集解體式，而直謂其為平庸之作，[82]這絕對是皮相之見；另一方面，若為其辯護，強調其反傳統漢學是如何地不遺餘力，更是背離事實之論。事實上，《讀詩記》總結《詩經》漢宋二學的義涵濃厚，呂氏以翻新的突破性手法，廣納從漢朝至當代研《詩》之士的解釋，站穩立場，掌握時代脈絡，統攝時代思潮，將三百篇賦予新時代的意義，這部尊《序》派的《詩經》學著作能流傳久遠，委實有其條件。

82　姚際恆評論呂祖謙《讀詩記》云：「呂伯公《詩記》，纂輯舊說，最為平庸。」
　　《詩經通論》，《姚際恆著作集〔第一冊〕》（臺北：中央研究院中國文哲研究
　　所，1994 年 6 月），卷前，頁 7。

第二章　關於呂祖謙對於《詩序》的態度問題

第一節　前　言

　　呂祖謙（1137-1181）是南宋時代一流的學術思想家。全祖望（1705-1755）在〈同谷三先生書院記〉中說：「宋乾、淳以後，學派分而為三：朱學也，呂學也，陸學也。三家同時，皆不甚合。朱學以格物致知，陸學以明心，呂學則兼取其長，而復以中原文獻之統潤色之。門庭徑路雖別，要其歸宿於聖人，則一也。」[1]這一段評論，將呂祖謙的學術高度提升到極點。

　　呂祖謙，字伯恭，其先河東人，根據文獻記載，「自其祖始居婺州（今浙江金華）。其學本之家庭，有中原文獻之傳。長從林之奇、汪應辰、胡憲游，既又友張栻、朱熹，講索益精。」在宦途方面，「以祖致仕恩補將仕郎，登隆興元年進士第，又中博學宏詞科，歷太學博士，兼史職。」後「遷著作郎。以疾請祠，歸。旋除直閣，主管武夷沖佑觀。病間，除著作郎，不

1　〔清〕黃宗羲原著，〔清〕全祖望補修，陳金生、梁運華點校：《宋元學案》（北京：中華書局，1986 年 12 月），第 3 冊，卷 51，〈東萊學案〉，頁 1653。

就；添差浙東帥議，亦不就；主管明道宮。淳熙八年七月卒，年四十五，謚曰成。」在學術表現方面，「學以關、洛為宗，而旁稽載籍，不見涯涘。……考定古《周易》、《書說》、《閫範》、《官箴》、《辨志錄》、《歐陽公本末》，皆行于世。」呂祖謙學問淵博，著作宏富，除上述諸書，另有《呂氏家塾讀詩記》、《東萊左氏博議》、《春秋左氏傳說》、《春秋左氏傳續說》、《歷代制度詳說》、《大事記》、《文海》、《呂東萊文集》……等十餘種，並與朱熹合撰《近思錄》。在哲學思想上，呂祖謙繼承程顥「心便是天」之說，強調「明心」在認識上的作用，與陸九淵（1139-1192）的「宇宙便是吾心，吾心即是宇宙」相類。然而，他也認為「理之在天下，猶元氣之在萬物也」，與朱熹（1130-1200）「天下只是一個理」相似。在政治思想方面，呂祖謙主張均田恤勞，發展生產，寬厚民力，恢復國土。在學術行動上，力圖調和朱熹和陸九淵之間的矛盾，並吸收永嘉學派、永康學派的經世致用之說，以此而被朱熹視為「雜博」。[2]

上述有關呂氏的傳略，對於我們認識《呂氏家塾讀詩記》（以下視情況得簡稱《讀詩記》）的整體特質提供了一些作用。質實以言，呂祖謙的家學、師承造就了其宏博的學術視野，[3]加

---

2 詳〔元〕脫脫等：《宋史》（北京：中華書局，1977 年 11 月），第 37 冊，卷 434，頁 12872-12874；《宋元學案》，第 3 冊，卷 51，〈東萊學案〉，頁 1652-1653。陶文鵬：〈呂祖謙〉，中國大百科智慧藏（網址：http://163.17.79.102/%E4%B8%AD%E5%9C%8B%E5%A4%A7%E7%99%BE%E7%A7%91/Content.asp?ID=64250&Query=1）、張立文：〈呂祖謙〉，「中國大百科智慧藏」（網址：http://163.17.79.102/%E4%B8%AD%E5%9C%8B%E5%A4%A7%E7%99%BE%E7%A7%91/Content.asp?ID=56959&Query=1），瀏覽日期：2010 年 2 月 19 日。

3 全祖望以為，呂氏一門被選登於學案之中者，共計 17 人，但王梓材以為共有

以其人有復古的心態，又有與人為善、調和爭執的性格，[4]表現

七世 18 人之多，詳《宋元學案》，第 1 冊，卷 19，〈范呂諸儒學案〉，頁 789。
案：王說是，18 人為：公著、希哲、希純、好問、切問、和問、廣問、稽中、
堅中、弸中、本中、大器、大倫、大猷、大同、祖謙、祖儉、祖泰，分別登
於〈范呂諸儒學案〉、〈紫微學案〉、〈和靖學案〉、〈東萊學案〉等學案
中。呂祖謙自幼承趨庭訓，治學有成，其世族家門之士多飽讀詩書，家學淵
源，造就其不凡的學養與識見。又據《宋元學案‧紫微學案》，全祖望謂呂本
中（1084-1145）：「先生歷從楊、游、尹之門，而在尹氏為最久，故梨洲先
生歸之尹氏〈學案〉。愚以為先生之家學，在多識前言往行以畜德，蓋自正獻
以來所傳如此。原明再傳而為先生，雖歷登楊、游、尹之門，而所守者世傳
也。先生再傳而為伯恭，其所守者亦世傳也。故中原文獻之傳獨歸呂氏，其
餘大儒弗及也。故愚別為先生立一〈學案〉，以上紹原明，下啟伯恭焉。」《宋
元學案》，第 2 冊，卷 36，〈紫微學案〉，頁 1234。亦有研究者指出，呂氏
一族是宋代最具文學色彩的理學世家，整個家族中文學成就最高的呂本中，
既是理學家，又是詩人、文學家，這種特點對呂祖謙有所影響。呂祖謙少時，
隨父去福州任所，從學於三山的林之奇，後來又問學於臨安的汪應辰等。林
之奇是呂本中的得意門生，特別講究文學，而汪應辰「於學，博綜百家，粹
然為淳儒」（《宋元學案‧玉山學案》）。呂祖謙在學術上「博雜」的特點
與汪應辰也有一定的師承關係。此外，呂祖謙亦從胡憲學，胡憲是忠厚篤實
的君子，其處世態度也塑造了呂氏謙謙君子的人格。詳黃靈庚：〈呂祖謙與鵝
湖之會〉，《浙江師範大學學報（社會科學版）》第 139 期（2005 年第 4 期），
頁 3；朱黎輝、王金生：〈呂祖謙家學傳承及文學貢獻分析〉，《牡丹江師範
學院學報》（哲學社會版）第 145 期（2008 年第 3 期），頁 25-26。

4 宋代《易》學界存在著一股復古思潮，呂祖謙所編的《古周易》一書是「復
古《易》運動」中極為重要的一本著作。詳許維萍：〈呂祖謙與「復古《易》
運動」——兼談《古周易》版本衍生之相關問題〉，收於林慶彰主編：《經學
研究論叢》第八輯（臺北：臺灣學生書局，2000 年 9 月），頁 69-107。此外，
呂祖謙性格和易，故能周旋於朱熹與其敵派陸九淵、陳亮之間。最為人所稱
道的例子是，呂氏為了調解朱熹與陸九淵「道問學」、「尊德性」相持不下的
學術觀點爭議，企圖使二人的哲學觀點「會歸於一」，促成了學術史上頗負
盛名的鵝湖之會。最終雖未能平弭針鋒相對與相互批駁的學術爭議與論辯，
但就某種程度而言，也已達成了學問與觀念上的彼此切磋，故黃震
（1213-1280）稱「先生忠厚之至，一時調娛其間，有功於斯道何如邪！」由
此得見呂氏兼採各家優長的包容性學術性格。詳〈東萊學案〉，《宋元學案》，
第 3 冊，卷 51，頁 1679；朱維錚編：《周予同經學史論著選集》（上海：上海
人民出版社，1996 年 7 月），頁 174；潘富恩、徐餘慶：《呂祖謙評傳》（南京：
南京大學出版社，1992 年 1 月），頁 31-38。

在《讀詩記》上，使之成為一部尊重古說，力求兼容的解經之
作。

呂祖謙於南宋孝宗淳熙元年（1174）開始編著《呂氏家塾
讀詩記》，三年（1176）書成，六年（1179）開始進行修訂，
淳熙八年（1181）修訂到〈大雅・公劉〉首章後即去世，〈公
劉〉二章之下條例與前不同，其故在此。[5] 呂氏不僅欽敬古之解
經者，對於當代大儒亦極為尊重，而若僅就《讀詩記》引述的
家數來看，其所引者以宋儒居多，[6] 當我們要批評呂氏說《詩》
固守傳統時，似可從此處再略加思量。此外，呂氏讀《詩》也
有自己的心得，整體而言，《讀詩記》吸納了《詩序》、《毛傳》、
鄭《箋》、孔《疏》、蘇《傳》、朱《傳》……等數十家的解說，
兼採諸家詮解之優長，又攙入一己研《詩》之意見，由此而形

---

5 呂祖儉於《讀詩記》〈公劉〉首章下注云：「先兄己亥之秋，復脩是書，至此
  而終。自〈公劉〉之次章，訖於終篇，則往歲所纂輯者，皆未及刊定。如〈小
  序〉之有所去取，諸家之未次先後，與今編條例多未合。今不敢復有所損益，
  姑從其舊，以補是書之闕云。」〔宋〕呂祖謙：《呂氏家塾讀詩記》，黃靈庚、
  吳戰壘主編：《呂祖謙全集》（杭州：浙江古籍出版社，2008 年 1 月），第 4
  冊，卷 26，頁 642。案：此本以《四部叢刊續編》影鐵琴銅劍樓所藏宋刻本
  為底本，校以綫裝書局影日本宮內廳書陵部藏宋刻本、文淵閣《四庫全書》
  本及清嘉慶辛未谿上聽彝堂刻本，在諸本中，相對精善。本文引《讀詩記》
  以此本為主，影印《文淵閣四庫全書》本（臺北：臺灣商務印書館，1983 年
  8 月-1986 年 3 月，第 73 冊）、中國詩經學會編：《詩經要籍集成》（北京：學
  苑出版社，2002 年 12 月，第 6-7 冊）為輔。
6 《四庫全書》本的《呂氏家塾讀詩記》在卷前有〈呂氏家塾讀詩記姓氏〉，明
  確列出呂氏所引各家名單，前面九位漢唐經師還特別標出其名：毛氏（萇）、
  鄭氏（康成）、孔氏（安國）、陸氏（璣）、何氏（休）、杜氏（預）、郭氏（璞）、
  韋氏（昭）、韓氏（愈），其下排列自明道程氏、伊川程氏至南軒張氏、晦庵
  朱氏等宋儒三十五位。案：《詩經要籍集成》本無〈呂氏家塾讀詩記姓氏〉，《呂
  祖謙全集》本有此文，但宋儒中未列「南豐曾氏（曾鞏）」，故宋儒部分僅得
  三十四位。分見《呂氏家塾讀詩記》，影印《文淵閣四庫全書》，第 73 冊，卷
  前，頁 324：1a；《呂祖謙全書》本，卷後，頁 791。

成一部能夠匯集各家之要點，卻又不失個人獨特見解的《詩經》學著作。

　　呂祖謙採用集解體的方式書寫《讀詩記》，這是一種薈萃眾說的傳注體例，呂氏選擇此種體式解《詩》，動機即已清楚揭示：讓子弟可以多方接觸前賢的解經內容，透過諸說的取捨，顯露出自己的意見。[7]既然對於取材必須有所甄別去取，則其態度不難讓我們看出說《詩》取向，尤其是其對《詩序》的接受程度，更可以讓我們獲悉呂氏之《詩》學基本立場。

第二節　呂祖謙反對《詩序》？

　　假若將宋代的研《詩》學者粗略分為新舊兩派，則《呂氏家塾讀詩記》無疑屬於舊派中的名著。《四庫提要》謂《讀詩記》為呂氏「說《詩》之作也。朱子與祖謙交最契，其初論《詩》亦最合，此書中所謂『朱氏曰』者，即所採朱子說也。後朱子改從鄭樵之論，自變前說，而祖謙仍堅守毛、鄭，故祖謙沒後，朱子作是書序，稱『少時淺陋之說，伯恭父誤有取焉。既久，自知其說有所未安，或不免有所更定，伯恭父反不能不置疑於其間，熹竊惑之。方將相與反覆其說，以求真是之歸，而伯恭父已下世』云云。蓋雖應其弟祖約之請，而夙見深有所不平。」

---

7 呂祖謙自己倒是說得較為客氣：「《詩說》（案：即《讀詩記》）止為諸弟輩看，編得詁訓甚詳，其它多以《集傳》為据，只是寫出諸家姓名，令後生知出處。」〔宋〕呂祖謙著，呂祖儉、呂喬年編：《東萊別集》，影印《文淵閣四庫全書》，第 1150 冊，卷 8，頁 255：29b。

[8]僅此已可知呂祖謙《讀詩記》與朱熹定本《詩集傳》的尊《序》與疑《序》之基本路線之差異。

　　呂祖謙說《詩》，每詩都先引《詩序》之言，以示尊重，但有時也會忍不住批評《序》說，這種批評《序》說出現的次數，以及用詞的平和或激烈，可以幫助我們理解《讀詩記》的解經傾向，假若要推翻呂祖謙為尊《序》學者之說，則《讀詩記》必須有相當比例的反《序》言論才行。陸侃如（1903-1978）曾表示呂氏為一反《序》的說《詩》者，其言曰：

　　呂祖謙與朱熹同時。此書有朱氏〈序〉，說他們的意見起初是相同的；後來朱氏走上鄭樵懷疑的路上去，呂氏卻還墨守舊說。自此以來，人家都以朱、呂極端相反的，一為毛氏的敵人，一為毛氏的忠臣。這種觀念是錯的，呂祖謙卻是一個力攻毛氏的人。[9]

　　謂呂祖謙「力攻毛氏」，等於是說呂祖謙與朱熹同屬於「毛氏的敵人」，這可稱為石破天驚之論，要證成此說，需有大量的證據才行。不過，陸侃如所舉之例僅〈衛風·氓〉、〈伯兮〉、〈王風·君子于役〉、〈鄭風·野有蔓草〉四篇，其說法是：「（一）『「美反正，刺淫（案：淫，原文誤作「浮」，茲改）泆」，此兩語煩贅。見棄而悔，乃人情之常，何美之有？』在這裡，《詩序》的尊嚴完全失掉了。又如：（二）『「為王前驅」，特詩中之一語，非大義也。』（〈伯兮〉）（三）『考經文不見「思其危難

8　詳〔清〕紀昀等：《四庫全書總目》（臺北：藝文印書館，1974年10月），第1冊，卷15，頁341：23b-342：25a。案：朱熹所寫之〈呂氏家塾讀詩記序〉，全文見於《呂氏家塾讀詩記》卷前，頁1-2。
9　陸侃如：〈詩經參考書提要〉，《陸侃如古典文學論文集》（上海：上海古籍出版社，1987年1月），頁219。

以風」之意』。(〈君子于役〉)(四)『「君之澤不下流」蓋講師
見「零露」之語,從而附益之』。(案:附益,原文誤作「益
附」,茲改)(〈野有蔓草〉)[10]全《詩》305 篇中,陸侃如僅
舉四篇,論證當然是嚴重不足。另外,呂祖謙對於《詩序》的
作者有自己的意見,他在〈大小序〉一文中一開始即藉程氏之
語,表達他對《詩序》的基本看法:

　　程氏曰:「學《詩》而不求《序》,猶欲入室而不由戶也。
或問:『《詩》如何學?』曰:『只於〈大序〉中求。』」又
曰:「國史得詩,必載其事,然後其義可知。今〈小序〉之首
是也。其下則說《詩》者之詞也。」又曰:「詩〈小序〉要之
皆得大意,只後之觀《詩》者亦添入。」[11]

　　以上這段文字在《讀詩記》中以大字處理,是為全書之正
文。小字注釋部分,呂祖謙共引張氏、蘇氏、《釋文》、《隋書‧
經籍志》、董氏五家之說,以此透露出他願意讓子弟知道前人
對於《詩序》的一些意見,包括:(一)《詩序》有後人添入者,
其內容淺近可辨。(二)《詩序》非出於孔子之手,其言時有反
覆煩重,顯非一家之辭。(三)〈大序〉是子夏作,〈小序〉則
為子夏、毛公合作。(四)《詩序》出自子夏,毛公、衛宏「更
加潤色」……等。這些意見有的小有衝突,但呂氏並存之,不
作優劣之評判,不過,正文又引王氏之語,以為《詩序》所言,
雖孔子亦不可得知,何況子夏?[12]似又等於承認《詩序》早於
孔子,子夏僅有整理之功。又引歐陽氏語,謂讀《詩》宜依賴

10　陸侃如:〈詩經參考書提要〉,《陸侃如古典文學論文集》,頁 219。
11　《讀詩記》,卷 1,頁 14。
12　詳《讀詩記》,卷 1,頁 14。

《詩序》。[13]根據〈大小序〉一文所言，呂氏對於《詩序》的尊重已經可以確認，事實上，假若他在《讀詩記》中不時質疑、批駁《序》說，那麼其理念與實際操作即已完全脫節，如此則《讀詩記》也就不可能成為尊《序》派中的名著了。於此需再指出，呂祖謙雖然尊重《詩序》，但在其心中，可以充分信賴的是「首序」，相較之下，「後序」可靠性就沒那般高，[14]主要原因是兩著的完成時間不同，他在解〈召南・鵲巢〉篇旨時指出：

> 三百篇之義，首句當時所作，或國史得詩之時，載其事以示後人，其下則說詩者之辭也。說詩者非一人，其時先後亦不同。以《毛傳》考之，有毛氏已見其說者，時在先也；有毛氏不見其說者，時在後也。……〈鵲巢〉之義有毛公所不見者也，意者後之為毛學者如衛宏之徒附益之耳。《毛傳》尚簡，義之已明者，固不重出；義之未明者，亦必申言；如鳲鳩之義雖刺

---

13 呂祖謙：「歐陽氏曰：孟子去《詩》世近，而最善言《詩》，推其所說詩義，與今《序》意多同，故後儒異說，為《詩》害者，當賴《序》文為證。」《讀詩記》，卷1，頁14。案：歐陽修之言出自《詩本義》，不過，歐陽氏續云：「然至於二〈南〉，其〈序〉多失，而〈麟趾〉〈騶虞〉所失尤甚，特不可以為信。疑此二篇之〈序〉為講師以己說汩之，不然安得繆論之如此也！」歐陽修：《詩本義》，影印《文淵閣四庫全書》，第70冊，卷1，頁188：11a-11b。呂氏僅節引其肯定《詩序》作用的部分。

14 案：後世研《詩》學者通常將《詩序》分為〈大序〉與〈小序〉，其區分標準不一，但多數以〈關雎・序〉中不含首尾解題部分者為〈大序〉，〈關雎・序〉中直解〈關雎〉題義與其餘各篇〈序〉說為〈小序〉。為了敘述上的方便，〈小序〉起首「發端之語」，學者慣稱為「首序」（或「古序」、「前序」），其下申說之語則為「後序」（或「續序」），本文以「首序」、「後序」稱呼之。相關名詞的討論可參張西堂：〈關於毛詩序的一些問題〉，《詩經六論》（上海：商務印書館，1957年9月），頁116-120；蔣善國：《三百篇演論》（臺北：臺灣商務印書館，1980年6月），頁79-83。

不壹，而其旨未明，故《傳》必言鳲鳩之養其子，平均如一，以訓釋之，今〈鵲巢〉之義止云德如鳲鳩，而未知鳩之德若何。使毛公果見此語，《傳》豈應略不及之乎？……是說出於毛公之後，決無可疑也。[15]

　　儘管呂氏在〈大小序〉一文中保留了前儒數種說法，但此一議論，可以代表他個人的最終意見。陸侃如抓住上述呂氏解〈鵲巢〉論及《詩序》作者之問題，而云：「他（案：指呂祖謙）既覺得《序》文多不通處，故也承認蘇轍的話，以為是經師所附益，非一人之辭。」[16]由於蘇轍的《詩集傳》僅保留「首序」，「後序」之文全部割除，[17]陸氏的說法很容易讓人以為《讀詩記》雖然沒有廢掉「後序」，但亦不抱持尊重的態度，其實不然，呂氏既然認定「首序」乃「當時所作，或國史得詩之時，載其事以示後人」，那麼，依其個性，若非萬不得已，無需刻意直指其說之非；出自「為毛學者如衛宏之徒」之手的「後序」則不同，既是晚出之作，又與孔門無關，那就已無神聖性可言，若真不能認同其說，不妨直言。只是，在呂氏心目中，《詩序》是一個整體，故他雖然說「後序」「間有反復煩重，時失經旨，如〈葛覃〉、〈卷耳〉之類，蘇氏以為非一人之辭，蓋近之」，但他又反對蘇轍《詩集傳》拋棄「後序」的作法，以為蘇轍「止存其首一言而盡去其餘，則失之易矣」，[18]顯然對於「後序」，

---

15 《讀詩記》，卷3，頁47-48。
16 陸侃如：〈詩經參考書提要〉，《陸侃如古典文學論文集》，頁219。
17 《四庫提要》謂蘇軾《詩集傳》：「其說以詩之〈小序〉反復繁重，類非一人之詞，疑為毛公之學，衛宏之所集錄，因惟存其發端一言，而以下餘文，悉從刪汰。」《四庫全書總目》，第1冊，卷15，頁336：13a。
18 《讀詩記》，卷2，頁29-30。

呂氏還是維持相當程度的尊重，起碼，他希望《讀詩記》的讀者可以接觸到完整的《詩序》。

　　另據趙制陽統計，《讀詩記》不信《詩序》之例有〈邶風‧簡兮〉、〈鄘風‧柏舟〉、〈王風‧君子于役〉、〈齊風‧著〉、〈小雅‧祈父〉、〈小雅‧白駒〉、〈小雅‧黃鳥〉、〈小雅‧我行其野〉、〈大雅‧文王有聲〉等九篇，[19]其中，僅有〈君子于役〉與陸氏所舉重複。杜海軍的觀察則又與此完全不同，他舉出《讀詩記》批評《詩序》者五篇：〈周南‧葛覃〉、〈召南‧采蘋〉、〈召南‧摽有梅〉、〈衛風‧氓〉、〈大雅‧旱麓〉。[20]以上陸、趙、杜三氏所言及之十七篇中，筆者重新翻檢《讀詩記》的結果，確定僅有八篇可以見出呂氏對《序》說稍有微辭。包括：

　　（一）〈周南‧葛覃〉。《詩序》：「〈葛覃〉，后妃之本也。后妃在父母家，則志在於女功之事，躬儉節用，服澣濯之衣，尊敬師傅，則可以歸安父母，化天下以婦道也。」呂祖謙：「〈關雎〉，后妃之德也，而所以成德者，必有本也。曷謂本？〈葛覃〉所陳是也。後之講師徒見《序》稱后妃之本，而不知所謂，乃為『在父母家』志在女功之說以附益之，殊不知是詩皆述既為后妃之事，貴而勤儉，乃為可稱。若在室而服女功，固其常

19　案：趙制陽在「《讀詩記》不信《詩序》之例」中，所舉之例依序為〈小雅‧祈父〉、〈小雅‧黃鳥〉、〈齊風‧著〉、〈王風‧君子于役〉、〈大雅‧文王有聲〉與〈鄘風‧柏舟〉六篇。在結論中則謂呂氏否定《序》說者有七篇，依序為〈邶風‧簡兮〉、〈鄘風‧柏舟〉、〈小雅‧祈父〉、〈白駒〉、〈黃鳥〉、〈我行其野〉與〈大雅‧文王有聲〉，合而計之，其以為《讀詩記》不信《詩序》之例有共有九篇。趙氏之論詳《詩經名著評介〔第三集〕》（臺北：萬卷樓圖書公司，1999 年 11 月），頁 194-196、217。

20　詳杜海軍：《呂祖謙文學研究》（北京：學苑出版社，2003 年 7 月），頁197-198。

耳,不必詠歌也。」[21]在此,呂氏接受「首序」之解,否決了「後序」所提的「在父母家,則志在於女功之事」之說,然而呂氏在《麗澤論說集錄》中說:「『言告師氏,言告言歸』,歸,一事耳,再三諄復,《序》謂尊敬師傅,蓋得之。」[22]是則其對「後序」之說亦能適度接受。

(二)〈鄘風‧柏舟〉。《詩序》:「〈柏舟〉,共姜自誓也。衛世子共伯蚤死,其妻守義,父母欲奪而嫁之,誓而弗許,故作是詩以絕之。」呂祖謙:「《史記》載:共伯,釐侯世子,釐侯已葬,武公襲攻共伯。共伯入釐侯羨,自殺。按:武公在位五十五年,《國語》又稱武公年九十有五,猶箴儆于國,計其初即位,其齒蓋已四十餘矣。使果弒共伯而篡立,則共伯見弒之時,其齒又加長於武公,安得謂之蚤死乎?髦者,子事父母之飾,諸侯既小斂則脫之。《史記》謂釐侯已葬而共伯自殺,則是時共伯既脫髦矣,詩安得猶謂之『髧彼兩髦』乎?是共伯未嘗有見弒之事,武公未嘗有篡弒之惡也。」[23]呂氏據《史記》之言,否決《序》說。(參趙制陽)

(三)〈衛風‧氓〉。《詩序》:「〈氓〉,刺時也。宣公之時,禮義消亡,淫風大行。男女無別,遂相奔誘,華落色衰,復相棄背,或乃困而自悔,喪其妃耦,故序其事以風焉。美反正,刺淫泆也。」呂祖謙:「『美反正,刺淫泆』,此兩語煩贅。

---

21 分見〔漢〕毛亨傳,〔漢〕鄭玄箋,〔唐〕孔穎達疏:《毛詩正義》,收於《重刊宋本十三經注疏附校勘記》(臺北:藝文印書館,1976年5月),第2冊,卷1之2,頁30:1a;《讀詩記》,卷2,頁32。

22 〔宋〕呂祖謙著,呂祖儉蒐錄,呂喬年編:《麗澤論說集錄》,影印《文淵閣四庫全書》,第703冊,卷3,頁341:2b-3a。

23 分見《毛詩正義》,卷3之1,頁109:1a;《讀詩記》,卷5,頁104-105。

見棄而悔，乃人情之常，何美之有？」[24]呂氏駁斥「後序」部分用詞。

（四）〈衛風・伯兮〉，《詩序》：「〈伯兮〉，刺時也。言君子行役，為王前驅，過時而不反焉。」呂祖謙：「『為王前驅，特詩中之一語，非大義也。』」[25]此反「後序」之說。

（五）〈王風・君子于役〉，《詩序》：「〈君子于役〉，刺平王也。君子行役無期度，大夫思其危難以風焉。」呂祖謙：「考經文，不見『思其危難以風』之意。」呂氏否決「後序」「大夫思其危難以風焉」之語，而其在《麗澤論說集錄》中亦無引入「首序」之意。[26]

（六）〈鄭風・野有蔓草〉，《詩序》：「〈野有蔓草〉，思遇時也。君之澤不下流，民窮於兵革，男女失時，思不期而會焉。」呂祖謙：「君之澤不下流，蓋講師見『零露』之語，從而附益之。」[27]呂氏否決「後序」所謂「君之澤不下流」之說。

（七）〈小雅・我行其野〉，《詩序》：「〈我行其野〉，刺宣王也。」呂祖謙：「王氏曰：此民不安其居而適異邦，從其昏媾而不見收恤之詩也。先王之詩曰：『既有肥牡，以速諸舅。寧適不來，微我有咎。』又曰：『籩豆有踐，兄弟無遠。』其躬行仁義，道民厚矣。猶以為未也，又建官置師，以孝、友、

---

24 分見《毛詩正義》，卷3之3，頁134：1a；《讀詩記》，卷6，頁129。
25 分見《毛詩正義》，卷3之3，頁139：11b；《讀詩記》，卷6，頁136。
26 分見《毛詩正義》，卷4之1，頁148：6b-149-7a；《讀詩記》，卷7，頁143。
　　案：《麗澤論說集錄》：「〈君子于役〉，人之思親亦有兩端，後世見其親之行役不歸，則歸咎於君上，此詩當時雖行役之久，不敢歸咎於君，但言今既不得便歸，苟於彼得無飢渴之患足矣，此蓋詩人忠厚之情。」《麗澤論說集錄》，卷3，頁346：13a。
27 分見《毛詩正義》，卷4之1，頁182：11a；《讀詩記》，卷8，頁179。

睦、婣、任、恤六行教民。……以為徒教之，或不率也，故使
官師以時書其德行而勸之。以為徒勸之，或不率也，於是乎有
不孝、不睦、不婣、不弟、不任、不恤之刑焉。方是時也，安
有如此詩所刺之民乎！」[28]《詩序》之論〈我行其野〉僅「刺
宣王」一句，呂氏引王安石語，以反對之。

　　（八）〈大雅・旱麓〉，《詩序》：「〈旱麓〉，受祖也。周之
先祖，世脩后稷、公劉之業，大王、王季，申以百福干祿焉。」
呂祖謙：「『周之先祖』以下皆講師所附麗。此篇《詩傳》以
為文王之詩，故有『大王、王季，申以百福干祿』之說。於理
雖無害，然『干祿百福』之語則不辭矣。」[29]呂氏所挑剔者為
「後序」之語病。

　　至於趙、杜二氏以為「呂氏不信《詩序》」之篇，而又不
盡合實情者，在趙氏方面有：

　　（一）〈邶風・簡兮〉，《詩序》：「〈簡兮〉，刺不用賢也。
衛之賢者仕於伶官，皆可以承事王者也。」呂祖謙為《序》說
提供的小字註解為：「鄭氏曰：伶官，樂官也。伶氏世掌樂官
而善焉，故後世多號樂官為伶官。」除了引述鄭《箋》，《讀詩
記》在其後的字詞訓釋中並未涉及到《序》說的評論。[30]

　　（二）〈齊風・著〉，《詩序》：「〈著〉，刺時也。時不親迎

28　分見《毛詩正義》，卷 11 之 2，頁 383：1a；《讀詩記》，卷 20，頁 398-399。
29　分見《毛詩正義》，卷 16 之 3，頁 558：6a；影印《文淵閣四庫全書》本《讀
　　詩記》，卷 25，頁 678：30a。案：《詩序》「百福干祿」之句，《呂祖謙全集》
　　本《讀詩記》引作「百福千祿」，其評論意見，「干」字當然亦作「千」。《詩
　　經要籍集成》本《讀詩記》所用之文，形似「干」，又似「千」。分見《呂祖
　　謙全集》本《讀詩記》，卷 25，頁 591；《詩經要籍集成》本《讀詩記》，卷
　　25，頁 285。
30　詳見《讀詩記》，卷 4，頁 90-91。

也。」呂祖謙並未在《序》說之下提供小字註解，而在首章之後，其個人以大字的方式進行論述：「《前漢‧地理志》載齊之風俗曰：『「俟我於著乎而」，此亦其舒緩之體也。』雖非此篇意之所主，然廣谷大川異制，民生其間異俗，剛柔輕重遲速異齊，五味異和，器械異制，衣服異宜，皆學者所當觀也。《詩》『可以觀』，其此類歟！」三章之後，又云：「〈昏禮〉，壻往婦家親迎。既奠雁御輪，壻乃先往，『俟于門外，婦至，壻揖婦以入。及寢門，揖入，升自西階。』齊人既不親迎，故但行婦至壻家之禮。俟我於著乎而，此〈昏禮〉所謂『壻俟于門外。婦至，壻揖婦以入』之時也。俟我於庭乎而，庭在大門之內，寢門之外，此〈昏禮〉所謂『及寢門，揖入』之時也。俟我於堂乎而，升階而後至堂，此〈昏禮〉所謂『升自西階』之時也。壻道婦入，故於著、於庭、於堂，每節皆俟之也。」[31]可見呂氏對於《詩序》的支持。

（三）〈小雅‧祈父〉，《詩序》：「〈祈父〉，刺宣王也。」呂祖謙：「范氏曰：讀《詩》至於〈庭燎〉，未嘗不嘆古之君子愛其君之至也。知其將失也，則就其美而箴之。箴之而不可，則規之。規之不可，故〈鶴鳴〉誨之。誨之不可，然後〈祈父〉刺之。然則刺其君者，豈詩人之心哉，蓋不得已也。夫有宣王之功而不至於文、武，此詩人之所惜也。故其先後淺深之序如此。」[32]呂氏重視范祖禹之論，故《讀詩記》以大字方式引述其文以申論《詩序》。不過，呂祖謙又在全篇之末曰：「讀是詩，見宣王變古制者二焉。前兩章既刺其以宿衛之士從征役矣，末

---

31 分見《毛詩正義》，卷 5 之 1，頁 189：8a；《讀詩記》，卷 9，頁 186-188。
32 分見《毛詩正義》，卷 11 之 1，頁 377：10a；《讀詩記》，卷 20，頁 393。

章復曰『祈父！亶不聰，胡轉予于恤，有母之尸饔。』」有親老而無它兄弟，其當免役征，在古必有成法，故責其不聰。其意謂，此法人皆聞之，彼司馬獨不聞乎？乃驅吾從戎，使吾親不免薪水之勞也。責司馬者，不敢斥宣王也。越勾踐伐吳，大徇於軍曰：『有父母耆老而無昆弟者以告。』勾踐親命之曰：『我有大事，子有父母耆老，而子為我死，子之父母將轉於溝壑。子為禮已重矣。子歸，没而父母之世。後若有事，吾與子圖之。』勾踐尚能辦此，況周之盛時乎？其有定制必矣。太子晉諫靈王之辭曰：『厲始革典，十四王矣。』又曰：『自我先王厲、宣、幽、平而貪天禍，至于今未弭。』宣王，中興之主也，至與幽、厲並數之，其辭雖過，觀是詩所刺，則子晉之言，豈無所自歟？」[33]朱熹《詩集傳》引「東萊呂氏曰」之文，文字與此稍有出入，其下另有「今考之詩文，未有以見其必為宣王耳。下篇放此」之句，[34]假若此文係遭後世守《序》者刪除，則〈祈父〉與〈白駒〉兩篇，呂氏以為刺周王之作，但不敢貿然同意《序》將兩詩判讀為刺宣王之詩。只是，若無實證，「今考之詩文」云云，仍以解為呂氏所親自刪除為宜。

　　（四）〈小雅・白駒〉，《詩序》：「〈白駒〉，大夫刺宣王也。」其下並無「後序」以作進一步的申述。呂祖謙於《序》說之下並無任何小字註解，而於全篇之後云：「『所謂伊人，於焉逍遙』、『於焉嘉客』。斯人也，何人也？蓋廊廟之人也。所謂伊

33　《讀詩記》，卷20，頁393。

34　〔宋〕朱熹：《詩集傳》，收於朱傑人、嚴佐之、劉永翔主編：《朱子全書》（上海：上海古籍出版社，合肥：安徽教育出版社，2002年12月），第1冊，卷11，總頁578。

人，乃於此而逍遙乎？乃於此而為嘉客乎？既幸其來以為榮，復深嘆其所處非其地也。其言雖含蓄而未發，其辭氣則慘然而不樂矣。至三章明言之矣。賢者賁然來我之舍，去朝適野，時事蓋可知矣。『爾公爾侯』，猶『逸豫無期』，而不知懼乎！於是乎與賢者決別。『慎爾優游』，言善自保護，無以優游自逸而失衛生之節也。『勉爾遁思』者，言勉哉行矣，自重也。皆決別之辭也。仰而慨然責公卿，俯而眷然別賢者，其情意至今可識也。四章疑其遂忘世也，故勉之曰：『毋金玉爾音，而有遐心。』此雖祝其音問無絕，亦以君臣之義微諷之」[35]此說並無不信《詩序》之意，且申說《序》意之用心甚為明顯。另外，如同〈祈父〉，朱熹所引呂氏之語有「今考之詩文，未有以見其必為宣王耳」之句，茲不贅述。

（五）〈小雅・黃鳥〉，《詩序》：「〈黃鳥〉，刺宣王也。」〈白駒〉、〈黃鳥〉二篇相連，如同〈白駒〉，〈黃鳥〉亦僅有「首序」一句。呂祖謙於《序》說之下並無任何小字註解，而於首章之後云：「宣王之末，民有失所者，意他國之可居也。及其至彼，則又不若故鄉焉，故思而欲歸。使民如此，亦異於還定安集之時矣。」[36]不僅未曾質疑《詩序》，且其申述亦極為接近「後序」之風格。[37]

（六）〈大雅・文王有聲〉，《詩序》：「〈文王有聲〉，繼伐

---

35 分見《毛詩正義》，卷 11 之 1，頁 378：12b；《讀詩記》，卷 20，頁 395-397。
36 分見《毛詩正義》，卷 11 之 1，頁 379：14a；《讀詩記》，卷 20，頁 398。
37 案：朱熹《詩集傳》引「東萊呂氏曰」，「亦異於還定安集之時矣」之下，多出如下數字：「今按詩文，未見其為宣王之世，下篇亦然。」所謂下篇係指〈我行其野〉。趙制陽以為此段文字之遭刪除，或為呂氏修定時刪去，或為後之尊《序》者刪去，已無可考。《詩經名著評介〔第三集〕》，頁 194。

也。武王能廣文王之聲，卒其伐功也。」呂祖謙於《序》下提
供小字註解云：「孔氏曰：經上四章言文王之事。下四章言武
王君天下，服四方，定鎬京，安後世，其所施之事，皆繼伐之
功，故言繼伐以捴之。」「蘇氏曰：繼文者，言繼其文德。繼
伐者，又兼言其武功也。」於末章之後以大字方式解釋云：「孫
與子，特互言之，皆謂子孫也。《序》言武王繼伐，而此詩未
嘗一言及武王之伐功，何耶？定都而無思不服，創業而詒厥子
孫，故非大告武成之前所能致也。詩人之作，蓋有本末具載，
精粗兼舉者矣，亦有言其意而略其事者矣，不可以一體求也。」
[38] 於此，呂氏為《詩序》說解的用意極為明顯，焉有所謂不信
之意？趙制陽將此詩列為呂氏不信《詩序》之例，然其引述呂
文，僅「《序》言武王繼伐，而此詩未嘗一言及武王之伐功」
之語，其後之解釋皆不錄，[39] 頗有斷章取義之虞。

　　在杜氏所舉呂祖謙批評《詩序》五篇方面，以下兩篇有待
商榷：

　　（一）〈召南・采蘋〉，《詩序》：「〈采蘋〉，大夫妻能循法
度也。能循法度，則可以承先祖，共祭祀矣。」呂祖謙在此說
之下，不提供古今註解，而自行解釋曰：「自天子之后妃，至
於大夫之妻，共由一道，因其所處之廣狹，而有斂舒焉。」又
於全篇之後云：「采之盛之，湘之奠之，所為者非一端，所歷
者非一所矣。煩而不厭，久而不懈，循其序而有常，積其誠而
益厚，然後祭事成焉。季女之少，若未足以勝此，而實尸此者，
以其有齊敬之心也。大夫之妻，未必果少，特言苟持敬，則雖

38　《讀詩記》，卷 25，頁 614。
39　趙制陽：《詩經名著評介〔第三集〕》，頁 195。

少女猶足以當大事云爾。〈采蘩〉以職言，舉其綱也；〈采蘋〉以法度言，詳其目也，尊卑之辨也。」[40]在此，我們看到是呂祖謙的詮釋，而不是批評。

　　（二）〈召南‧摽有梅〉，《詩序》：「〈摽有梅〉，男女及時也。召南之國，被文王之化，男女得以及時也。」呂祖謙以小字註解的方式云：「朱氏曰：述女子之情，欲昏姻之及時也，視〈桃夭〉則少貶矣。〈行露〉、〈死麕〉於〈漢廣〉亦然。」「欲昏姻之及時」與「男女及時」當然有期待與事實之不同。不過，呂祖謙又以大字引出范祖禹的一段話：「昔者，聖人觀天地萬物之情，因民之有男女而制為昏禮，使之夫婦有別，以相生養，以相代續。是以〈關雎〉言后妃之德，而至於男女以正，昏姻以時。〈鵲巢〉言夫人之德，而至於男女得以及時。〈桃夭〉美其盛也，故以桃喻。〈摽有梅〉欲其早也，故以梅喻。〈東山〉言嫁娶之候，亦曰『倉庚于飛，熠燿其羽』。聖人覷草木蟲鳥之變，意未嘗不在民也。」[41]由此觀之，呂祖謙對於《詩序》尚未到達不信之地步。

第三節　《讀詩記》有質疑《序》說之意而未見前賢討論者

　　若謂《讀詩記》對於《詩序》之說，常有不能接受者，而

---

40 分見《毛詩正義》，卷 1 之 4，頁 52：3a-3b；《讀詩記》，卷 3，頁 51-53。
41 分見《毛詩正義》，卷 1 之 5，頁 62：1a；《讀詩記》，卷 3，頁 57-58。

上述諸家僅是信手舉例，那麼筆者可以將幾篇呂氏似有質疑
《序》說之意，而前人未曾列入的詩篇，全部列舉出來，包括：

（一）〈周南・麟之趾〉，《詩序》：「〈麟之趾〉，〈關雎〉之
應也。〈關雎〉之化行，則天下無犯非禮，雖衰世之公子，皆
信厚如麟趾之時也。」呂祖謙引程氏曰：「自衰世公子以下，《序》
之誤也。麟趾之時，麟趾不成辭，言『之時』，謬矣。」[42]，在
此，呂氏同意程氏的評論《序》說，所反對的依然在「後序」。

（二）〈召南・鵲巢〉，《詩序》：「〈鵲巢〉，夫人之德也。
國君積行累功，以致爵位，夫人起家而居有之，德如鳲鳩，乃
可以配焉。」呂祖謙引楊氏曰：「〈鵲巢〉言夫人之德，猶〈關
雎〉之言后妃也。蓋自天子至於諸侯、大夫，刑于家邦，無二
道也。以〈關雎〉為文王之妃，則〈鵲巢〉夫人亦必有主名者，
若謂皆文王之詩，則文王繼世之君，非積行累功以致爵位者。
文王一人之身，而有聖賢之異，無是道也。然則二〈南〉之詩，
周公之以風天下，無可疑者。」[43]案：孔穎達：「二〈南〉之風，
實文王之化而美后妃之德者。」[44]「作〈鵲巢〉詩者，言夫人
之德也。言國君積脩其行，累其功德，以致此諸侯之爵位，今
夫人起自父母之家而來居處共有之，由其德如鳲鳩，乃可以配
國君焉，是夫人之德也。經三章皆言起家而來居之。文王之迎
大姒，未為諸侯，而言國君者，〈召南〉諸侯之風，故以夫人、
國君言之。文王繼世為諸侯，而云『積行累功，以致爵位』者，
言爵位致之為難，夫人起家而居有之，所以顯夫人之德，非謂

---

42 分見《毛詩正義》，卷1之3，頁44：10a；《讀詩記》，卷2，頁45。
43 分見《毛詩正義》，卷1之3，頁45：12b；《讀詩記》，卷3，頁47。
44 《毛詩正義》，卷1之1，頁12：4a。

文王之身始有爵位也。」[45]呂祖謙引楊氏語，主要是在反對孔穎達之說，但因呂祖謙「〈鵲巢〉之義有毛公所不見者也，意者後之爲毛學者如衛宏之徒附益之耳」之語，為陸侃如立論之關鍵，故論及呂氏之質疑《詩序》，其實可將此篇列入。

（三）〈召南‧江有汜〉，《詩序》：「〈江有汜〉，美媵也。勤而無怨，嫡能悔過也。文王之時，江沱之間，有嫡不以其媵備數，媵遇勞而無怨，嫡亦自悔也。」呂祖謙：「董氏曰：江況嫡，沱況媵。今《詩序》乃言江、沱之間，是失詩人之旨也。」[46]呂祖謙引董氏之論，以批評「後序」之語。

（四）〈邶風‧北風〉，《詩序》：「〈北風〉，刺虐也。衛國並為威虐，百姓不親，莫不相攜持而去焉。」呂祖謙引程氏曰：「《序》謂百姓不親，相攜而去，乃述當時之事。然考詩之辭，乃君子見幾而作，相招無及於禍患者也。君子全身遠害，唯恐去之不速，故其辭迫切，『其虛其邪，既亟只且』是也。」[47]呂祖謙引程頤之說，意在批評《序》之解說〈北風〉，論及呂氏之質疑《詩序》，此篇當然可以列入。

（五）〈鄭風‧緇衣〉，《詩序》：「〈緇衣〉，美武公也。父子並為周司徒，善於其職，國人宜之，故美其德，以明有國善善之功焉。」呂祖謙：「此詩，武公入仕于周，而周人美之也。若鄭人所作，何為三章皆言『適子之館』乎？『好賢如〈緇衣〉』，所謂賢，即謂武公父子也。後之講師，習其讀而不知其義，誤

---

45 《毛詩正義》，卷1之3，頁46：13a。
46 分見《毛詩正義》，卷1之5，頁64：6b-65：7a；《讀詩記》，卷3，頁60。
47 分見《毛詩正義》，卷2之3，頁104：11a；《讀詩記》，卷3，頁96。

以為稱武公之好賢，遂曰『明有國善善之功』，失其旨矣」。[48]在此，呂祖謙反對的是「後序」局部之語。

（六）〈齊風・東方未明〉，《詩序》：「〈東方未明〉，刺無節也。朝廷興居無節，號令不時，挈壺氏不能掌其職焉。」呂祖謙：「『號令不時』，此一語贅，蓋見詩中有『自公令之』之文，而妄附益之爾。」[49]在此，呂祖謙反對的是「後序」局部之語。

（七）〈唐風・葛生〉，《詩序》：「〈葛生〉，刺晉獻公也。好攻戰，則國人多喪矣。」呂祖謙引程氏曰：「此詩思存者，非悼亡者。」[50]其質疑《詩序》之用心頗為明顯。

（八）〈豳風・破斧〉，《詩序》：「〈破斧〉，美周公也。周大夫以惡四國焉。」呂祖謙：「程氏曰：〈豳〉詩〈七月〉陳王業，〈鴟鴞〉遺王，〈東山〉言東征，〈破斧〉、〈伐柯〉、〈九罭〉皆刺朝廷不知周公，於刺也，復有淺深之異，觀詩可見。〈狼跋〉美不失其聖。」[51]呂祖謙引程頤之論，反對《詩序》解〈破斧〉為讚美周公之作，而以之為諷刺之詩。

（九）〈小雅・楚茨〉，《詩序》：「〈楚茨〉，刺幽王也。政煩賦重，田萊多荒，饑饉降喪，民卒流亡，祭祀不饗，故君子思古焉。」呂祖謙引呂氏曰：「〈楚茨〉極言祭祀所以事神受福之節，致詳致備，所以推明先王致力於民者盡，則致力於神者詳。觀其威儀之盛，物品之豐，所以交神明、逮羣下，至于受

---

48 分見《毛詩正義》，卷4之2，頁160：4a；《讀詩記》，卷8，頁156。
49 分見《毛詩正義》，卷5之1，頁191：12a；《讀詩記》，卷9，頁189。
50 分見《毛詩正義》，卷6之2，頁227：11b；《讀詩記》，卷11，頁226。
51 分見《毛詩正義》，卷8之3，頁300：1a；《讀詩記》，卷16，頁299。

福無疆者，非德盛政修，何以致之！」[52]呂祖謙引呂氏之語，以質疑《序》說，並以為〈楚茨〉乃讚美之作。[53]

（十）〈小雅・白華〉，《詩序》：「〈白華〉，周人刺幽后也。幽王取申女以為后，又得褒姒而黜申后，故下國化之，以妾為妻，以孽代宗，而王弗能治，周人為之作是詩也。」呂祖謙：「程氏曰：詩以刺王，《序》誤作『后』字。自『下國化之』以下，言當時事如此，詩中所不及也。詩大意刺王專寵，失上下之分。」[54]呂祖謙引程頤之見，以《序》之詮解有誤字，〈白華〉為周人刺幽王而非幽后之作，但整體說教氛圍則與《序》說無異，對於「後序」之論，更認為解出了詩的言外之意。

（十一）〈小雅・縣蠻〉，《詩序》：「〈縣蠻〉，微臣刺亂也。大臣不用仁心，遺忘微賤，不肯飲食、教、載之，故作是詩也。」呂祖謙：「程氏曰：《詩序》必是同時所作，然亦有後人增者。如〈縣蠻・序〉『不肯飲食教載之』，但見詩中云『飲之食之，教之誨之。命彼後車，謂之載之』，即云『教載』，絕不成語也。」

---

52 分見《毛詩正義》，卷 13 之 2，頁 453：4a；《讀詩記》，卷 22，頁 485。

53 不過，呂祖謙又云：「蘇氏曰：凡詳言之者，皆思而不得見之辭也。」案：蘇轍《詩集傳》依其著作體例，於《序》說僅保留「刺幽王也」一句，而於首章云：「抽，除也。與與、翼翼，蕃也。露積曰庾，十萬曰億。妥，安也。侑，勸也。介，助也。〈楚茨〉傷今而思古之詩也，故稱古之人去其茨棘，以蓺黍稷，以實倉廩，以為酒食，以享先祖。于其享也，主人拜尸而安之，祝勸尸而食之，所以事之，無不至者，故于餘章詳言之。凡詳言之者，皆思而不得見之辭也。」蘇轍既以〈楚茨〉為傷今而思古之詩，正代表其不僅同意「首序」之論，對於「後序」之言大致亦可接受。呂祖謙在引呂氏之說後，又引蘇轍「思而不得見之辭」之語，亦可謂其對於《詩序》之解〈楚茨〉並不持特別反對之意見，但本文既強調用最嚴苛的標準來挑出《讀詩記》對於《序》說的質疑，故亦將〈楚茨〉列入。

54 分見《毛詩正義》，卷 15 之 2，頁 515：12a；《讀詩記》，卷 24，頁 554。

[55]呂祖謙引程頤之說，批評「後序」文字不當之處。

（十二）〈大雅・靈臺〉，《詩序》：「〈靈臺〉，民始附也。文王受命，而民樂其有靈德，以及鳥獸昆蟲焉。」呂祖謙：「所以謂之靈臺者，不過如《孟子》之說而已。自『文王受命，而民樂其有靈德』以下，皆講師之贅説也。」[56]呂氏之批評集中在「後序」，對於整體《序》說之非是，則又以小字註解，提出相對詳盡的考據所得，在質疑《序》說的各篇中，〈靈臺〉應該是呂氏較為用心的一篇。[57]

（十三）〈大雅・行葦〉，《詩序》：「〈行葦〉，忠厚也。周家忠厚，仁及草木，故能內睦九族，外尊事黃耇，養老乞言，以成其福祿焉。」呂祖謙：「自『周家忠厚』以下，論成周盛德至治則得之，然非此詩之義也。意者講師見《序》有忠厚之語，而附益之歟？」[58]呂氏的批評對象僅在「後序」。

（十四）〈大雅・既醉〉，《詩序》：「〈既醉〉，大平也。醉酒飽德，人有士君子之行焉。」呂祖謙：「『醉酒飽德』以下，

---

55 分見《毛詩正義》，卷15之3，頁521：1a；《讀詩記》，卷24，頁558。

56 分見《毛詩正義》，卷16之5，頁578：1a；《讀詩記》，卷25，頁607。

57 案：呂祖謙云：「按〈武成〉『文王誕膺天命，以撫方夏。惟九年大統未集，予小子其承厥志。』『誕膺天命』，即此《序》所謂『文王受命』也。『以撫方夏』，即三分天下有其二之時也。『惟九年大統未集』，言既三分天下有其二，九年而崩也。若以靈臺之作，在此九年之間，雖非詩人大意所存，然尚無害。漢儒因此遂以為受命稱王，而以靈臺為天子之制，則悖理甚矣。〈泰誓〉三篇，紂尚在之時，武王之稱文王，止曰文考而已。至〈大誥〉、〈武成〉追王之後，始曰文考文王。此文王生前不稱王之明驗也。武王牧野誓師所告者，不過司徒、司馬、司空，猶未備天子六卿之制，豈有文王之時，已僭天子之臺哉！」《讀詩記》，卷25，頁608。

58 分見《毛詩正義》，卷17之2，頁600：1a；《讀詩記》，卷26，頁628。

皆講師附益之辭。」[59]呂氏的批評僅針對「後序」。

（十五）〈大雅・民勞〉，《詩序》：「〈民勞〉，召穆公刺厲王也。」《序》說僅此一句。呂祖謙：「呂氏曰：〈民勞〉皆諫辭也。」[60]呂祖謙引呂氏之語，以為〈民勞〉意在勸諫，而非諷刺。不過，《詩序》善於以美刺說詩，諫詩亦得列為刺詩之中，例如《詩序》解〈鄭風・將仲子〉云：「〈將仲子〉，刺莊公也。不勝其母，以害其弟，弟叔失道，而公弗制，祭仲諫而公弗聽，小不忍，以致大亂焉。」「首序」以為刺莊公之作，「後序」強調「祭仲諫而公弗聽」，即是一例。又如，〈大雅・板〉首章開宗即已明言「猶之未遠，是用大諫」，《詩序》解為：「〈板〉，凡伯刺厲王也。」[61]又是一例。依《詩序》之創作思維，凡諫而不聽者，納入刺詩之中，皆可謂合理之詮釋。當然，後世之研《詩》學者實事求是，以詩中之語盡為諫詞，而批評《詩序》之解偏離主題，其質疑似亦屬有效。

（十六）〈大雅・蕩〉，《詩序》：「〈蕩〉，召穆公傷周室大壞也。厲王無道，天下蕩蕩，無綱紀文章，故作是詩也。」〈蕩〉之〈序〉說結構完整，《讀詩記》僅引「首序」，而云：「蘇氏曰：〈蕩〉之所以為〈蕩〉，由詩有『蕩蕩上帝』也。《詩序》以為，『天下蕩蕩，無綱紀文章』，則非詩之意矣。」[62]由於〈公劉〉二章以下為呂祖儉根據其兄著作補成，故此處體例之異，不需過於重視，而呂氏所引蘇轍語，僅針對「後序」衍說予以

---

59 分見《毛詩正義》，卷 17 之 2，頁 603：8b；《讀詩記》，卷 26，頁 634。
60 分見《毛詩正義》，卷 17 之 4，頁 630：10a；《讀詩記》，卷 26，頁 652。
61 《毛詩正義》，卷 17 之 4，頁 632：14b。
62 分見《毛詩正義》，卷 18 之 1，頁 641：1a；《讀詩記》，卷 27，頁 661。

批評，不涉及「首序」。

（十七）〈大雅・召旻〉，《詩序》：「〈召旻〉，凡伯刺幽王大壞也。旻，閔也。閔天下無如召公之臣也。」如同〈蕩〉之狀況，〈召旻〉之〈序〉說結構完整，《讀詩記》僅引「首序」，而云：「蘇氏曰：因其首章稱旻天，卒章稱召公，故謂之〈召旻〉，以別〈小旻〉而已。」[63]呂氏引蘇轍語，批評「後序」解釋篇題之不當。

（十八）〈周頌・絲衣〉，《詩序》：「〈絲衣〉，繹賓尸也。高子曰：靈星之尸也。」「繹，又祭也。天子、諸侯曰繹，以祭之明日。卿大夫曰賓尸，與祭同日。周曰繹，商謂之肜。」據《序》說，〈絲衣〉是周王在大祭的次日，舉行繹祭，並酬謝昨日擔任尸之公卿的歌舞之作，又據其所引高子之說，所祭的是靈星之神。〈絲衣〉之〈序〉說結構完整，不過，鄭玄為《序》作解，並不涉及高子所言之「靈星之尸」，其言：「繹，又祭也。天子、諸侯曰繹，以祭之明日。卿大夫曰賓尸，與祭同日。周曰繹，商謂之肜。」《讀詩記》僅引「首序」，其下亦不引相關之反對意見，而在全篇之下廣引諸說時，以張載之言收束：「天子既以臣為尸，不可祭罷便使出門而就臣位，故其退尸也皆有漸。言絲衣已是不著冕服，言弁已是不冠冕也。」[64]在此，我們可以將〈絲衣〉視為呂祖謙質疑「後序」的一篇。

（十九）〈周頌・酌〉，《詩序》：「〈酌〉，告成〈大武〉也。言能酌先祖之道，以養天下也。」〈酌〉之〈序〉說結構完整，《讀詩記》僅引「首序」，並云：「朱氏曰：〈內則〉曰：『十三

63　分見《毛詩正義》，卷 18 之 5，頁 697：13b-14a；《讀詩記》，卷 27，頁 711。
64　分見《毛詩正義》，卷 19 之 4，頁 750：12a；《讀詩記》，卷 30，頁 749-750。

舞〈勺〉。』即此詩也。然此詩與〈賚〉、〈般〉皆不用詩中字名篇，疑皆樂章之名爾。」「橫渠張氏曰：〈酌〉，周公没，嗣王以武功之成，由周公告其成於宗廟之歌也。」[65]如同〈絲衣〉，〈酌〉亦可視為呂祖謙質疑「後序」的一篇。

（二十）〈周頌・桓〉，《詩序》：「〈桓〉，講武、類、禡也。〈桓〉，武志也。」《讀詩記》保留完整之《詩序》，而以小字註解的方式引出朱熹的意見：「案《左氏傳》楚莊王曰：『武王克商，作頌曰：「載戢干戈，載櫜弓矢。我求懿德，肆于時夏。允王保之。」又作〈武〉，其卒章曰：「耆定爾功。」其三曰：「敷時繹思，我徂維求定。」其六曰：「綏萬邦，屢豐年。」』然則〈桓〉、〈賚〉兩篇皆〈大武〉樂中一章也，與此《序》不同。」[66]又以大字的方式云：「晁氏曰：〈桓〉之《序》曰：『〈桓〉，武志也。』或以為注，或以為《序》，失其傳多如此」[67]用最嚴格的標準來看待呂氏處理《詩序》的方式，謂其有質疑《詩序》的意思，似亦可通。

以上共計 20 篇，加上前舉 8 篇則是 28 篇，佔三百五篇的 9.18％。上面的〈鄘風・柏舟〉，呂氏引《史記》、《國語》質疑《序》說，但並未提供新解。既然如此，筆者不妨也將呂氏持

---

65 分見《毛詩正義》，卷 19 之 4，頁 752：15a；《讀詩記》，卷 30，頁 750。
66 分見《毛詩正義》，卷 19 之 4，頁 753：17b；《讀詩記》，卷 30，頁 751。案：所引朱熹語中「武王克商作頌」之文出自〈周頌・時邁〉，其中，「載櫜弓矢」之「櫜」，中國詩經學會《詩經要籍集成》所收之《呂氏家塾讀詩記》亦作「櫜」，蓋以兩書底本皆為《四部叢刊續編》影宋本之故。《四庫全書》本則作「橐」，見影印《文淵閣四庫全書》本《讀詩記》，卷 30，頁 776：13b。根據阮元校勘之《毛詩正義》，〈周頌・時邁〉使用的是「橐」，見《毛詩正義》，卷 30，頁 719：8b。
67 《讀詩記》，卷 30，頁 751。

關疑態度的〈小雅‧雨無正〉、〈周頌‧般〉、〈魯頌‧泮水〉等
三篇納入計算,這樣《讀詩記》未能盡依《詩序》之說的共計
31 篇,占了全《詩》的 10.16%。假如,這個數字代表呂祖謙
另立新解的詩篇有一成的比例,那麼學者來質疑其對於《詩序》
的忠誠度,或許還稍微有理可說,但情形絕非如此,上述 31
篇中,呂祖謙雖然不是完全接受《序》說,但與《詩序》大同
小異的有 21 篇(含不錄「後序」之四篇)、大異小同的 4 篇、
完全相異的 2 篇,以及關疑的 4 篇(含質疑《序》說,未立新
解的 1 篇),[68]其中以大同小異者最多。僅統計呂氏說詩完全與
《詩序》同義的就有 274 篇,比率高達 89.83%。若加上 21 篇
大同小異者,則更有 96.72% 的超高比率是支持《詩序》的,
可見呂氏《讀詩記》被劃入尊《序》一派陣營絕對合乎事實。
值得注意的是,以上所說的呂氏未能完全接受《詩序》的 31
篇中,主要是針對「後序」而發,且〈蕩〉、〈召旻〉、〈絲衣〉、
〈酌〉4 篇,《讀詩記》僅引「首序」,不引「後序」,前兩篇有
引蘇轍語以表達異議,後兩篇則無直接批評的文字。這 4 篇都
在〈公劉〉之後,屬於呂氏來不及修訂的範圍,設使當年呂氏
可以修畢全書,補進四篇「後序」的機會很大,因為這關聯到
全書體例的問題。

---

68 案:三十一篇中,說與《詩序》大異小同的是:〈東方未明〉、〈葛生〉、〈破
斧〉、〈我行其野〉,完全相異的是:〈楚茨〉、〈民勞〉,關疑的是:〈柏舟〉、〈雨
無正〉〈般〉、〈泮水〉,其餘二十一篇與〈序〉說大同小異。

第四節　結　語

　　呂祖謙的《呂氏家塾讀詩記》是《詩經》學史上的名著，此書採取集解的方式來進行論述。如前所言，《讀詩記》在卷前有〈呂氏家塾讀詩記姓氏〉，明確列出呂氏所引各家名單，前面九位漢唐經師還特別標出其名，而其下排列自明道程氏、伊川程氏至南軒張氏、晦庵朱氏等宋儒 35 位。[69]從所引家數之量觀之，呂氏似較倚重當代儒者之說，但其人實有「不薄今學愛古學」之用心，故其書在精神、內容方面都有明顯的維護傳統漢學傾向，此為明顯可見之現象。朱熹之孫朱鑑編有《詩傳遺說》一書，其中有此一條：

　　《詩序》，東漢〈儒林傳〉分明說道是衛宏作。後來經意

---

69 案：此一名單並不精確，《讀詩記》所引諸家總數其實不僅這些，且誤毛亨為毛萇，孔穎達為孔安國，此外，位序亦有錯亂情事，例如何氏（何休）宜改置於陸氏（陸璣）之前，韋氏（韋昭）應挪至何氏之後、陸氏之前，但此表仍讓讀者迅即看到《讀詩記》所引的重要學者，依然有其存在價值。另者，影印《文淵閣四庫全書》本的《讀詩記》卷前有姓氏表，但最早的宋刊本則無，目前學界公認最可靠且容易取得的《讀詩記》版本是《四部叢刊續編》本，此書乃上海涵芬樓據瞿氏鐵琴銅劍樓藏宋刊本影印，原為宋孝宗時本，為淳熙九年（1182）邱宗卿於江西漕臺所刻，卷前有朱熹〈序〉，書後有尤袤〈後序〉，但無「姓氏」與「引用書目」，比較普及的影印《文淵閣四庫全書》本所收係陸鈗重刊本，此本有朱熹〈序〉，但不載尤袤〈後序〉，行款與宋本不同，且多訛誤，此外，清本如嘉慶十四年張海鵬刻《墨海金壺》本、錢儀吉《經苑》本……等也都有附此一姓氏表，甚至有附上引用書目者，其詳可參郭麗娟：《呂祖謙詩經學研究》（臺北：東吳大學中國文學研究所碩士論文，1994 年 10 月），頁 106-116。至於本文主要使用的《呂祖謙全集》本，雖係以《四部叢刊續編》影鐵琴銅劍樓所藏宋刻本為底本，但如前所言，又以多本互校，故在書末附錄中亦有此〈呂氏家塾讀詩記姓氏〉（卷後，頁791），唯遺漏「南豐曾氏」一家，故本文不用。

不明，都是被他壞了。熹又看得亦不是衛宏一手，多是兩三手合成一序，愈說愈疎。」浩對曰：「蘇子由卻不取〈小序〉。」曰：「他雖不取下面言語，留了上面一句，便是病根。呂伯恭專信《序》文，不免牽合。」又云：「伯恭凡百長厚，不肯非毀前輩，須要出脫回護，到了不知道，只為得箇解經人，卻不曾為得聖人本意。是便道是，不是便道不是，方得。（原註：邵浩別錄）[70]

　　另有一條記載：「問：『先生《詩集傳》多不解《序》，何也？』曰：『熹自二十歲時讀《詩》，便覺〈小序〉無意義，及去了〈小序〉，只去玩味詩辭，却又覺得道理貫徹。當時初亦嘗質問諸鄉先生，皆云《序》不可廢，而熹之疑終不能釋，其後斷然知〈小序〉之出於漢人所作，其為謬戾有不可勝言。東萊不合，只因〈序〉講解便有許多牽强處。熹嘗與之言，終不肯信從。《讀詩記》中雖多說《序》，然亦有說不行處，亦廢之。熹因作《詩序辨說》，其他謬戾則辨之頗詳。』（原註云：周謨詳）」[71]朱熹與呂祖謙亦敵亦友，兩人對於《詩經》學的幾個基本概念問題，各有所堅持，卻又不肯相讓。朱熹發現呂氏面對《序》說「不行處，亦廢之」，但這樣的情況畢竟是極少數，所以他才批評「呂伯恭專信《序》文，不免牽合」，又遺憾呂氏對其反《序》之意見「終不肯信從」，而呂祖謙對於朱熹的不信《詩序》亦頗不以為然，其與朱熹書云：「唯太不信〈小

70　朱鑑：《詩傳遺說》，中國詩經學會編：《詩經要籍集成》，第 10 冊，卷 2，頁 56。
71　朱鑑：《詩傳遺說》，卷 2，頁 57。

序〉一說，終思量未通也。」[72]若依前引陸侃如之言，「人家都以朱、呂極端相反的，一為毛氏的敵人，一為毛氏的忠臣。這種觀念是錯的，呂祖謙卻是一個力攻毛氏的人」，則朱熹與呂氏的互相批評，以及由此而來的朱呂學術論爭，就變得荒謬可笑了。

透過本文之解讀與統計可知，呂祖謙說《詩》，完全與《詩序》同義的約九成，若將大同小異的解釋也納入計算，則其支持《詩序》之說的更已超過九成六。若謂《呂氏家塾讀詩記》為《詩經》學史中尊《序》派的著作，絕對符合事實，而由此亦可推見，絕大多數被稱為尊《序》、守《序》派的宋儒，其對《序》之說詩有不洽己意者，依然是會提出異議的。

---

72 呂祖謙：〈與朱侍講〉，《東萊別集》，卷 8，頁 255：29b。

第三章　戴溪《續呂氏家塾讀詩記》的解經特質及其在《詩經》學史上的定位

第一節　前　言

　　在宋代《詩經》學史上，呂祖謙以《呂氏家塾讀詩記》一書佔有舉足輕重的地位。[1]此書有戴溪（1144-1216）之續作，[2]

1　陳振孫：「《呂氏家塾讀詩記》三十二卷，呂祖謙撰。博采諸家，存其名氏，先列訓詁，後陳文義，剪截貫穿，如出一手，己意有所發明，則別出之。《詩》學之詳正，未有逾於此書者也。」〔宋〕陳振孫：《直齋書錄解題》（臺北：廣文書局，1979 年），上冊，頁 100-101。《四庫全書總目》：「……迄今兩說（案：朱熹、呂氏兩家之說）相持，嗜呂氏書者終不絕也。」〔清〕紀昀等：《四庫全書總目》（臺北：藝文印書館，1974 年 10 月），第 1 冊，卷 15，頁 341。有關呂祖謙《詩經》學之價值與影響另可參郭麗娟：《呂祖謙詩經學研究》（臺北：東吳大學中文研究所碩士論文，1994 年 10 月），頁 241-260。

2　戴氏書名，《永樂大典》題為《續呂氏家塾讀詩記》，影印《文淵閣四庫全書》從中輯出三卷，書名不變，嘉慶十四年刻本、《墨海金壺》、《經苑》、《叢書集成初編》諸本書名亦作《續呂氏家塾讀詩記》。《直齋書錄解題》、《文獻通考》並作《岷隱續讀詩記》，《宋史‧藝文志》、《授經圖》、《經義考》皆作《續讀詩記》，《溫州府志》則作《續詩記》。案：《宋史‧藝文志》僅言戴溪字肖望，永嘉人（詳後），清儒周中孚謂戴溪字肖望，一作少望，號岷隱（《鄭堂讀書記》〔臺北：廣文書局，1978 年 8 月〕，第 1 冊，卷 8，頁 134），「世界戴氏

但戴氏的《續呂氏家塾讀詩記》與一般「續書」的寫作宗旨不同，其內容與呂書並未具有明顯的連續性，[3]只能說兩者在解《詩》的精神上有相似之處。

戴溪的學術成績與影響在現今的學術史論述中，並未獲得太大的關注。在《詩經》學史上，《續呂氏家塾讀詩記》（以下視情況得簡稱《續讀詩記》），大致上被歸在維護傳統《詩序》的陣營中，且對其論述大致僅止於此，顯見戴氏在研究者心目中屬於宋代之邊緣學者。[4]不過，戴溪在當時其實是頗有名望的人物，在政界與學術界的地位絕對不容忽視。淳熙五年（1178）戴溪奪得省試第一，之後屢任各部官職，升遷頗快。比較特殊

宗親網」謂「戴溪公諱少望，號岷隱」，「華夏經緯檢索」謂戴溪字肖望，世稱岷隱先生」（網址：http://www.worlddai.com/NewsContents.asp?id=149、http://big5.huaxia.com/gate/big5/search.huaxia.com/s.jsp?iDocId=476122），瀏覽日期：2008 年 10 月 15 日，依此，書名應無「岷隱」二字，《岷隱續讀詩記》可點讀為「岷隱《續讀詩記》」。

3 既是續書，總有承續前書的意味，例如《儀禮經傳通解續》是黃榦針對其師朱熹《儀禮經傳通解》未完成的部分進行增補。詳《四庫全書總目》，第 1 冊，頁 466。《古音駢字續編》是莊履豐對楊慎《古音駢字》的補充，擴大蒐羅的音字。詳《四庫全書總目》，第 2 冊，頁 864-865。所以基本上，《儀禮經傳通解》與《古音駢字》可視為未完成或是有明顯缺漏的經學研究書籍，而《儀禮經傳通解續》與《古音駢字續編》則是在舊有的形式與承接前書作者的寫作意旨下進行的增補工作。不過，例外之作也可見到，例如毛奇齡的《續詩傳鳥名》，書名雖言「續」，但是其意旨在維護《毛傳》的訓解，修正朱熹《詩集傳》的意見，屬於「續書」中的變例。詳《四庫全書總目》，第 1 冊，頁 361。

4 例如皮錫瑞《經學歷史》、章權才《宋明經學史》、吳雁南、秦學頎、李禹階主編的《中國經學史》皆未論及戴溪，大概只有極少數專科史中的《詩經》學史或目錄書中的《詩經》要籍解題之類的著作，才有可能涉及到戴溪其人其書。案：章權才《宋明經學史》在正文中並未提到戴溪，書後附錄「宋明經學家著述要目一覽表」中有戴溪《續呂氏讀詩記》，但註明「佚」。《宋明經學史》（廣州：廣東人民出版社，1999 年 9 月），頁 308。

的職位是開禧年間（1205-1208）擔任太子詹事兼祕書監，曾為太子講學。戴氏在宋朝的重要性可由《宋史・儒林列傳》為其作傳，[5]同書〈藝文志〉著錄其《易總説》二卷、《續讀詩記》三卷、《曲禮口義》二卷、《學記口義》三卷、《春秋講義》四卷、《石鼓答問》三卷、《石鼓孟子答問》三卷、《歷代將鑑博議》十卷，[6]而《宋元學案》也將之列入「止齋學案」中見出。[7]顯然，戴溪在宋朝不會是沒沒無名的小人物，他是高階官員，也是重要學者。[8]

5　《宋史・儒林傳》：「戴溪，字肖望，永嘉人也。少有文名，淳熙五年，為別頭省試第一，監潭州南嶽廟。紹熙初，主管吏部架閣文字，除太學錄兼實錄院檢討官。正錄兼史職自溪始。升博士，奏兩淮當立農官，若漢稻田使者，括閑田，諭民主出財，客出力，主客均利，以為救農之策。除慶元府通判，未行，改宗正簿。累官兵部郎官。開禧時，師潰于符離，溪因奏沿邊忠義人、湖南北鹽商皆當區畫，以銷後患。會和議成，知樞密院事張巖督師京口，除授參議軍事。數月，召為資善堂說書。由禮部郎中凡六轉為太子詹事兼祕書監。景獻太子命溪講《中庸》、《大學》，溪辭以講讀非詹事職，懼侵官。太子曰：『講退便服說書，非公禮，毋嫌也。』復命類《易》、《詩》、《書》、《春秋》、《論語》、《孟子》、《資治通鑑》，各為說以進。權工部尚書，除華文閣學士。嘉定八年，以宣奉大夫、龍圖閣學士致仕。卒，贈特進端明殿學士。理宗紹定間，賜諡文端。溪久於宮僚，以微婉受知春宮，然立朝建明，多務祕密，或議其殊乏骨鯁云。」〔元〕脫脫等：《宋史》（北京：中華書局，1977 年 11 月），第 37 冊，卷 434，頁 12895。
6　分見《宋史》，第 15 冊，卷 202，頁 5041、5047、5051、5064、5069；卷 205，頁 5176；卷 207，頁 5284。案：《歷代將鑑博議》一書，《永樂大典》引為《將鑑博議》，影印《文淵閣四庫全書》作《將鑑論斷》。《石鼓答問》一書，或即影印《文淵閣四庫全書》中的《石鼓論語答問》（《四庫全書總目》作《石鼓論語問答》）。
7　《宋元學案・止齋學案》以唐仲友、錢白石、戴溪為「止齋（案：陳傅良）同調」，前兩人別為〈說齋學案〉與〈徐陳諸儒學案〉，戴氏生平簡介則在〈止齋學案〉中。詳〔清〕黃宗羲原著，〔清〕全祖望補修，陳金生、梁運華點校：《宋元學案》（北京：中華書局，1986 年 12 月），第 3 冊，卷 53，頁 1722-1723。
8　除了《宋史》與《宋元學案》之外，宋儒對於戴溪的學術成績也多所肯定，如俞琰《讀易舉要》將戴溪歸入〈魏晉以後唐宋以來諸家著述〉之列，見《讀

　　比較令人好奇的是，以戴溪在當時的聲望與地位，何以其
《詩經》學專著要以「續」呂祖謙《呂氏家塾讀詩記》為名，
這點本來可在戴溪《續讀詩記》的〈序〉或〈總綱〉之類的敘
述裏找到答案。可惜，現存《續讀詩記》為乾隆年間編纂《四
庫全書》時自《永樂大典》輯出，雖仍存原書之十之七八，「序」
或「綱領」、「總綱」之類的文字卻並未得見。[9]因此，很難有確
切的證據說明戴溪以「續」為書名的用心。

　　但是，年代稍後於戴溪的陳振孫（1183-1261）謂《續讀詩
記》：「其書出於呂氏之後，謂呂氏於字訓章已悉，而篇意未貫，
故以續記為名。其實自述己意，亦多不用〈小序〉。」[10]此外，
黃震（1213-1280）指出：「……本朝伊川與歐、蘇諸公又為發
其理趣，《詩》益煥然矣。南渡後，李迂仲集諸家，為之辯而
去取之，南軒、東萊止集諸家可取者，視李氏為徑，而東萊之
《詩記》獨行，岷隱戴氏遂為《續詩記》。」[11]黃氏之說不夠具

　　易舉要》，影印《文淵閣四庫全書》（臺北：臺灣商務印書館，1983 年 8 月），
　　第 21 冊，卷 4，頁 468：36b。俞德鄰稱美戴溪的解釋〈鄭風狡童〉、〈唐風・
　　無衣〉，見《佩韋齋輯聞》，影印《文淵閣四庫全書》，第 865 冊，卷 2，頁 584：
　　4b-585：6a。朱熹以為戴溪《石鼓論語答問》「近道」，見《四庫全書總目》，
　　第 2 冊，頁 731。黃震〈讀毛詩〉言及宋代著名《詩經》學家，也提到戴溪，
　　詳下引。

9　孫詒讓：「岷隱《續讀詩記》最為黃東發所推，明以來久無傳本，乾隆間始從
　　《永樂大典》輯出。〈國風〉缺十二篇，〈小雅〉缺十篇，〈大雅〉缺五篇，三
　　〈頌〉缺四篇，若〈摽有梅〉、〈無衣〉諸篇之說見於《黃氏日鈔》者，《大典》
　　並缺。」《溫州經籍志》，《續修四庫全書》（上海：上海古籍出版社，2002 年
　　3 月），第 918 冊，卷 2，頁 167：32b。案：孫氏之說與今本《續讀詩記》有
　　出入，據筆者的統計，〈國風〉缺 11 篇，其餘〈雅〉、〈頌〉篇帙與孫氏說相
　　同（詳後）。

10　陳振孫：《直齋書錄解題》，上冊，頁 101。

11　〈讀毛詩〉，《黃氏日抄》，影印《文淵閣四庫全書》，第 707 冊，卷 4，頁 27：
　　1a-1b。

體，無法從中看出戴溪寫作的確切動機，陳氏之言則意甚明晰，且由此段記載之「謂」字判斷，陳氏似乎看過《續讀詩記》之原〈序〉文或其他戴氏自我表白的文字。假若陳氏之言可信，那麼戴溪以為呂祖謙《讀詩記》在訓詁方面已有完備的成果，但是在詩意上尚未通貫，因此特作《續讀詩記》予以補足，而戴書其實與呂書的解經脈絡、觀點並不相同，對於《詩序》亦未如呂祖謙般遵從不改。陳振孫的說法大概是現存最早對《續讀詩記》的閱讀評價，後為四庫館臣所採用，[12]亦成為《詩經》學史對《續讀詩記》創作動機的基本描述。不過，今本《直齋書錄解題》三十二卷並非完書，[13]雖體例尚稱完整，但其中的文字是否有或何處有錯亂、誤入等情事，實難確知，故以上所述戴溪著書的動機也僅能視為一種旁證。

　　另一種對《續讀詩記》的著書動機的猜測，是由戴溪曾做過太子詹事，又為太子所命進講經書的經歷延伸出來。清儒孫詒讓述及戴溪所寫的《詩說》云：

　　岷隱《詩說》，嘉定初應景獻太子命所作，見《宋史》本傳。《萬曆溫州府志・藝文門》載其卷數與《續讀詩記》同，則疑《詩記》乃就《詩說》藁本重為刊定者，惜《詩記》原序

12　《四庫全書總目》：「溪以《呂氏家塾讀詩記》取《毛傳》為宗，折衷眾說，於名物訓詁最為詳悉，而篇內微旨，詞外寄託，或有未貫，乃作此書以補之，故以『續記』為名；實則自述己意，非盡墨守祖謙之說也。」《四庫全書總目》，第 1 冊，頁 342。

13　王欣夫：「陳振孫《直齋書錄解題》……，倪燦、黃虞稷《宋史藝文志補》作五十六卷，今本係四庫館臣從《永樂大典》等輯出的，分為三十二卷，已不是完書了。相傳毛晉有宋刻半部，張金吾《愛日精廬藏書志》有舊抄殘……盧文弨又得子部數卷於鮑廷博家。……」《文獻學講義》（臺北：臺灣商務印書館，1992 年 1 月），頁 114。

今已不存，無可考覈也。（《經義考》不載《詩說》，蓋朱氏
意，亦以《詩記》、《詩說》為一書）。[14]

　　戴溪的《詩說》是當年為太子講經之作，但因卷數與《續
讀詩記》相同，且後來的文獻不謂戴溪的《詩經》學著作有兩
種，故如孫氏所疑，兩書應為同一著作。今人戴維也依據《宋
史·儒林傳》之記載，推測戴溪《續讀詩記》的寫作背景和太
子命令戴溪為之講讀經籍有關。戴維以為《續讀詩記》或許是
戴溪為太子講授《詩經》的紀錄，或是在此基礎上的論述。[15]筆
者以為孫、戴二氏之論點有其意義，但是說詞可以更求周延。
畢竟戴溪刻意將書名訂為《續呂氏家塾讀詩記》，已經很清楚
地表達其著書意旨與《呂氏家塾讀詩記》有關，從《續讀詩記》
與《讀詩記》之間的書名關係來看，戴溪的用心應該就在於對
呂書的補充、修訂，或者是延伸。另一方面，《續讀詩記》中
並沒有經筵講章的形式或風格，將本書看成是戴溪昔年為太子
進講經書的本子，說服力恐怕不足。[16]不過，若說《續讀詩記》
就是當年戴溪為太子講授《詩經》的講本，固然不妥，但如認

---

14 《溫州經籍志》，卷2，頁168：33a。
15 詳戴維：《詩經研究史》（長沙：湖南教育出版社，2001年9月），頁349。
16 講章體是為古代帝王講讀經書而產生的一種特殊體式。古代帝王為研讀傳統
　經史典籍，特立一御前講席，如漢宣帝曾召諸儒講五經於石渠閣，唐玄宗也
　曾經改麗正修書院為集賢院，每天選耆儒一人侍讀，並置集賢院侍讀學士、
　侍讀直學士。宋時始稱經筵，每年春二月至端午日，秋八月至冬至日，逢單
　日由講官輪流入侍講讀。講章體的特點是將講經同勸戒皇帝連繫起來，所以
　在講解時常常同當時的時勢政治結合。而此體式多不抄原詩，只錄詩名，不
　以詞義訓詁為務，講解詞語一般也是為詩義的講解服務。每篇議論之前以「臣
　聞」、「臣竊聞」、「臣竊謂」的字樣發語。關於宋代講章體《詩經》學著作可
　參郝桂敏：《宋代詩經文獻研究》（北京：中國社會科學出版社，2006年2
　月），頁219-220。

為戴溪為了出版本書，使之成為一般性的讀本，而將講本內容重新調整，取消原稿中的「臣聞」、「臣竊聞」、「臣竊謂」，則不能說是不合理的推測。換言之，戴溪嗜讀《呂氏家塾讀詩記》，有感於《讀詩記》在某些方面的猶有不足，於是他推出了《續讀詩記》，而這本《續讀詩記》正是當年戴溪為太子講授《詩經》的講本之改訂本。

　　研究呂祖謙與戴溪在《詩經》學上的關連是很有意義的課題，但是在進行這方面的研究之前，必須先對戴溪《續讀詩記》有一基本的瞭解。本文的研究目的即是針對戴溪《續讀詩記》進行較為深入的研究，[17]不僅為將來研究呂祖謙與戴溪《詩經》學關連的基礎，更希望本文論述對於《詩經》學史上南宋初期發展的描述有所增益。

第二節　《續讀詩記》的解詩體例與對《詩序》的態度

　　呂祖謙的《呂氏家塾讀詩記》共 32 卷，涵蓋 305 篇，每篇皆錄且信守《詩序》，並以集解的方式進行詳盡的詩文解說，

---

17 在本文之前，陳明義有〈戴溪續呂氏家塾讀詩記初探〉之作，內容包含了呂戴兩書的異同比較，全文兩萬言，重心在說明戴書的詮釋特點，雖註解僅有十九個，但仍不失為可取之作。陳文詳林慶彰主編：《經學研究論叢》第九輯（臺北：學生書局，2001 年 1 月），頁 95-117。本文結構與陳文不同，且多了批判性與解釋性，讀者可以兩文互參。

是一本體例完整、首尾俱全的解《詩》之作；[18]《續讀詩記》
雖以續呂書為名，但卻是一本以闡釋詩旨為主，訓釋文句為輔
的著作；全書僅 3 卷，不列詩文，不錄《詩序》，也不針對詩
文作全面性的釋義。[19]卷一為讀十五〈國風〉，卷二讀〈小雅〉，
卷三讀〈大雅〉與三〈頌〉，依序論述各詩。不過，今本《續
讀詩記》輯自《永樂大典》，《大典》缺佚的詩篇多達 32 篇，
包括：〈國風〉：〈周南・麟之趾〉、〈召南・采蘋〉、〈摽有梅〉、
〈野有死麕〉、〈邶風・綠衣〉、〈簡兮〉、〈衛風・竹竿〉、〈伯兮〉、
〈鄭風・緇衣〉、〈蘀兮〉、〈唐風・無衣〉、〈秦風・無衣〉、〈權
輿〉。〈小雅〉：〈皇皇者華〉、〈常棣〉、〈采薇〉、〈斯干〉、〈小旻〉、
〈裳裳者華〉、〈菀柳〉、〈白華〉（此謂〈魚藻之什・白華〉）、〈苕
之華〉、〈何草不黃〉。〈大雅〉：〈生民〉、〈鳧鷖〉、〈公劉〉、〈烝
民〉、〈召旻〉。〈周頌〉：〈我將〉、〈噫嘻〉、〈絲衣〉、〈烈祖〉。

---

18 或謂《呂氏家塾讀詩記》在〈公劉〉之下皆非呂氏原著所有，陸鈫：「呂氏
凡二十二卷，乃〈公劉〉以後，編纂未就，其門人續成之，茲又斯文之遺憾
云。」〈呂氏家塾讀詩記原序〉，《呂氏家塾讀詩記》，卷前，頁 2b。《四庫全
書總目》：「陳振孫《書錄解題》稱『自〈篤公劉〉以下編纂已備，而條例未
竟，學者惜之』。此本為陸鈫所重刊，鈫序稱『得宋本於友人豐存叔，呂氏
書凡二十二卷，〈公劉〉以後，其門人續成之。』與陳氏所說小異，亦不言
門人為誰。然《書錄解題》及《宋史・藝文志》均著錄三十二卷，則當時之
本已如此。鈫所云云，或因戴溪有《續讀詩記》三卷，遂誤以後十卷當之歟？」
《四庫全書總目》，第 1 冊，頁 341。案：據杜海軍考證，呂祖謙共作兩稿，
第二稿作到〈公劉〉首章，呂氏即去世，祖謙之弟祖儉編定《讀詩記》，為
求完備，「將〈公劉〉後的第一稿與其前的第二稿放在一起」，故今本《讀詩
記》三十二卷，都是呂祖謙的心血結晶。詳杜海軍：《呂祖謙文學研究》（北
京：學苑出版社，2003 年 7 月），頁 183-186。

19 孫詒讓：「……其書雖云賡續《呂記》，然體例與彼迥異，逐篇各自為說，不
復臚列舊訓。……意在綜貫大義，不以攷訂見長也。」孫氏又評述錢文子《詩
訓詁》時謂其書「橐括閎旨，逐篇總釋，與戴氏《續讀詩記》體例相似。」
詳《溫州經籍志》，卷 2，頁 167：32b；169：36a。

乾隆年間，四庫館臣據宋儒黃震《黃氏日抄》所引補入〈召南‧摽有梅〉與〈唐風‧無衣〉兩篇，故今本《續讀詩記》實缺30篇。[20]就兩書的撰述體例與旨趣觀之，《續讀詩記》說是呂書的續補，的確容易讓人不解。本文在前面所引述的《直齋書錄解題》與《四庫全書總目》對此的見地，戴氏滿意於呂書的名物訓詁成績，但有鑑於祖謙對於三百篇的微旨奧意仍有未貫之處，故作書以補之；依然是迄今比較可以讓人接受的解釋。

由於今本《續讀詩記》未見〈序〉或〈綱領〉之類的專文以說明戴溪對《詩經》、《詩》教、《詩序》的基本看法，因此，通過戴溪解詩的論述內容，推知他對《詩序》的態度，就成了唯一的方法。

《續讀詩記》提到「《詩序》」一詞只有兩處。[21]第一處是在討論〈陳風‧墓門〉詩旨時提出。《詩序》：「〈墓門〉，刺陳佗也。陳佗無良師傅，以至於不義，惡加於萬民焉。」[22]戴氏：「〈墓門〉，詩人追咎陳侯，且刺佗也。詳觀《詩序》，似以『誰昔然矣』為無良師傅，詩意未必然也。」[23]由於〈墓門〉詩中並未明白提到陳陀這些人，《詩序》的「以史說詩」自然可能被反《序》者指為穿鑿附會，不過，戴氏僅認為《詩序》所言

20　案：今本《續讀詩記》實際論述275篇，〈南陔〉等六笙詩，戴氏本未論及。

21　戴溪在論述〈周頌‧有瞽〉時表示「此詩序作樂之盛」，雖使用到了「詩序」二字，但此二字並非指《詩序》而言，是說〈有瞽〉之詩「序作樂之盛」，故其實際論及《詩序》者僅二處（詳後）。

22　鄭《箋》：「不義者，謂弒君而自立。」〔漢〕毛亨傳，〔漢〕鄭玄箋，〔唐〕孔穎達疏：《毛詩正義》（臺北：藝文印書館，1976年5月），卷7之1，頁253。

23　戴溪：《續呂氏家塾讀詩記》，影印《文淵閣四庫全書》（臺北：臺灣商務印書館，1983年8月），第73冊，卷1，頁52a。

「陳佗無良師傅」未必可信,在詩意的判斷方面,也只是將批評的對象增加陳侯一人,基本上還算尊重《詩序》的解題。第二處是在說明〈周頌・閔予小子〉等四詩主題時所提。《詩序》:「〈閔予小子〉,嗣王朝於廟也。」「〈訪落〉,嗣王謀於廟也。」「〈敬之〉,群臣進戒嗣王也。」「〈小毖〉,嗣王求助也。」[24]戴氏:「〈閔予小子〉、〈訪落〉、〈敬之〉、〈小毖〉四詩大抵相類。〈閔予小子〉、〈訪落〉皆言皇考,故《詩序》以廟言之,孔氏以為此皆樂歌也。夫歌詩以為樂,非必〈頌〉然也、〈風〉與二〈雅〉皆然。」[25]對於〈閔予小子〉、〈訪落〉、〈敬之〉、〈小毖〉四詩,戴溪的見解分別是:「〈閔予小子〉,成王免喪,朝于武王之廟,而歌是詩也。」「〈訪落〉,成王朝廟之後,即廟中而訪羣臣,因以歌是詩也。」「〈敬之〉,序《詩》者以為羣臣進戒,詳觀詩辭,似非也。自『敬之』而下,序羣臣之進戒,自『維予小子』而下,序成王之求助,如虞廷之賡歌,君臣警戒是也。然既為樂,歌辭出一人,疑成王求助于羣臣,而歌是詩也。」「〈小毖〉,詩辭之哀,大類〈鴟鴞〉。東山之役未歸,故〈鴟鴞〉作;金縢之書既啟,故〈小毖〉興。意者成王悔過,求助于羣臣,而歌是詩也。懲創前事,戒慎後患,此成王之心。」[26]對於《詩序》的說法,反對的僅是其粗略的解釋,故改用比

---

24 〈閔予小子〉,鄭《箋》:「嗣王者,謂成王也。除武王之喪,將始即政,朝於廟也。」〈訪落〉,鄭《箋》:「謀者,謀政事也。」〈小毖〉,鄭《箋》:「成王求忠臣早輔助己為政,以救患難。」以上分見《毛詩正義》,卷19之3,頁738、739;卷19:4,頁745。案:鄭《箋》於〈敬之・序〉下無任何說解。

25 《續讀詩記》,卷3,頁36a。

26 《續讀詩記》,卷3,頁36a-37b。

較翔實的說明，且四詩中，也只有〈敬之〉一篇明白指出《序》說「似非」，而其所謂「似非」其實也不過是表示《序》說不夠完整而已。

戴溪在訂定詩旨時，雖僅出現兩處論及《詩序》之語，但從其論〈敬之〉主題之內容，我們已可知道他會使用「序《詩》者」一詞來取代《詩序》兩字。事實上，《續讀詩記》使用「序《詩》者」一詞以引述《詩序》觀點，其次數不少，而最能見出戴溪對於《詩序》之擁護的，應屬第一處的論〈秦風‧蒹葭〉：

〈蒹葭〉，襄公初立國，庶事草創，國未壯實，如蒹葭之未經霜也。白露欲為霜，而未能猶為露也。苟為霜，則不復為露矣。未晞、未已皆未為霜之辭也。春秋諸侯猶未盡有周禮，秦在西陲，安知有此？必有人焉，能為周禮，從而學焉，斯得之矣。漢儀未就，無叔孫通，漢亦不可以立國。所謂伊人者，習禮之人也。其人近在水際，言其邇也。順其道而從之，其人甚邇；逆其道而從之，其人甚遠。遡洄、遡游皆逆也。在水際則可從，在水中如之何其可從也？叔孫通招魯，兩生不肯至，此逆其道而求之也。詳觀此詩，不言周禮，序《詩》者何以知其不能用周禮？夫為周之諸侯，則必用周之典禮，用周禮則能固其國，故曰魯秉周禮，未可動也。[27]

當我們承認《詩序》有其創作背景與總體價值時，並不表示樂意接受每一篇的《序》說，若謂《詩序》解〈蒹葭〉為「刺襄公也。未能用周禮，將無以固其國焉」為失敗之作，大概不為過。[28]戴溪對於《序》之詮釋〈蒹葭〉不唯能夠接受，且願

---

27 《續讀詩記》，卷1，頁47a-47b。
28 案：《序》謂〈蒹葭〉一詩諷刺不能用周禮的秦襄公，「所謂伊人」之句，呂

意為之迴護，僅憑這一條，就很可能被斷定其為宋代說《詩》中的極端守舊派人物。

當然，實際情狀未必如此，後面還有幾條引述「序《詩》者」的話必須一併參酌。戴氏解〈秦風·渭陽〉云：「序《詩》者稱其念母，原其意也。其形容康公之意最詳，以為即位而作詩，當有所本。」解〈小雅·魚麗〉云：「〈魚麗〉不見其告于神明，序《詩》者言之，何也？古者有物必祭，況萬物盛多如此，必告于神明矣。其曰可以告神明，非直言告也。」這兩處是在為《詩序》說話，也為戴溪的守舊再增添了一些證據。[29]解〈小雅·巷伯〉云：「〈巷伯〉，寺人作也。寺人之讒非在外庭，其徒實為之，故序《詩》者知其為巷伯，蓋巷伯，寺人之長也。忌疾窺伺，最為深險，作此詩者咸其朋類，故極其怨毒之詞也。」

祖謙以為「猶曰所謂此理也，蓋指周禮」，戴溪說是「習禮之人」，戴說固然稍合理些，但依然不如朱子解為「言秋水方盛之時，所謂彼人者，乃在水之一方，上下求之而皆不可得。然不知其何所指也」平實，且朱說也留給後人許多解讀的空間。以上分見《呂氏家塾讀詩記》，影印《文淵閣四庫全書》（臺北：臺灣商務印書館，1983 年 8 月），第 73 冊，卷 12，頁 12a；《詩集傳》，卷 6，頁 76。迄今此詩之詮釋仍呈現極為分歧現象，但以招隱、情詩、懷友之說較為普及，相關資料可參張學波：《詩經篇旨通考》（臺北：廣東出版社，1976 年 5 月），頁 153-154；李中華、楊合鳴編著：《詩經主題辨析》（南寧：廣西教育出版社，1989 年 7 月），上冊，頁 380-384；郝志達主編：《國風詩旨纂解》（天津：南開大學出版社，1990 年 2 月），頁 473-479。

29 以上分見《續讀詩記》，卷 1，頁 49b；卷 2，頁 4b。案：《詩序》：「〈渭陽〉，康公念母也。康公之母，晉獻公之女。文公遭麗姬之難，未反，而秦姬卒。穆公納文公，康公時為大子，贈送文公于渭之陽，念母之不見也。我見舅氏，如母存焉。及其即位，思而作是詩也。」〈魚麗〉，美萬物盛多，能備禮也。文武以〈天保〉以上治內，〈采薇〉以下治外，始於憂勤，終於逸樂，故美萬物盛多，可以告於神明矣。」以上分見《毛詩正義》，卷 6 之 4，頁 245；卷 9 之 4，頁 341。

[30]特殊的是，這裡表面是同意《詩序》之說，但其實作出了完全不同於《詩序》的理解，蓋《序》云：「〈巷伯〉，刺幽王也。寺人傷於讒，故作是詩也。」戴氏則執著於詩中所言「彼譖人者，誰適與謀？取彼譖人，投畀豺虎。豺虎不食，投畀有北。有北不受，投畀有昊」之句，而謂作此詩者出之以極為怨毒之詞。不過，筆者必須說，戴氏在此斷章取義，不足以推翻《詩序》。[31]又如〈小雅・鹿鳴〉之詩，《詩序》：「宴群臣嘉賓也。既飲食之，又實幣帛筐篚，以將其厚意，然後忠臣嘉賓得盡其心矣。」戴氏：「燕嘉賓之歌也。詩辭止言嘉賓，序《詩》者增言羣臣，失文王賓友羣臣之意矣。」這是批評《序》說在文字上略有添足之病，主題部分，戴溪倒是接受的。[32]再如《詩序》解〈假樂〉為「嘉成王」之作，戴氏接受，僅增補數字：「〈假樂〉，嘉成王之君臣相與也。說者謂有賡歌之意，信然。」但又下一轉語，謂「此詩每章四句，序《詩》者分為六句，故意不連屬，當從四句為正」。[33]這是反對傳統的分〈假樂〉為四

30　《續讀詩記》，卷2，頁28a。

31　案：由於「寺人傷於讒」云云，已在詩中明白揭露，因此，《序》之說〈巷伯〉基本上可以被接受。朱子對本詩有很完整的說明：「巷，是宮內道名，秦漢所謂永巷是也。伯，長也。王宮內道官之長，即寺人也，故以名篇。班固〈司馬遷贊〉云：『迹其所以自傷悼，〈小雅・巷伯〉之倫。』其意亦謂巷伯本以被譖而遭刑也。而楊氏曰：『寺人，內侍之微者，出入於王之左右，親近於王而日見之，宜無閒之可伺矣。今也亦傷於讒，則疏遠者可知。故其詩曰：「凡百君子，敬而聽之。」使在位知戒也。』其說不同，然亦有理，姑存於此云。」《詩集傳》（臺北：中華書局，1971年10月），頁145。

32　戴溪解〈鹿鳴〉，見《續讀詩記》，卷2，頁1a。案：關於詩辭止言嘉賓，序詩者增言羣臣，朱子《詩集傳》的解釋是：「於朝曰君臣焉，於燕曰賓主焉。先王以禮使臣之厚，於此見矣。」呂祖謙接受此說，見《呂氏家塾讀詩記》，影印《文淵閣四庫全書》，第73冊，卷17，頁3a。

33　《續讀詩記》，卷3，頁13a-13b。

章、每章六句,而以為當析為六章,每章四句。戴氏這樣的判斷引起某些人的附議。[34]不過分章的恰當與否,本屬仁智互見,且分詩為六章,若說是《詩序》作者的意見,戴氏必須提出證據。此外,戴溪之論述〈周頌·有瞽〉也出現了「序《詩》者」的字眼。《詩序》:「〈有瞽〉,始作樂而合乎祖也。」[35]《續讀詩記》:「〈有瞽〉,序《詩》者曰:『始作樂而合乎祖。』似為祫祭言也。詩有『先祖是聽』之辭,總言先祖,故序《詩》者言之。大要此詩序作樂之盛,如《書》所謂『虞賓在位,簫韶九成』者也。」[36]這是在為《序》說作補述的工作,是傳統說《詩》者的重要工作。再如戴氏解〈周頌·雝〉云:「序《詩》者以為禘太祖,然攷其詩辭,始言皇祖,繼言烈考,殊不及太祖,恐于義未然。《記》、《論語》皆言以〈雝〉徹,則〈雝〉者徹祭之歌也,與詩意始合。」[37]《詩序》之解〈雝〉本就禁不起細緻的檢驗,《論語》「以〈雝〉徹」之記錄更是給諸家以充分駁《序》的信心,戴溪解〈雝〉為徹祭之歌,大概很多人可以接受,不過,在他之前,朱子(1130-1200)對於〈雝〉詩的說明比戴氏詳盡得多,也因此,後人在討論此詩時,很難避開朱

---

34 四庫館臣對於戴溪的分〈假樂〉為六章,章四句,特以小字標示:「案:黃震《日抄》云諸家以六句為章,岷隱、華谷四句為章,文義甚順。」案:嚴粲為南宋末年《詩經》名家,但其分〈假樂〉為每章四句,自註謂「舊四章、章六句,今從陳氏。」《詩緝》(臺北:廣文書局,1983 年 8 月),卷 27,頁 30a。

35 鄭《箋》:「王者治定制禮,功成作樂。合者,大合諸樂而奏之。」《毛詩正義》,卷 19 之 3,頁 731。

36 《續讀詩記》,卷 3,頁 34b。

37 《續讀詩記》,卷 3,頁 34b。

子的論證，但卻可以不提戴氏。[38]《續讀詩記》最後一處提到「序《詩》者」是在解釋〈商頌・玄鳥〉時：「〈玄鳥〉，序《詩》者以為祀高宗，蓋以武丁知之矣。〈殷武〉亦祀高宗，以伐荊楚知之矣。然〈玄鳥〉言武丁孫子，與〈殷武〉同為祀高宗之詩，亦有可疑者。此詩首章二句言契之得封于殷，下五句言湯能正彼四方，故奄有九有也。商之先后言成湯以下殷先哲王，至于武丁孫子。此詩似為武丁孫子作也。殷衰而諸侯貳，高宗奮其威武，故諸侯復朝子孫，憑藉其餘威，諸侯來助祭，此武王靡不勝之功也。大意此詩言正四方，有九有，服諸侯，尊王畿，坐假四海，唯其子孫多賢，故受命咸宜，以荷此百祿也。」[39]《詩序》解〈玄鳥〉僅有一句話：「祀高宗也。」確實簡略之極，此詩亦追敘商始祖契之所由生，以及商湯初有天下的光榮歷史，戴溪的解釋相較於《詩序》，固然可以顧慮到〈玄鳥〉內容的完整性，但仍稱不上疑《序》。

　　精確來說，《續讀詩記》直接提到「《詩序》」的有二處，三篇：〈墓門〉、〈閔予小子〉、〈訪落〉。稱引「序《詩》者」十

38　案：朱子：「〈祭法〉：『周人禘嚳。』又曰天子七廟，三昭三穆及太祖之廟而七。周之太祖即后稷也。禘嚳於后稷之廟，而以后稷配之。所謂禘其祖之所自出，以其祖配之者也。〈祭法〉又曰『周祖文王』，而《春秋》家說三年喪畢，致新死者之主於廟，亦謂之吉禘。是祖一號而二廟，禘一名而二祭也。今此《序》云『禘大祖』，則宜為禘嚳於后稷之廟矣，而其詩之詞無及於嚳、稷者，若以為吉禘于文王，則與《序》已不協，而詩文亦無此意，恐《序》之誤也。此詩但為武王祭文王而徵俎之詩，而後通用於他廟耳。」《詩序辨說》（北京：中華書局，1985 年《叢書集成初編》據《津逮秘書》本排印），頁 44。從〈雝〉的內容觀之，自「有來雝雝」至「相予肆祀」乃言諸侯助祭，以見祭祀之盛大，以下盡為美文王之詞，朱子之說似不為無據。

39　《續讀詩記》，卷 3，頁 43b-44a。

處，出現在〈蒹葭〉、〈渭陽〉、〈鹿鳴〉、〈魚麗〉、〈巷伯〉、〈假樂〉、〈有瞽〉、〈雝〉、〈敬之〉、〈玄鳥〉，十篇詩中。

　　戴氏不錄《詩序》，我們可以假設那是因為他認為其讀者與《讀詩記》同，呂祖謙已錄了全部的《序》文，他可不必重複引述；但若要承接傳統經解，幫《詩序》說話，則其《續讀詩記》稱引「《詩序》」與「序《詩》者」的數量就不宜太少，如今僅佔 275 篇的 4.7%，且有些還是準備要推倒《序》說，從這裡我們就可以看出，戴溪不僅有意迴避《詩序》的文字，他使用「序《詩》者」的稱謂就是表明將《詩序》視為某位或某學派學者的意見而已，並不具神聖性，更談不上是絕對的解釋權威。因此，《詩序》所言可以被接受，也可以被質疑、修正甚至推翻。

　　《續讀詩記》不一定會直接標舉《詩序》的意見進行質疑，但是由其敘述中，讀者可以知道戴氏對於《序》說的反對。如《詩序》對〈蓼莪〉的說解是：「刺幽王也。民人勞苦，孝子不得終養爾。」戴溪云：「〈蓼莪〉，孝子無以終養，父母既歿，追念而作是詩也。」[40]刻意不用傳統的美刺論調，回歸到詩的本質，故在其解釋中已看不到政教的氛圍。在此，戴氏放棄了《詩序》賦予的歷史背景，而將詩的內容調整為較能跨越時間限制，雖然淺易，但反而是具有倫理學高度的解釋。又如《詩序》解〈召南・鵲巢〉：「夫人之德也。國君積行累功，以致爵位，夫人起家而居有之。德如鳲鳩，乃可以配焉。」但是戴溪卻說：「〈鵲巢〉為諸侯夫人作也，不必有主名。當時諸侯昏姻

40　《續讀詩記》，卷 2，頁 29b。

以禮被文王之化者多矣，鵲營巢而鳩居之，取其享已成之業，非謂其德如鳩也。備禮以送迎之，成其為夫人也。」[41]顯然戴氏不想繞著圈子說教，而其批評主要還是針對〈續序〉「德如鳲鳩」一語而發。

又如《詩序》對〈王風・大車〉的說解是：「刺周大夫也。禮義陵遲，男女淫奔，故陳古以刺今。大夫不能聽男女之訟焉。」戴溪則直云：「國人刺士大夫作也。……是詩不見有傷今思古之意」。[42]〈陳風・衡門・序〉云：「誘僖公也。愿而無立志，故作是詩以誘掖其君也。」戴溪則說：「非謂其君愿而無立志也。使其君自安於固陋，不務其大者遠者，豈足以強其志乎？觀其詩詞，陳之君必狹小其國，以為不足為也而遂怠焉，故從而誘掖之，使自強於善也。」[43]這樣的說解都是直接指出《序》說的不能貼近詩意，讓筆者不禁懷疑，從《續呂氏家塾讀詩記》的書名而斷定戴氏為宋代說《詩》的舊派人物，是否根本就是一種誤解？

再次強調，戴溪對於《詩序》所言並非絕對地信從，也不想刻意去吹毛求疵，對他而言，《詩序》對三百篇的詮釋只是一家之言，就算是值得尊重的傳統論述，也不具備絕對權威的身價。

深入檢視戴溪的解詩文字，筆者發現，戴溪面對《詩序》的解釋，比較能夠接受的是作《序》者追索詩意的用心，也就是說，他也不認為三百篇就僅是一般詩歌選集，但他不太相信

41　《續讀詩記》，卷 1，頁 5b。
42　《續讀詩記》，卷 1，頁 27b-28a。
43　《續讀詩記》，卷 1，頁 51a。

作《序》者所標明的歷史時代、人物等固定之時空背景，而是用一種比較寬廣的視野詮釋詩文。這樣一來，漢代以來解《詩》學者致力的歷史追尋，在戴書中就淡化了許多，好處是傳統詩義給讀者的帶來的限制略微鬆綁了些，缺點是若要在詩旨中灌注倫理義蘊，其說就顯得不夠具體了。至此，筆者也得出一個粗略的印象：戴溪絕非傳統徹底尊《序》、守《序》一派的學者，他對詩旨有強烈的主觀判斷。

　　然而，戴溪並非標新立異地、大量地創造新解來反對《詩序》，他之所以迴避《詩序》的文字，用心無非是不想被《詩序》所提的實指意義拘限住，以求得更為開闊的詮釋空間。戴溪有意逃脫「序《詩》者」為後人所設的框架，然而，這個框架僅限於《詩序》所提供的包含時、地、人、事、物等有形的背景條件，對於《詩序》背後的核心精神——教化風人，戴溪和他所謂的「序《詩》者」是站在同一陣線的，基本上他們都是儒家的信徒。其次，戴溪在舊說的氛圍下勘訂詩旨時，他還有一個策略，那就是維持美刺之說的傳統解《詩》格式，但在數量上盡可能予以減少。

　　《詩序》常用以美刺來說《詩》，歷來皆以此為教化的展現，也是儒者說《詩》的優良傳統。[44]戴溪當然不反對解《詩》時要努力地去探索聖人教化的苦心，因為他本來就明言《詩經》

44　徐復觀：「《詩序》的思古以諷今，正符合《詩》教的傳統。……據《詩序》，應可知政治上向統治者的歌功頌德，是如何為中國《詩》教所不容。」《中國經學史的基礎》（臺北：臺灣學生書局，1982年5月），頁155。案：徐氏之言必須搭配「《詩序》詮解下的諷刺詩遠多於讚美詩」這一事實，其說方能為讀者所理解。

蘊含有聖人之意在內。[45]但是戴溪大概是有感於序《詩》者使用美刺角度說詩的數量過多，所以他特別針對傳統認定的某些美刺之詩，作了一些修辭上的調整。如《詩序》對〈鄭風・子衿〉的說解是：「刺學校廢也。亂世則學校不脩焉。」戴溪未言美刺，而是以另一個角度說明：「教者勤而學者怠，述教者之辭也。」[46]此處與《詩序》之說相近，但去除《詩序》「美刺」之說，將《詩序》所作的負面性批評敘述轉為較為中性的論述。此外迴避了「亂世」一詞，也等於擺脫了《詩序》原來訂下的歷史背景、條件，但維持了詩文教化的意味。

在「美刺」的措辭方面，「刺」一語在《續讀詩記》中的減少，筆者的解釋是，戴溪認為「刺」是強烈的負面用語，若使用得過於浮濫則不合《詩》教的溫柔敦厚之旨，秉持此一原則，傳統闡述中稍嫌激烈的貶責用詞，他刻意省去了，例如《詩序》對〈陳風・東門之池〉的說解是：「刺時也。疾其君子淫昏，而思賢女以配君子也。」戴溪不取「刺時」之說，也不提

---

45 戴溪解〈邶風・式微〉：「黎之臣子作。……此臣子戀君之辭，聖人有取焉。」解〈邶風・旄丘〉：「黎之臣子作也。……怨其不我聞，意雖怨而辭不怨，此聖人所以有取也。」解〈鄘風・牆有茨〉：「國人作也。當時必有以中冓之事形於詠言，如後世俚語歌行者，故詩人曰不可道、不可詳、不可讀也，怨其上而猶有掩覆之意，故聖人取焉。」解〈鄘風・載馳〉：「許穆夫人作也。……篤於兄弟之恩，自辨說而欲歸，制於國人之義，雖辨說而不往，此〈載馳〉所以有取於聖人也。」解〈衛風・河廣〉：「宋襄公母作也。……聖人取此詩，以示後世為人母而遭變者。」〈王風・揚之水〉：「戍者作也。……不怨其上，而怨其民，聖人猶有取焉。」解〈魏風・碩鼠〉：「譏有司也。謂狡童碩鼠為君，失聖人刪詩之意矣。」解〈魯頌・閟宮〉云：「〈魯頌〉非聖人意也，刪詩何取焉？存舊章以示訓戒，未必皆記其德也。」以上分見《續讀詩記》，卷1，頁14a、14b、17b、20a-21c、24a、26a、40a；卷3，頁42a-42b。
46 《續讀詩記》，卷1，頁33a。

「淫昏」二字，詩旨扣緊「思賢女也」，對「賢女」大加揄揚。[47]又如《詩序》對〈陳風‧東門之楊〉的說解是：「刺時也。昏姻失時，男女多違，親迎，女猶有不至者也。」戴溪也不取首句「刺時」之說，而云：「昏姻失時而女歸愆期也。」[48]可以很明顯看出戴溪解《詩》刻意將傳統賦予的「刺」意轉用「述」、「閔」、「志」、「戒」等詞來敘述，而這些詞語和語氣較強的「刺」字相比，委實顯得較為溫和中性。例如解〈王風‧中谷有蓷〉為：「國人述其室家之離散而為是詩也。凶年飢歲，室家不能相保，不可刺而可憫也。」〈鄭風‧丰〉為：「國人述婦人專恣之辭也。」〈東門之墠〉為：「述婦人欲奔之意也。」〈溱洧〉為：「志鄭聲之淫以示後世，此王者所宜放也」〈齊風‧著〉為：「述不能親迎也。墠不出門，俟於家庭，是不知有禮也。」〈唐風‧蟋蟀〉為：「詩人閔晉僖公也。」〈綢繆〉為：「述昏姻之不正也。」〈采苓〉為：「戒其君無聽讒也。」〈曹風‧蜉蝣〉：「國人閔其君而念之也。〈下泉〉為：「國人閔其君而思治也。」〈小雅‧黃鳥〉為：「閔衰世俗薄也。」都是這樣的例子。[49]不過，筆者必須重申，戴溪從未質疑過以美刺角度說詩的不當，

---

47 戴溪：「〈東門之池〉，思賢女也。夫子曰：『可與共學，未可與適道。』孟子曰：『不仁者，可與言哉？』事至于可與如此，其人可知也。池可以漚麻，久而能柔其質；淑姬可與晤歌，久而能化其心。蓋必有浸潤之功矣。」《續讀詩記》，卷 1，頁 51b。

48 《續讀詩記》，卷 1，頁 51b。

49 以上分見《續讀詩記》，卷 1，頁 26b、32a、34b、35b、40b、42a、44b、55b、57a；卷 2，頁 13a。不過，戴溪在解〈唐風‧采苓〉時又說：「是詩非特刺其君，且戒以聽言之道也。」卷 1，頁 45a。〈小雅‧黃鳥〉時又說：「……非我族類，其心必異，不若復我族人兄弟之為安也。上無勤恤之心，故下有相棄之意，此其所以刺宣王也。」卷 2，頁 13b。依然保留了「刺」的字眼。

實際上他也善於運用這樣的模式說詩，在《續讀詩記》中，〈召南‧羔羊〉、〈江有汜〉、〈鄘風‧干旄〉、〈衛風‧考槃〉、〈鄭風‧風雨〉、〈魏風‧伐檀〉、〈秦風‧車鄰〉、〈終南〉、〈豳風‧狼跋〉、〈小雅‧六月〉、〈采芑〉、〈車攻〉、〈鴻雁〉、〈無羊〉、〈都人士〉、〈大雅‧下武〉、〈卷阿〉、〈韓奕〉、〈常武〉都被戴溪解為讚美詩，〈邶風‧匏有苦葉〉、〈鄘風‧桑中〉、〈鶉之奔奔〉、〈衛風‧芄蘭〉、〈王風‧大車〉、〈鄭風‧叔于田〉、〈大叔于田〉、〈齊風‧東方未明〉、〈敝笱〉、〈載驅〉、〈魏風‧葛屨〉、〈伐檀〉、〈唐風‧杕杜〉、〈羔裘〉、〈鴇羽〉、〈有杕之杜〉、〈陳風‧東門之枌〉、〈墓門〉、〈小雅‧我行其野〉、〈雨無正〉、〈谷風〉、〈大東〉、〈頍弁〉、〈采菽〉都是諷刺詩，[50]由此可見漢儒常見的解《詩》模式，在《續讀詩記》中有所延承。

　　對《詩序》的接受度是觀察宋代《詩經》學者解釋立場的一個重要指標。以《續讀詩記》的說解來看，戴溪並不以為《詩序》的內容是神聖而不可變動的。不過，雖然否決了《詩序》權威性，但是戴溪也承認《詩序》的某些解釋的確「有效」，因此他對《詩序》並不全盤否定，更不立意攻訐。只是，戴溪

---

50 以上讚美詩的部分見《續讀詩記》，卷1，頁7a、8a、20a、21b、33a、39b、45a、47b、62b；卷2，7b、8b、9b、10a、14b、45a；卷3，9a、14b、25b、27a；諷刺詩的部分見《續讀詩記》，卷1，13a、18a、18b、23b、27b、28a、28b、36a、37a、37b、38a、39b、42b、43a（含〈羔裘〉、〈鴇羽〉兩處）、44a、50b、52a；卷2，14a、21a、29a、30b、39a、43b。案：戴氏並未明言〈大叔于田〉為諷刺詩，但其解〈叔于田〉云：「叔封於京，京人愛之，國人何與焉？作是詩者國人、所以刺莊公也。」解〈大叔于田〉云：「述之不足，而又述之也。……詳觀此詩，御中節、射中度，既事而退，意甚閒暇，詩人以此美之，知暴虎者非指叔言也。」所美之「御中節、射中度」之人乃一勇力之士，全詩仍為諷刺之作。

有意迴避《詩序》文字，這個動作在《續讀詩記》中相當明顯。
有許多地方與《詩序》解釋詩旨相同，但是在說明的文字上，
戴溪還是盡量改換詞語，並且極力延伸意義。《詩序》所賦予
的歷史背景，戴溪多有不採，因此在《續讀詩記》中可以看到
對詩旨的解釋，其討論層次不在回復歷史的「真實」，而是在
倫理學上提升高度及擴大解釋範圍。在這個基點上，戴溪雖然
不守《詩序》的文字敘述或者說不採其表面意義，但是《詩序》
的教化精神卻是戴溪所遵守的重要解釋立場。

第三節　《續讀詩記》的解經
特色與訓詁缺陷

　　宋儒較諸漢唐儒者，在經書的訓詁上往往有輕忽的現象，
《四庫全書總目》總說經學的流變時，強調宋代學術的特點
為：「擺落漢唐，獨研義理，凡經師舊說，俱排斥以為不足信，
其學務別是非，及其弊也悍。」[51]擺落舊說與務別是非本是宋
學的兩個鮮明特色，其目的都在追求義理。因此，義理成了最
基本的詮釋目標。對於傳統的《詩經》學者而言，義理幾乎就
等同於聖人之意。聖人之意存藏於三百篇之中，如何透過詩文
以取得、瞭解聖人之意，這是古代許多研《詩》之士的努力目
標。但是在解經的過程中，傳統舊說在許多宋人的眼中成了絆

---

51 《四庫全書總目》，第 1 冊，頁 62。

腳石，而不是通達聖人之意的階梯，此所以《四庫全書總目》
使用「擺落漢唐」四字來形容當時解經現象。一旦擺落漢唐注
疏，則原來的解經標準、依據頓失，因此必須另闢途徑，尋求
另一種依據，那就是解經者個人的識見，此亦宋代之新派《詩
經》學產生背景之一。《四庫全書總目》又說：「宋人學不逮古，
而欲以識勝之，遂各以新意說《詩》。」且舉出當時最流行的
解《詩》法，有文士與講學者二種：「蓋文士之說《詩》，多求
其意；講學者之說《詩》，則務繩以理。」但無論哪一種說《詩》
法，都失之主觀、臆斷，如楊簡說《詩》太過高明，而「高明
之過，至於放言自恣，無所畏避」。[52]戴溪是南宋中期的儒者，
他身處這樣的學術環境中，也有撥棄傳注的現象，甚至我們也
可以說，戴溪本人之所以滿意《呂氏家塾讀詩記》在名物訓詁
上的成就，是因他自己對於經典訓詁並不講究。這也導致《續
讀詩記》在訓釋詩文方面顯得頗為疏略，如論〈鄭風‧遵大路〉
云：「國人留賢之詩也。莊公不用賢，賢者堂堂而去國，非間
道奔亡也。於是國之留行者曰，遵大路而執其裾，少滯行色，
子無我惡。蓋與國有故，其行固不當速，此去父母國之義也。」
[53]此處只論詩旨大意，對於詩文中的字詞全不加訓，這種論述

---

52 「宋人學不逮古」一段話，見《四庫全書總目》，第 1 冊，頁 338。「蓋文士
　之說《詩》」見《四庫全書總目》，第 1 冊，頁 335。「高明之過」一段話，
　見《四庫全書總目》，第 1 冊，頁 341。近人甘鵬雲（1862-1941）則沿用《四
　庫全書總目》之說，分析當時的學術流衍云：「廢《序》者排斥《傳》、《注》，
　擅長義理。其弊也至程大昌《詩議》出，妄改舊名，顛倒任意，徒便己私。……
　宗《序》者，篤守古說，長於考證，與文士說《詩》專求其義，講學家說《詩》
　務繩之以理者，絕不同。」《經學源流考》（臺北：廣文書局，1977 年 1 月），
　頁 90-91。

53 《續讀詩記》，卷 1，頁 30a。

方式是《續讀詩記》最常見的模式。訓詁並不是戴溪《續讀詩記》的重心，該書也沒有列出傳統舊說讓讀者參稽對照。

　　然而作為一本解經之作，戴溪很清楚地知道，他不可能完全不涉及到訓詁，於是，在實際操作的時候，《續讀詩記》還是免不了在詮經的過程中表達了訓詁的意見，當然數量並不多。整體觀之，戴溪幾乎不引前人解釋，遇到重大的訓詁問題，他常直接以當時常用之義進行理解。如〈衛風·芄蘭〉之「垂帶悸兮」、「能不我甲」，根據毛、鄭的解釋，「悸」為形容垂帶之貌，而「甲」則為「狎」之借字。[54]悸，《經典釋文》引《韓詩》作萃，垂貌。[55]戴溪釋云：「垂帶而坐，若悸恐然」、「甲，猶甲乙之甲，謂其所能者，我不以為稱首也。」[56]戴溪此處的解釋並不符合先秦語義，更無法讓讀者願意為其新解而放棄舊說。[57]

　　又如論〈秦風·小戎〉末章「厭厭良人，秩秩德音」二句，毛、鄭說此二句本為形容此丈夫之性與德。「厭」為「懕」之借字，形容其質性溫和。「秩秩」，毛公釋為「有知也」，顯然以「秩」為「智」之假借，用來形容此丈夫之有智德。戴溪云：

---

54 《毛傳》：「容儀可觀，佩玉遂遂然垂其紳帶，悸悸然有節度。」「甲，狎也。」鄭《箋》：「言惠公佩容刀與瑞，及垂紳帶三尺，則悸悸然行止有節度，然其德不稱服。」「此君雖配滕與，其才能實不如我眾陳之所狎習。」《毛詩正義》，卷 3 之 3，頁 137-138。

55 陸德明：《經典釋文》（臺北：學海出版社，1988 年 6 月），上冊，卷 20，頁 20a。

56 《續讀詩記》，卷 1，頁 24a。

57 案：《說文》：「綷，垂也。」馬瑞辰從假借的角度釋詩，謂「悸」、「萃」皆為「綷」之借字，又引《左傳》「佩玉綷兮」：杜《注》：「綷然，服飾備也。」云：「綷然即垂貌也。」其說可參。詳《毛詩傳箋通釋》（北京：中華書局，1992 年 2 月），上冊，頁 217。

「言其夫當亦念我厭然憔悴，必數寄聲于我，秩秩然次第至矣。」[58]釋「厭厭」為厭然憔悴，或恐是根據表面字義而說解；解「秩秩」為次第，則蘇轍《詩集傳》亦有此解，不過蘇氏云：「厭厭，安也。秩秩，有序也。」[59]意思應該是指婦人謂其夫性情溫和安靜，言談條理清晰，若如戴溪之解，不僅「其夫當亦念我厭然憔悴」與「厭厭良人」語法不合，且「德音」一詞作音訊解，恐《詩》中無此用法。[60]

　　又如〈小雅・隰桑〉首章：「隰桑有阿，其葉有難。既見君子，其樂如何？」《毛傳》：「興也。阿然，美貌。難然，盛貌。有以利人也。」鄭《箋》：「隰中之桑，枝條阿阿然長美，其葉又茂盛，可以庇蔭人。興者，喻時賢人君子不用而野處，有覆養之德也。正以隰桑興者，反求此義，則原上之桑，枝葉不能然，以刺時小人在位，無德於民。」孔《疏》：「言隰中之桑，枝條甚阿然而長美，其葉則甚難然而茂盛，其下可以庇廕。人往息者，得其涼也。以興野中君子，其身有美德，可以覆養，人事之者，蒙其利也。……」基本上，若要同意《詩序》之解〈隰桑〉為「刺幽王也。小人在位，君子在野，思見君子，

58　《續讀詩記》，卷1，頁46b。

59　蘇轍：《詩集傳》，影印《文淵閣四庫全書》，經部，第70冊，卷6，頁16a。

60　關於「厭厭」的解說，馬瑞辰、陳奐、王先謙等人都同意毛公之說，也都舉三家《詩》為證，分見馬瑞辰：《毛詩傳箋通釋》，上冊，頁383；陳奐：《詩毛氏傳疏》（臺北：學生書局，1968年6月），第3冊，頁34；王先謙：《詩三家義集疏》（臺北：明文書局，1988年10月），上冊，頁447。但對於「秩秩」的解釋，馬瑞辰與陳奐之說卻不同。馬氏解為次第，而陳奐則視之為「智」的借字。筆者以為，「秩秩」兩解用在原詩皆可通，但戴氏解「厭厭」為厭然憔悴則毫無理據，且「德音」一詞在《詩》中僅有言語、教令、聲響諸解，未有作音訊之解釋者。詳嚴粲：《詩緝》，卷27，頁29a-29b。

盡心以事之」之作，大概也僅能一併接受以上的漢唐注疏。《續讀詩記》：「〈隰桑〉，思君子而不得見也。」這個解題拋除了《詩序》的背景指實，解釋時可有更為寬廣的視野，不過戴氏並未將全詩情境帶往情詩的方向，而依然配合政教說詩，也因此而暴露出其訓詁的缺陷：

> 「隰桑有阿」，隰，卑下也。阿，卷也。庇蔭萬物，卑下卷曲，而其葉茂盛若此，猶君子有謙下之德，而庇覆于人也。使我得見之，其樂如何！「德音孔膠」，言使我聞其德音，必膠固以附之，不可解矣。末章言我心愛此君子，其人遠遁，無從以此語之爾，然此意藏于我之心中，何日可忘也。[61]

這段詮解是串連各章訓詁來說的，特別是第三章的「隰桑有阿，其葉有幽。既見君子，德音孔膠」成為戴氏訓釋的重心。《毛傳》：「幽，黑色也。膠，固也。」鄭《箋》：「君子在位，民附仰之，其敎令之行甚堅固也。」孔《疏》：「阿那是枝長條垂之狀，故為美貌。……由葉茂而蔭厚，所以庇廕，人息者得其涼之利，故言難然有以利人。言有此蔭涼以利人，以喻君子之亦有德澤以利人也。」依漢唐儒者之解，隰桑用來指稱君子，「阿」者美也，用在詩中有庇覆而無卷曲之意。「德音孔膠」也是稱美此一君子，不是說明受到君子教化的百姓，其依附君子甚為堅固。「德音孔膠」置於「既見君子」之後，德音為君子所有，其勢必然，四字指的是君子的敎令或聲譽甚為堅固（或者依清儒之說，膠，盛也）。[62]顯然戴溪的解釋只想證

---

61 《續讀詩記》，卷2，頁46b。
62 以上毛、鄭、孔之說詳《毛詩正義》，卷15之2，頁515。清儒陳奐解「阿」為「猗」（美盛）之意，馬瑞辰釋「膠」為「儦」之省借，盛也，陳奐接受

成他對於篇旨、章旨的研判，至於是否合乎語法、語意，在他看來好像已是餘事。

至此，筆者必須指出，《續讀詩記》的明顯缺失之一是，戴溪跳過了所有訓詁的論證過程，直接就字面意義進行理解，採用逐下己意的作法，因此造成很多錯誤的訓解。前賢權威解釋擺在戴氏面前，或採或易，全憑自己的判斷或對詩旨的理解。因此，作為《續讀詩記》的讀者，我們很快就會發現，戴溪解釋詩中的名物、詞語，有時根本視漢唐注疏為土苴，毫不理會，有時卻又照單全收權威舊解，兩者混雜；當然，取捨之標準，他並沒有任何交代。以〈邶風・新臺〉為例，戴溪云：

〈新臺〉，國人作也。「有泚」、「有洒」言新臺之有愧色也。籧篨之疾不能俯，言宣公作新臺以要伋妻，其未至也仰而望之。不鮮者，言其望之甚多；不殄者，言其望之不絕也。戚施之疾不能仰，言伋妻既得，俯首下心而不復望矣。[63]

首先，「有泚」、「有洒」二詞，按照《毛傳》的解釋為形容新臺的「鮮明貌」、「高峻貌」，跟戴溪所說的「愧色」差距極大。但是此處對「籧篨」一詞，就根據權威的注疏。《毛傳》將「籧篨」解釋為「不能俯者」。依照鄭玄及孔穎達的解釋，詩中「籧篨不鮮」、「戚施不殄」是指責衛宣公善於以巧言服侍人，以虛偽之善面逢迎人，有如得籧篨、戚施之疾之人，無法俯首、無法仰面。[64]戴氏在此其實並未明確指出〈新臺〉之詩旨，且「新臺之有愧色也」之句，語意亦不明晰；何以不採《毛

___

其說。分詳《詩毛氏傳疏》，第5冊，頁66；《毛詩傳箋通釋》，中冊，頁779。
63 《續讀詩記》，卷1，頁16b。
64 詳《毛詩正義》，卷2之3，頁105-107。

傳》之解「有泚」、「有洒」，更非讀者所能得悉；解籧篨、戚施之疾，採漢儒古說，但「不鮮」、「不殄」的詮釋又是出自己見。

整體說來，戴溪《續讀詩記》對生難、艱澀字詞的解釋，尚能利用前人訓解，但更多的是，逕取文字上的表面意義，避開深入的論證，而以此詮解詩旨。按照理解經書的程序，應該是先理解、研析字詞，再進行篇章大義的探索。當然也有可能是先對詩旨有所定見，再對傳統解釋或吸納、或修正，又或者，對字詞意義進行附會的解釋（當然解經者不會承認自己的工作是「附會」）。觀察戴溪的解詩情況，可以發現大致上他對傳統的解釋並沒有太多扭曲的地方，與傳統釋義不同的訓詁，極有可能是為了配合自我理解的詩旨而更動。

因此，我們可以這樣說：戴溪並不重視詩文字詞的解釋，對他來說那只是理解的一個程序問題，重點在於對整篇詩旨的理解或闡論。試想，設使不需深究詩文意義，即可知曉聖人深意，那麼又何需在名物訓詁上耗費太多精神？何況，對於三百篇的經文訓釋，又已有讓他認同的《呂氏家塾讀詩記》在（假設陳振孫與《四庫全書總目》的說法是正確的）？因此，儘管戴溪《續讀詩記》不重名物訓詁，甚至可以說不通名物訓詁、毫無訓詁成績可言，我們還是可以幫他找到一個解釋：《續讀詩記》的前身可能是為太子進講三百篇的本子，重點在於如何讓對方「可以興觀群怨」，所以戴溪有意迴避繁瑣的訓詁問題，而直接進入詩旨的探索。雖然如此，我們認為《續讀詩記》既然已從講章體轉化成論說體，則訓詁上的疏漏、封閉依然會讓

《續讀詩記》減色不少，[65]特別是戴溪解釋《詩經》意旨多為主觀的理解與闡述，甚至有些可說是測度想像，鮮少參照他說，這不是嚴謹的表現。〈邶風‧北風〉的解釋也是一個鮮明的例子：

> 北風雨雪，吾國不可居矣。有惠而好我者，相率同行而歸之。使其事之虛，存亡未可知，固不可以徐行。事既急矣，安得而不去乎？事固有見微而知著者，「譬彼雨雪，先集維霰」。今也既風而雪，其暴虐彰彰若此，況治亂之迹顯然易見，如狐之赤、烏之黑，不可誣也。[66]

在這裡可以見出戴溪很奇特的訓解方式。首先是對詩文首二句「北風其涼，雨雪其雱」的解釋，不用毛公「興也」的角度，[67]而是落實地照著字面去理解，把原本可能是用來起興的詩句，詩人借外物以寄託心志的詩文，坐實成呆板的客觀實寫景物，枉費了詩人創作的美意。其次又將「其虛其邪」解釋為「使其事之虛，存亡未可知，固不可以徐行」，完全是照著字面的意思，並聯著下句「既亟只且」來說，故得出此一奇特之訓解。其次是聯想，「譬彼雨雪，先集維霰」為〈小雅‧頍弁〉之句（案：「譬」，今本《詩經》作「如」），戴溪從〈北風〉聯想到〈頍弁〉，除了「雨雪」一詞的相似外，大概也和二詩內

---

65 案：古代的講章體解經之作，對於後世讀者而言，大概興致不高，論說體則不同，這類作品雖說與集解體、集傳體、通釋體相比，並不以訓詁為務，但除了論述經學問題的著作之外，不管是主於抒發政治見解或討論詩意的作品，詞語訓詁還是會成為讀者的關注重心。

66 《續讀詩記》，卷1，頁15a-16b。

67 《毛傳》與首二句「北風其涼，雨雪其雱」下云：「興也。北風，寒涼之風。雱，盛貌。」。鄭《箋》：「寒涼之風，病害萬物。興者，喻君政教酷暴，使民散亂。」《毛詩正義》，卷2之3，頁104。

容都和政治國勢有關。[68]最後對「莫赤匪狐，莫黑匪烏」的解釋仍固守己見，不顧毛、鄭之說，[69]堅持連結他所認定的主題而發揮。戴溪釋《詩》的特點從這一條可見一斑，其主觀性主要表現在他以《詩》旨的趨向來理解詩文，職是之故，許多詩文的訓釋，對於戴溪來說必定要能和他所標示的《詩》旨結合才可以，「其虛其邪」、「莫赤匪狐」的解釋就是如此得來的，甚至因此而將原本可能是起興的詩句落實處理，「譬彼雨雪，先集維霰」的增出就是最好的證明。事實上，〈北風〉全詩三章章六句，前二章的寫法相似，都以「北風」、「雨雪」起興，不可能如戴溪所言，第一章寫北風雨雪，吾國不可居，到了第二章就成了見微知著的醒覺，戴溪的解釋是一廂情願的。又如其論〈秦風・車鄰〉云：

> 大夫美其君也。……「阪有漆，隰有栗」，言財用之稍裕也。秦僻處西陲，至秦仲始大，當時必有同艱難共甘苦之人。一旦稍盛，略去等夷，卮酒相勞苦，握手道故舊，慷慨悲歌以盡生平歡。此亦人情之常也。故未見君子得以今其寺人，未有闊絕之意；既見君子，得以並坐鼓瑟，未有禮節之繁，即時娛

---

68 《詩序》解〈邶風・北風〉云：「刺虐也。衛國並為威虐，百姓不親，莫不相攜持而去焉。」。解〈小雅・頍弁〉云：「諸公刺幽王也。暴戾無親，不能宴樂同姓，親睦九族，孤危將亡，故作是詩也。」戴溪基本上也同意這種說法，其解〈北風〉已見上引，解〈頍弁〉云：「刺不親睦也。昔衛獻公戒孫文子、甯惠子食，皆服而朝，日旰不召，射鴻于囿；觀〈頍弁〉之詩，幽王殆類是矣。」以上分見《毛詩正義》，卷 2 之 3，頁 104；卷 14 之 2，頁 482；《續讀詩記》，卷 2，頁 39a。

69 對於這兩句的解說，《毛傳》云：「狐赤烏黑，莫能別也。」鄭《箋》云：「赤則狐也，黑則烏也，猶今君臣相承，為惡如一。」《毛詩正義》，卷 2 之 3，頁 104。

樂以順適其欲。創業之賢君待功臣者多由此道，故其臣皆得以
功名終也。[70]

　　按照毛、鄭的解釋，〈車鄰〉二章「阪有漆，隰有栗」屬
於興句。鄭《箋》云：「興者，喻秦仲之君臣所有，各得其宜。」
至於底下「既見君子，並坐鼓瑟」也只是歌詠見到秦仲與其臣
子閒暇時燕飲相安樂之狀，並無所謂財用稍裕，更無同甘苦共
患難等意思在內。戴溪完全將《毛傳》所標的「興」落實看待，
所以才由阪漆、隰栗之語增出財用之意，更進而因為秦仲之故
而聯想到其初創業時的可能情景。「今者不樂，逝者其耋」兩
句，毛公僅解釋「耋」字之義，而鄭玄則解為今若不入仕，則
將來必會後悔，這是趁機說教而有的附會。[71]戴溪則更進一步
地抓住了《詩序》「美秦仲始大」之說，衍生出所謂創業之賢
君待功臣之道的理解，其「附會」程度猶過於漢儒。再如論〈小
雅·谷風〉云：

　　刺朋友道缺，先和而其後有隙也。首章言谷風和習，生長
萬物，猶朋友相與之益也。已而風雨交作，則和習之意少衰矣。
此無他，當恐懼之時，同心相與，甫及安樂，遂相棄爾。二章
申言之，「維風及頹」，則迴風飄急，勢益可畏，比之風雨尤甚
矣。末章言「維山崔嵬」，草木萎死，則是風也，飄蕩乎大山
之上，其威尤甚，向之所謂習習者安在哉！[72]

　　〈小雅·谷風〉三章章六句，前二章的寫作手法相同，以
谷風起興，然後述及詩人的各種悲嘆、哀傷等情感，第三章則

70 《續讀詩記》，卷1，頁45 a-45b。
71 毛鄭之說詳《毛詩正義》，卷6之3，頁234。
72 《續讀詩記》，卷2，頁29 a-29b。

稍異，但仍以谷風起興，接著以草木為喻，指責只記恨而忘恩之朋友。[73]戴溪卻將三章興句連起來說，所以原本單純起興的句子也跟著有了前後連貫的層次。但從原詩文仔細去看，則會發現三章之意旨彼此間並無戴溪所陳述的那般由淺入深，由和習至決裂之意，戴溪恐有詮釋過度之嫌。類此《毛傳》標為興，而戴溪卻因以直賦、落實，甚至聯想的方式而增出許多見解的篇章，在《續讀詩記》中還發生在戴溪的論述〈邶風・終風〉、〈齊風・東方之日〉、〈唐風・山有樞〉、〈小雅・伐木〉、〈菁菁者莪〉等詩，[74]使得原詩變得不易與讀者產生共鳴。[75]由此可見《續讀詩記》對於《詩經》的解釋與傳統舊說之間的差異，不過我們依然要強調，這種差異仍主要表現在詮釋的方法與歷程上，而不是最後的結果。由上舉之例即可知戴溪對〈北風〉、〈車鄰〉、〈谷風〉主題的判定，都與《序》說大同小異，只是在詮釋的路徑中與毛、鄭之說有極大的出入。若從詮釋的過程來看，宋儒注經「擺落漢唐」的作法也發生在戴溪身上，但我們更關心的是，擺落漢唐之後交出了什麼樣的成績？

---

73 案：〈小雅・谷風〉首章「將恐將懼，維予與女；將安將樂，女轉棄予」已經點出朋友之間勢利的交往，因為有利而相成結恩，也因為窮困而棄舊離故。二章「將恐將懼，寘予于懷；將安將樂，棄予如遺」與首章意同，至於三章「無草不死，無木不萎。忘我大德，思我小怨」則以草木為喻，謂「朋友雖以恩相養，亦安能不時有小訟乎？」（鄭《箋》語）如今卻揀惕小怨，而忘我之大德，其俗磽薄至此，亦可從見。詳《毛詩正義》，卷 13 之 1，頁 435-436。以上所述可謂漢唐《毛詩》學者通義，假若我們將〈谷風〉解為棄婦詩，只要將朋友轉為夫婦即可，其餘情境不變。

74 以上分見《續讀詩記》，卷 1，頁 9b、30a、34b；卷 2，頁 2a、5a。

75 假若說，詩的表現不是單純的敘述與感嘆，「情感的表現只有同導致這種情感的原因和事物聯繫起來，才能引起別人的共鳴」，那麼，戴氏將興體詩作為賦體來看待，當然會讓詩的意味大減。引文見〔美〕M.H.艾布拉姆斯：《鏡與燈》（北京：北京大學出版社，1989 年），頁 231。

第四節　《續讀詩記》在《詩經》學史上的定位

　　從《詩經》學史的角度而言，歷來研究者都指出了宋代《詩經》學與漢唐舊學的差異，而其中最大的不同就表現在對《詩序》、《毛傳》、鄭《箋》這種代表傳統權威解釋的態度上。如《四庫全書總目》說：「自唐以來，說《詩》者莫敢議毛、鄭，雖老師宿儒亦謹守〈小序〉。至宋而新義日增，舊說幾廢。」[76]四庫館臣以大角度觀察出宋代《詩經》學新義增加與舊說被棄的兩個發展特點。由操作程序來看，這兩個特點表明了宋儒解《詩》重要路線：學者直接面對經文，直探神聖意義的根源。

　　早在北宋時期，歐陽修就已對傳統《毛詩》學提出質疑，[77]風氣的形成需要時間，到了戴溪所處的南宋時代，《詩經》學

---

76 《四庫全書總目》，第 1 冊，頁 335。
77 本節首段所引「至宋而新義日增，舊說俱廢」之文字，四庫館臣續曰：「推原所始，實發於修。然修之言曰：『後之學者，因迹先世之所傳而較得失，或有之矣。使徒抱焚餘殘脫之經，倀倀於聖人千百年後，不見先儒中間之說，而欲特立一家之學者，果有能哉？吾未之信也。』又曰：『先儒於經不能無失，而所得固已多矣。盡其說而理有不通，然後以論正之。』是修作是書，本出於和氣平心，以意逆志。故其立論未嘗輕議二家，而亦不曲徇二家。其所訓釋，往往得詩人之本志。」案：歐陽修雖被歸為宋代「新派」的說《詩》人物，但他對《詩序》大體仍保持尊重的態度，只是強調其非出於子夏之手，評論毛鄭兩家則措辭稍為直接，如論〈正月〉云：「毛、鄭之說，繁衍迂闊，而俾文義散斷，前後錯離。今推著詩之本義，則二家之失，不論可知。」詳《詩本義》，影印《文淵閣四庫全書》，第 70 冊，卷 7，頁 8b；卷 14，頁 13b-14b。整體而言，歐陽修雖認為《詩序》得聖人之旨頗多，但其解釋並不盡依《序》說，對於毛、鄭二家則評議較多，但是態度比起南宋諸儒仍顯得謹慎溫和，

發展已有極為明顯的破除舊說、別出新義的趨向。稍早於戴溪的鄭樵（1103-1162）、王質（1135-1189）是揮別解《詩》傳統的代表，一般認為他們的鮮明特色在於反對《詩序》之說，另外對於傳統的訓詁予以有意的忽視，更是其能創立新解的根本原因。[78]

鄭樵對於《詩序》、《毛傳》、鄭《箋》沒有好感，甚至激烈地抨擊，其於〈寄方禮部書〉言：「《詩》之難可以意度明者，在于鳥獸草木之名也。……學者所以不識《詩》者，以大小《序》與毛、鄭為之障蔽也。」[79]由這段話可知鄭樵反對《詩序》、毛、鄭二氏的基本立場。不過，徹底割裂傳統訓詁，將導致解釋上證據效力不足的問題。因為在學術上要排除傳統的解釋，必須要有嚴密的論證。但是南宋《詩經》學者不在此處著力，而是以己意直斷的方式，更易傳統的解釋。如此引起的爭議就很大，如與鄭樵立場相反的周孚說他解詩「害理」，故

與南宋「新派」著作的風格頗有差異。

78 《四庫全書總目》：「……南渡之初，最攻《序》者鄭樵，最尊《序》者則處義矣。」「南宋之初，廢《詩序》者三家，鄭樵、朱子及質（案：指王質）也。鄭、朱之說最著，亦最與當代相辨難。質說不字字詆〈小序〉，故攻之者亦稀；然其毅然自用，別出新裁，堅銳之氣，乃視二家為加倍。」《四庫全書總目》，第 1 冊，頁 337-338。案：朱子早期遵守《詩序》，後來同意鄭樵反《序》之見地，不僅公然發表反《序》之言論，中期更著《詩序辨說》，專以〈詩序〉為箭靶，以其學術地位之高，很容易讓人誤會他是反《序》派的發號施令者，其實朱子維護《詩》教的用心是至為明顯的，他晚年所修訂的《詩集傳》雖儘量就詩文探討詩意，卻依然大量採用、申論《序》說，就是維護《詩》教的具體表現。詳拙著《朱子詩經學新探》（臺北：五南圖書出版公司，2002 年 1 月），頁 119-182。因此，本文在此處僅以鄭樵、王質為南宋早期反《序》的代表人物。

79 鄭樵：《夾漈遺稿》（北京：中華書局，1985 年《叢書集成初編》據《藝海珠塵》本排印），卷 2，頁 12-13。

周氏為之特撰《非詩辨妄》之作,以「揣其害理之甚者」。四
庫館臣也說鄭樵:「博洽傲睨一時,遂至肆作聰明,詆諆毛鄭。
其《詩辨妄》一書,開數百年杜撰說《詩》之捷徑,為通儒之
所深非。」「決裂古訓,橫生臆解,實汨亂經義之渠魁。南渡
諸人,多為所惑。」[80]再加上《詩辨妄》與《六經奧論》都屬
於論辨體式,前者為駁論體,後者為正論體,[81]用論辨的方式
解《詩》,拋棄傳統的訓詁法,如此而得出的全新見解,由訓
詁至大義闡釋,其證據力量與效力自然會被高度質疑。

　　王質視三百篇為聖典,但他卻又對《詩序》採取徹底否定
的態度。[82]其《詩總聞》當然也會襲用一些毛、鄭之說,據可
見之統計,王質引用《毛傳》舊說的共計 33 篇、45 條,引用
鄭《箋》之說共計 13 篇、14 條,其中又有 3 篇重複。[83]從整

---

80 分見《四庫全書總目》,第 2 冊,頁 831;第 5 冊,頁 3166。案:以上兩條
　評論分見「《爾雅註》(鄭樵撰)」、「《蠹齋鉛刀編》(周孚撰)」條。

81 見郝桂敏:《宋代詩經文獻研究》,頁 204-213。案:《通志堂經解》本《六
　經奧論》卷首凡例謂夾漈先生此書「舊本相傳,錯雜紕謬」,「《詩》之論辨,
　錯雜猶多」,朱彝尊《經義考》則謂本書非鄭樵所作:影印《文淵閣四庫全
　書》錄存此書,而刪鄭樵之名,近人顧頡剛以為今本《六經奧論》非鄭樵原
　本,乃出自後人之纂集。詳拙著《南宋三家詩經學》(臺北:臺灣商務印書
　館,1988 年 8 月),頁 34。

82 王質對於《詩序》批判最多的,就是《序》文有太多地方在他看來都是羨詞
　衍說,例如〈泉水〉、〈有女同車〉、〈東門之墠〉、〈雞鳴〉、〈宛丘〉、〈雨無正〉、
　〈魚藻〉、〈泂酌〉、〈雲漢〉等〈序〉說,他都認為作出的是無中生有的解釋。
　詳《詩總聞》(臺北:新文豐出版公司,1984 年 6 月),卷 2,頁 38;卷 4,
　頁 76;卷 4,頁 79;卷 5,頁 85;卷 7,頁 121;卷 12,頁 198;卷 15,頁
　243;卷 17,頁 283;卷 18,頁 301。

83 關於王質襲用毛、鄭舊說的情形,見陳昀昀:《王質詩總聞研究》(臺中:東
　海大學中文研究所碩士論文,1986 年 6 月),頁 35-40。案:陳氏所謂王質
　說與《毛傳》、鄭《箋》同,係採最寬鬆的標準,如〈小雅‧節南山〉「師氏」
　一詞,《毛傳》解「師」為「大師,周之三公」,王質解「師」為「官」,陳
　氏謂王質說同《毛傳》;又如〈小雅‧大田〉「彼有不穫穉,此有不斂穧;彼

體上來說，這些襲用相當有限，可見他對毛、鄭的態度也是不夠友善的。另外，宋儒常見的直解詩文之習慣，也可在王質身上看見，訂定詩旨時又有太過坐實、漫衍旁出歧說等缺失，因此《四庫全書總目》說他：「其冥思研索，務造幽深，穿鑿者固多，懸解者亦復不少。」近人趙制陽也批評王質解詩「題外文章太多，讀之令人生厭」。[84]總之，《詩總聞》的缺點在於望文生義、漫衍旁出的論述方式，失去學術應有的理則性，其本體成就實不需過度高估；大凡王書給人的印象之所以深刻，主要還是在其強烈的反《序》，以及說《詩》形式上的創新（設計出了別緻的「十聞」體例）。

但是鄭樵與王質算是宋代《詩經》學家中較為極端的代表，二氏所展現的激進風格，其實正表示南宋《詩經》學的潮流的快速變動。我們不能說破壞傳統舊說、建立新解就是南宋《詩經》學的發展唯一主流，因為擁護舊說的依然大有人在。只是，這樣迥異於漢代以降《詩經》學解釋傳統的思潮的確明顯存在，而且形象鮮明，不容忽視。[85]

有遺秉，此有滯穗：伊寡婦之利」之句，《箋》云：「成王之時，百穀既多，種同齊熟，收刈促遽，力皆不足，而有不穫不斂，遺秉滯穗，故聽矜寡，取之以為利。」王質：「不穫，不及穫者也。不斂，不及斂者也。遺秉，所棄者也。滯穗，所留者也。今北方刈穫，弱婦幼童，隨輦掇拾于後，亦足度日。南方亦謂之拾簽，但不多爾。」陳氏以王質之解「不穫」、「不斂」為同於鄭《箋》。假若我們用比較嚴格的標準來檢覈王質之訓釋，則其同於毛鄭者，數量還會少一些。

84 以上詳《四庫全書總目》，第1冊，頁338。趙制陽：《詩經名著評介》第三集（臺北：萬卷樓圖書公司，1999年11月），頁170-172。

85 目前我們僅能說，從《詩經》研究發展史的意義上來看，宋代《詩經》學之所以能有璀璨的成績，主要還是在新派陣營所提的質疑傳統之觀念，引起不少人的認同，而且，這一陣營也的確佳構迭出。誠如葛兆光所言，「一個時

　　另一方面，宋代《詩經》學史上擁護傳統舊說的學者亦極
為活躍，直至南宋末期仍有重量級的「舊派」《詩》學著作問
世。[86]例如嚴粲就帶有濃厚的傳統《詩》教觀，其備受好評的
《詩緝》堅持聖人的解釋觀點以及對《詩序》的繼承。其次，
在解《詩》方法上，嚴粲對毛、鄭舊說表達了高度的重視，並
且承襲了傳統的解經方法。筆者曾舉《詩緝》中嚴粲針對毛、
鄭之說的調停、辨析為例，藉此說明嚴粲的解《詩》特質，以
為：毛說、鄭說作為最早的訓詁解經說法，一直為經學家所重
視，但是常有毛、鄭二說互相衝突的地方，調解或辨析毛、鄭
之說自然成為必要的解經步驟，嚴粲的經學家氣息特重，由此
凸顯出他與當時治《詩》學者的不同，即不以主觀的意見解經，
而是使用客觀的、重視古說的解經方法。[87]

　　在南宋《詩經》學史的論述中，我們可以輕易找到擁護傳
統與反對傳統的爭議及其代表學者，但是除了這兩種立場之

代有一個時代的觀念，觀念的合理性存在於人們對它的認同之中」。〈思想
史：既做加法也做減法〉，楊念群、黃興濤、毛丹：《新史學》（北京：中國
大學人民出版社，2003 年 10 月），上冊，頁 234。

86　《詩緝》可以說是南宋「舊派」研《詩》學者推出的壓軸之作，《四庫全書
總目》：「是書以呂祖謙《讀詩記》為主，而雜採諸說以發明之，舊說有未安
者，則斷以己意。……深得詩人本意。至於音訓疑似、名物異同，考證尤為
精核。宋代說《詩》之家，與呂祖謙書竝稱善本，其餘莫得而鼎立，良不誣
矣。」《四庫全書總目》，第 1 冊，頁 344。姚際恆（1647-1715）云：「嚴坦
叔《詩緝》，其才長於詩，故其運辭宛轉曲折，能肖詩人之意；亦能時出別
解。第總囿於《詩序》，間有齟齬而已。惜其識小而未及遠大，然自為宋人
說《詩》第一。」《詩經通論》，《姚際恆著作集》（臺北：中央研究院中國文
哲研究所，1994 年 6 月），第 1 冊，頁 7。

87　詳拙著《嚴粲詩緝新探》（臺北：文史哲出版社，2008 年 2 月），頁 32-61。

外，難道南宋《詩經》學者沒有其他選擇嗎？或許我們可以將戴溪視為南宋《詩經》新舊兩派激烈爭論下的中間學者。

反對傳統解釋，好處是鬆脫釋義的限制，讓新義有增生的空間，更重要的是迴避傳統解釋，直接面對經文，在理論上具有直接理解神聖意義的可能性。不過缺陷在於以個體主觀心志解釋經文，不僅欠缺理解的普遍性，在證據效力上更容易被質疑。擁護傳統解釋的好處在於可以從幾種權威說法中擇優而從，證據效力充足，研經學者承接學術遺產的累積從而收取辯證結果，其在學術理則上發展出來的解釋比較不容易被挑戰，即便被挑戰，也不難作出回應。但是缺陷在於傳統舊說將會壓抑或是限制意義延伸的可能性，如此將導致解說的僵固。

由戴溪《續讀詩記》的形式與解釋來看，他在擁護傳統與反對傳統的解經立場上，採取較為中立的態度，或者說，他遊走於新舊兩派之間。

首先不要忘記戴溪的書名為《續呂氏家塾讀詩記》。如前所言，陳振孫等學者大致上都認為，戴溪是接受、滿意呂祖謙《呂氏家塾讀詩記》的名物訓詁上的成績，而呂祖謙是南宋《詩經》學中「舊派」的重要人物，他的《呂氏家塾讀詩記》以旁徵博引的方式集解舊說。這表示對於傳統訓釋，戴溪表達了尊重的態度。由此點來看，戴溪傾向「舊派」。然而在解經方法上，戴溪說解主要以聯想增出、主觀體會的方式進行，這點就跟「新派」學者相近。

另外在面對《詩序》方面，戴溪雖然並非恪遵不違，但是也沒有著意抵排，而是有所折衷采獲。我們要特別指出的是，戴溪說解中符合《詩序》解釋者近七成，由此觀之，他不像是

激進的「新派」，也不是積極的「舊派」。

如果我們將考察《讀詩記》與《續讀詩記》的差異點放在著作體式之上，或許又會產生新的觀點。《詩經》的文獻體式發展到宋代是一個高峰，宋代以前解《詩》的體式較固定，基本上沿用傳、箋、注、疏的模式。但是宋代的學者勇於創新，不再以傳統的解經模式為滿足，紛紛自創體例。從現有留存的著作中，主要可以分為九種不同的體式。[88]從解經內容的新舊紛陳，到體式的花樣翻新，這種眾聲喧嘩的呈現，可以讓讀者各取所需，這也正是宋代《詩經》學的生命力之展現。

另一方面，學者著書的目的旨趣、解經觀點、方法之差異，也將影響著書體式的選擇。呂祖謙與嚴粲之所以採用集解體進行論述，用意在保留較多的傳統注疏之成果。至於鄭樵則用論說的方式，針對有爭議的問題作辨析，顯現出其強烈的主觀性；評辨的過程中，不必注意細部的字詞訓詁，甚至可以說在這種體裁下，因為行文的需要，導致訓詁的論辨或引述並其實也沒有太大的空間可以容納。

戴溪雖然以《續讀詩記》為名，但是採用了與呂祖謙《讀詩記》集解體不同的體式來解《詩》。且不論《續讀詩記》是否改造自戴氏之前為太子講授三百篇所使用的講章體，擺在我們眼前的《續讀詩記》乃是使用近似論說體的方式講述《詩經》要旨。這種體裁主要是以論說辯證方式闡論大義章旨，對名物訓詁僅作簡省說明，甚至直接棄而不論，詩旨的發揮、聯想才

---

88 郝桂敏將宋代《詩經》主要著書式分為集解體、集傳體、纂集體、總聞體、論說體、講章體、講義體、校勘體、圖解體九種。詳《宋代詩經文獻研究》，頁189。

是關鍵。或許可以這樣說：面對千餘年的解《詩》傳統，戴氏以「《續讀詩記》」作為書名，表示對呂書的尊重與大抵接受。但是在實際的解經操作上，戴溪選擇了論說體，採用異於舊說體式的論述方式，這是他設計出來的詮釋策略。

　　有學者表示，傳統的解經方法「主要是語言性與歷史性的，透過名物訓詁，以期對《詩經》做一番語言性的了解，以『達其辭』。再通過對《詩經》中詩語所涉及的人物事跡，做一番考證，以達成歷史的理解，以『知其事』」。假若這個說法是大致上是對的，[89]那麼，以《續讀詩記》的輕忽名物訓詁，以及盡量避開對於詩語所涉及的人物事跡進行指實套用，我們得說戴溪不屬於所謂傳統的解經者，不過這樣說又未免過於粗略，而且也容易滋生誤解，只能說他的解經態度與取向跟漢唐《毛詩》學者大有異趣，但整體基調還是一致的。

　　把戴溪的《續讀詩記》回置到宋代《詩經》研究的歷史環境中，真相立刻浮現：戴溪確實接受了當時新學派解《詩》的思維與方式，但是他也用書名直接宣示與呂祖謙《呂氏家塾讀詩記》的承接關係。由此點來看，戴溪《續讀詩記》可視為宋代《詩經》學新舊兩派爭辯風潮下的融合作品。

---

89 引文見龔鵬程：〈四庫全書所收文學詩經學著作〉，中國詩經學會編：《詩經研究叢刊》第十輯（北京：學苑出版社，2006 年 1 月），頁 89。案：其實傳統《詩經》學者對於《詩經》中詩語所涉及的人物事跡，通常未經考證，就直接指實套用，其中有些可以從《左傳》、《國語》中找到相關記載，更多的則可能只是用來方便說詩，使讀者容易接受而已。

第五節 結 語

宋代《詩經》學的最大特色就在於有很多儒者不再篤守漢唐舊說,他們以無比的魄力,打破傳統注疏,另立說解。[90]經學史家對於宋代《詩經》學的整體發展敘述,大抵著眼在對學者對《詩序》的態度上,對於《詩序》的忠誠度愈高者,愈是容易被歸畫到舊派的陣營中。無疑,宋代《詩經》學較能獲得後人掌聲的乃在「新派」這邊,固然「新派」學者的學術成績不保證一定在「舊派」之上,但他們的貢獻——不再讓傳統詩旨共識與訓詁成果固限詩義,解放《詩序》的單一說解,讓部分篇章還原當時的創作意旨——則是獲得了經學史家一致的肯定。

依照這個標準,戴溪勉強(而且是非常勉強)可以算是「新派」學者。不過,作為「舊派」的《讀詩記》之續書,被說成是「新派」的著作,這就不合邏輯。另一方面,宋代「舊派」學者的優勢在於繼承長期學術累積的成果,對於詩旨的說明謹守法度,不作無據之言,這也能吸引一部份的讀者,而呂祖謙的《呂氏家塾讀詩記》正是這一陣容中的名著。由於戴溪的《續讀詩記》乃是接續《讀詩記》而來,且其解《詩》主要是從教化的角度切入,他同意孔子有刪《詩》之舉,對於《詩序》雖

---

90 根據葉國良所言,宋人說《詩》有兩大精神,一曰不迷信權威,勇於懷疑;二曰能利用新資料。後者包括採輯散見文獻之今文遺說與運用金石材料。詳《宋代金石學研究》(臺北:國立臺灣大學中文研究所博士論文,1982 年 12 月),頁 224-231。

然頗少引述，但是實際上多數篇章與《詩序》的解釋調性又相當一致，因此將戴溪定位為為「舊派」學者應該更符合實際情況。

這不是角色認定上的困難或矛盾，而是硬將宋代的研《詩》學者大別為新舊兩派，本來就不是精密的歸類。有學者以為戴溪以己意說詩，不拘門戶，打破尊《序》、廢《序》之限，[91]這個說法是合乎事實的。筆者以為戴溪固然是保守型的學者，但他受到當時的學術思潮影響，逐漸地有了傾向新派的意圖，其解經體式與內容就是這種意向的展現。但是，戴溪標舉《續讀詩記》為名，應該是對呂祖謙的集解、遵守前賢訓詁頗為贊同，否則其書名的設計就變得毫無意義。

戴書雖不錄《詩序》，然而對《詩序》也完全不見棄之而後快的激烈態度，全書直引《序》說的部分雖不多，但他技巧性地、融會式地採納了《序》說的觀點，以此而表明了他的中心立場。因此我們可以這樣說：戴溪《續讀詩記》與呂書從裡到外，同其血脈精髓者其實不多，他對新舊兩種不同的解經路線與觀點，採取的是折衷的立場、兩方皆溫和接受的態度；新舊兩派的爭議在《續讀詩記》中並未出現，因為它們在形式與內容上並存。

---

91 陳戰峰：「（戴溪）無師法門戶之弊，以己意解《詩》。同時可進一步說明僅以尊《序》、反《序》貫穿宋代《詩經》學值得深入反思和商榷。」陳氏並以理學的觀點分析戴溪《續讀詩記》的內涵，以為他有綜合朱陸、漢宋的傾向。《宋代詩經學與理學——關於詩經學的思想學術史考察》（西安：陝西人民出版社，2006年7月），頁397。

第四章　運用互文性理論解讀
戴溪《續呂氏家塾讀詩記》
——以比較面與影響面爲論述核心

第一節　前　言

在宋代《詩經》學史上，呂祖謙（1137-1181）的《呂氏家塾讀詩記》（以下視情況得簡稱爲《讀詩記》）屬遵守《序》說一派中的名作。呂氏出身簪纓世家，家族不僅以官宦名世，在學術界中亦頗爲知名。在《宋元學案》中呂氏一門即被選入者超過十七人。[1]呂祖謙雖然以恩蔭進入官場，但是幾年後取得進

---

1 王梓材：「梓材謹案：謝山《箚記》：『呂正獻公家登《學案》者七世十七人。』攷正獻子希哲、希純爲安定門人，而希哲自爲〈榮陽學案〉。榮陽子切問亦見〈學案〉。又和問、廣問及從子稽中、堅中、弸中，別見〈和靖學案〉。榮陽孫本中及從子大器、大倫、大猷、大同爲〈紫微學案〉。紫微之從孫祖謙、祖儉、祖泰又別爲〈東萊學案〉。共十七人，凡七世。然榮陽長子好問，與弟切問歷從當世賢士大夫遊，以啟紫微，不能不爲之立傳也。」〔清〕黃宗羲原著，〔清〕全祖望補修，陳金生、梁運華點校：《宋元學案》（北京：中華書局，1986年12月），第1冊，卷19，〈范呂諸儒學案〉，頁789。郭麗娟：「一門之中被選登學案者如此之多，若無深厚之家學淵源是無法達到的，況此中尚漏列五人；即〈東萊學案〉中呂祖謙之子延年，從子喬年、康年。此外，未被列入之呂希積、呂好問，其學問成就亦足以名列學案，

士功名，便開始擔任文教方面的官職。直至過世前幾年，呂祖謙仍然主持著當時朝廷的編修工作。呂祖謙與當時的學者交遊密切，顯然也頗有聲望。這一點可以由他促成學術史上有名的「鵝湖之會」，以及屢次為朱熹（1130-1200）、陸九淵（1139-1193）學術爭端作調人之事可見。《呂氏家塾讀詩記》的撰作起於呂祖謙生命最後一年之時，至過世時本書寫至〈公劉〉之篇。剩下的部分就由呂祖謙的弟弟呂祖儉，依照呂祖謙生前的研究資料、成果加以接續完成，[2]所以《呂氏家塾讀詩記》仍可稱為一部完整之作，並不存在缺漏的問題。雖然如此，此書後來有戴溪（生卒年不詳）為之續作，書名就叫《續呂氏家塾讀詩記》（以下視情況得簡稱為《續讀詩記》）。

戴溪在南宋也是頗有名望的人物。孝宗淳熙五年（1178），戴氏奪得省試第一，之後屢任各部官職，升遷頗快。比較特殊的職位是寧宗開禧年間（1205-1208）擔任太子詹事兼祕書監，曾為太子講學。最後的官位是代工部尚書，而後以龍圖閣學士致仕。戴溪在《宋史》中有傳，[3]在《宋元學案》中列入〈止齋

故應為七世，二十二人。」《呂祖謙詩經學研究》（臺北：東吳大學中國文學研究所碩士論文，1994年10月），頁14。

2 呂祖儉：「先兄己亥之秋，復脩是書，至此而終。自〈公劉〉之次章訖於終篇，則往歲所纂輯者，皆未及刊定。如〈小序〉之有所去取，諸家之未次先後，與今編條例多未合。今不敢復有所損益，姑從其舊，以補是書之闕云。」〔宋〕呂祖謙：《呂氏家塾讀詩記》，影印《文淵閣四庫全書》（臺北：臺灣商務印書館，1983年8月），第73冊，卷26，頁709：28b。

3 《宋史‧儒林傳》：「戴溪，字肖望，永嘉人也。少有文名，淳熙五年，為別頭省試第一，監潭州南嶽廟。紹熙初，主管吏部架閣文字，除太學錄兼實錄院檢討官。正錄兼史職自溪始。升博士，奏兩淮當立屯官，若漢稻田使者，括閑田，諭民主出財，客出力，主客均利，以為救農之策。除慶元府通判，未行，改宗正簿。累官兵部郎官。開禧時，師潰于符離，溪因奏沿邊忠義人、

學案〉。[4]

　　在學術史上，戴溪的聲譽無法望及呂祖謙之項背，但是還原至南宋初期，兩人的身份地位，甚至在學術圈中的名望或許沒有太大的差距，在某種程度來看，甚至可以放在同一天平上。[5]呂祖謙與戴溪的生存年代是有所交集的，雖然戴溪明顯比

　　湖南北鹽商皆當區畫，以銷後患。會和議成，知樞密院事張巖督師京口，除授參議軍事。數月，召為資善堂說書。由禮部郎中凡六轉為太子詹事兼祕書監。景獻太子命溪講《中庸》、《大學》，溪辭以講讀非詹事職，懼侵官。太子曰：『講退便服說書，非公禮，毋嫌也。』復命類《易》、《詩》、《書》、《春秋》、《論語》、《孟子》、《資治通鑑》，各為說以進。權工部尚書，除華文閣學士。嘉定八年，以宣奉大夫、龍圖閣學士致仕。卒，贈特進端明殿學士。理宗紹定間，賜諡文端。溪久於宮僚，以微婉受知春宮，然立朝建明，多務祕密，或議其殊乏骨鯁云。」〔元〕脫脫等：《宋史》（北京：中華書局，1977 年 11 月），第 37 冊，卷 434，頁 12895。

4　〈止齋學案・文端戴岷隱先生溪〉：「戴溪，字肖望（雲濠案：沈光作先生《春秋講義序》，稱先生字少望），永嘉人。少有文名。淳熙五年，為別頭省試第一，監潭州南嶽廟。紹熙初，主管吏部架閣文字，除太學錄兼實錄院檢討官。正錄兼史職，自先生始。升博士，奏兩淮當立農官，若漢稻田使者，主客均利，以為救農之策。除慶元府通判，未行，改宗正簿。累官兵部郎。張巖督師京口，除授參議軍事。數月，召為資善堂說書，由禮部郎六轉為太子詹事兼祕書監。景獻太子命先生講《中庸》、《大學》，復命類《易》、《詩》、《書》、《春秋》、《語》、《孟》、《資治通鑑》，各為說以進。權工部尚書，除華文閣學士。嘉定八年，以宣奉大夫、龍圖閣學士致仕。卒，贈特進端明殿學士。理宗賜諡文端。（參史傳。雲濠案：謝山《箚記》：「先生著有《易經總說》二卷，《曲禮口義》二卷，《學記口義》二卷，《詩說》、《續讀詩記》各三卷，《春秋說》三卷，《通鑑筆議》三卷，《石鼓》、《論語》、《孟子答問》各三卷，《岷隱文集》，復讎對《清源志》。」《宋元學案》，第 3 冊，卷 53，頁 1723。

5　《四庫全書總目・十先生奧論四十卷》：「不著編輯者名氏，亦無刊書年月。驗其版式，乃南宋建陽麻沙坊本也。書中集程子、張耒、楊時、朱子、張栻、呂祖謙、楊萬里、胡寅、方恬、陳傅良、葉適、劉穆元、戴溪、張震、陳武、鄭湜諸人所作之論，分類編之，加以註釋。」《四庫全書總目》（臺北：藝文印書館，1974 年 10 月），第 7 冊，卷 187。基本上，戴溪「所作之論」能與程子、朱子、呂祖謙等合為一集，學術水平、社會地位等不至於差距過大。

呂祖謙晚上一輩，但以戴溪的身份地位來看，以「續」書的名義來撰寫研究著作，的確是很值得玩味的事情。

由《呂氏家塾讀詩記》的成書經過來看，戴溪若要為續寫《呂氏家塾讀詩記》，或許可以由〈公劉〉以下開始進行，以統一全書的體例與意旨。不過戴溪顯然沒有採用這樣的途徑來承續《讀詩記》。陳振孫《直齋書錄解題》提到《續讀詩記》：「其書出於呂氏之後，謂呂氏於字訓章已悉，而篇意未貫。故以《續記》為名，其實自述己意，亦多不用〈小序〉。」這樣的意見為《四庫全書總目提要》所接受：「溪以《呂氏家塾讀詩記》取《毛傳》為宗，折衷眾說，於名物訓詁最為詳悉，而篇內微旨，詞外寄託，或有未貫，乃作此書以補之，故以『續記』為名；實則自述己意，非盡墨守祖謙之說也。其中如謂〈摽梅〉為父母之擇壻，〈有狐〉為國人之憫鰥，〈甘棠〉非受民訟，〈行露〉非為侵陵。故《書錄解題》謂其「大旨不甚主〈小序〉。然皆平心靜氣，玩索詩人之旨，與預存成見，必欲攻毛、鄭而去之者，固自有殊」。《溫州志》稱溪『平實簡易，求聖賢用心，不為新奇可喜之說，而識者服其理到』，於此書可見一斑矣。原本三卷，久佚不傳。散見於《永樂大典》中者，尚得十之七八，謹綴緝成帙，仍釐為三卷。」[6]影響所及，後來的《詩經》學史或要籍評介之類的敘述，也是如此描述《續呂氏家塾讀詩記》的內容與地位，這樣的描述與評斷顯得極為浮面，甚至有人還嚴重誤讀《直齋書錄解題》與《四庫提要》，斷章取義地

---

6 《四庫全書總目》，第 1 冊，卷 15，頁 342。案：文中所云《溫州志》即《溫州經籍志》，為清儒孫詒讓所作。

將呂戴二書的特點合併為戴書所獨有。[7]不過作為提要型的評介，大概也很難深入探索文本的核心價值與其存在意義，本文則從西方的互文性（Intertextuality）理論觀察戴溪《續讀詩記》所受自前《詩經》文本的影響，至於全書的解經特質與評價，本書另有專文討論。

第二節　互文語境下的戴溪《續讀詩記》

——戴溪與宋代新派說《詩》的相同點

---

7 林葉連：「此書以《毛傳》為宗，折衷眾說，於名物訓詁尤為詳悉。謂呂氏於字訓章旨已悉，而篇意未貫，故以『續記』為名；其實自述己意亦多，不盡用〈小序〉。例如〈有狐〉為國人憫鰥夫；〈摽有梅〉，父母之心也；『求我庶士』，乃擇婿之辭；其新說若此。」《中國歷代詩經學》（臺北：學生書局，1993年3月），頁255。案：所謂「以《毛傳》為宗，折衷眾說，於名物訓詁尤為詳悉」之語原用於《讀詩記》，林氏誤用於《續讀詩記》。蔣見元、朱傑人：「呂祖謙的《讀詩記》對北宋到南宋出的《詩》學作了總結，對名物訓詁徵引眾說，比較詳博，但對詩旨的理解一仍〈詩序〉，頗嫌疏略。戴書則專講詩義而不及訓詁，正是為了補呂書之不足，故名曰《續呂氏家塾讀詩記》。戴氏論詩，其基本觀點與呂氏一樣，以《詩序》為宗，但他並不機械地照抄《詩序》，而是經過自己的消化理解，或加以闡釋，或予以補充，或給以修正，有些篇章別出己說。……戴氏《續讀詩記》多有曲解詩義，附會《詩序》的地方，亦須引起注意。」《詩經要籍解題》（上海：上海古籍出版社，1996年9月），頁43-44。夏傳才、董治安：「戴氏以為呂祖謙《呂氏家塾讀詩記》以《毛傳》為本而折衷眾說，於名物訓詁最為詳表，但於詩篇中的微旨，詞外的寄託，尚未貫通發明，所以著此書以補之，故曰『續記』。實際上，本書是著者發表自己的見解，並不完全依從呂祖謙之說。例如，他說〈摽有梅〉是父母擇壻，〈有狐〉是國人憫鰥，〈甘棠〉不是受民訟，〈行露〉不是有侵陵等等，與〈小序〉不同，與呂祖謙不同，更與朱熹《詩集傳》的詩說相左，力圖詩說能發揮聖賢之用心。」《詩經要籍提要》（北京：學苑出版社，2003年8月），頁356-357。

僅從書名來看，將《續呂氏家塾讀詩記》視為《呂氏家塾讀詩記》的延伸、承續，是相當自然的事，若非如此，反而事顯蹊蹺。然而，讀者若實際翻閱兩書，又立可發現，戴書不僅在著書體例上與呂書有異，對於傳統注疏的態度與訓詁的方法、詩旨的訂定等，也都有明顯的的差別性，如何解釋這種現象？以下藉由互文性的觀念來解釋造成《續讀詩記》與《讀詩記》內外皆有差異的原因，並以此探測出早先呂戴二書相關敘述的產生盲點。

按互文性也有人譯作「文本間性」、「文本指涉」，意指沒有一個結構主義的文學作品可以片面地去看待，每一個事物在任何時候，都涉及其他的事物；所有的思想和傳統都可以合法地變成一個文本的一部分；每一個文本都可以通過新的閱讀而發生別的一些聯想；各種文本是相互聯繫的。[8]作為一個重要的批評概念，互文性出現於二十世紀 60 年代，隨即成為後現代、後結構批評的標識性術語。現在，互文性概念不僅適用於文學文本上，也可以看做是廣效性的閱讀理論，因為如今所謂互文性批評，就是放棄早期人們僅僅關注作者與作品關係的傳統批評方法，轉至寬泛語境下的跨文本文化研究。[9]

在西方，互文性的想法早已廣泛存在，但「互文性」作為

---

8 詳〔美〕庫茲韋爾（Kurzweil,E.）著，尹大貽譯：《當代法國思想》（臺北：雅典出版社，1989 年 1 月），頁 209。

9 陳永國：「所謂互文性批評，就是放棄那種只關注作者與作品關係的傳統批評方法，轉向一種寬泛語境下的跨文本文化研究。這種研究強調多學科話語分析，偏重以符號系統的共時結構去取代文學史的進化模式，從而把文學文本從心理、社會或歷史決定論中解放出來，投入到一種與各類文本自由對話的批評語境中。」詳陳永國：〈互文性〉，http://intermargins.net/intermargins/TCulturalWorkshop/culturestudy/theory/01.htm，瀏覽日期：2009 年 4 月 27 日。

一種明確概念與學術術語，最早是由法國學者茱利亞‧克里斯蒂娃（Julia Kristeva ,1941-）所發明，[10]克里斯蒂娃於 1969 年在其《符號學》中提出：

橫向軸（作者-讀者）和縱向軸（文本-背景）重合後揭示這樣一個事實：一個詞（或一篇文本）是另一些詞（或文本）的再現，我們從中至少可以讀到另一個詞（或一篇文本）。在巴赫金看來，這兩隻軸代表對話（dialogue）和語義雙關（ambivalence），它們之間並無明顯分別。是巴赫金發現了兩者間的區分並不嚴格，他第一個在文學理論中提到：任何一篇文本的寫成都如同一幅語錄彩圖的拼成，任何一篇文本都吸收和轉換了別的文本。[11]

克里斯蒂娃在此提出了兩個軸向的觀念，而這兩個軸向說明了一個文本的形成是如何的複雜，並非我們一廂情願的以為是完全由作者一人所創造。「每一個文本都把自己建構為一個

---

10 案：克里斯蒂娃原是保加利亞人，1965 年移居法國，她具有多重身份，可以稱為一位多產且理論複雜多變的精神分析學家、語言學教授、符號學家、小說家、修辭學家、社會活動家，也是一位中國文化的推崇者。詳羅婷：《克里斯多娃》（臺北：生智出版社，2002 年 8 月），〈序〉，頁 1。

11 〔法〕克里斯特娃：《符號學，語意分析研究》，頁 145。轉引自〔法〕蒂費納‧薩莫瓦約（Tiphaine Samoyault）著，邵煒譯：《互文性研究》（天津：天津人民出版社，2003 年 1 月），頁 4。案：互文性原是西方文學理論界由結構主義向後結構主義轉向的過程中所提出地一種文本理論。「互文性」概念雖由克里斯蒂娃提出，但互文性思想卻早已存在，其源頭可以追溯到瑞士的索緒爾（Ferdinand de Saussure,1857-1913）、美國的 T. S.艾略特（Thomas Stearns Eliot, 1888-1965）和俄國的巴赫金（Mikhail Mikhailovich Bakhtin,1895-1975）。詳李玉平：〈互文性批評初探〉，《文藝評論》，2002 年第 5 期，頁 11。董希文：〈文本與互文本〉，《文學文本理論研究》（北京：社會科學文獻出版社，2006 年 3 月），頁 228。

引用語的馬賽克，都是對另一個文本的吸收與改造。」[12]即每一個文本中都包含了其他文本涉及的因素，每一個文本都不可能是一個與外界絕緣的封閉的語言體系，而是與其他文本有著某種程度的聯繫。因此，正如一個人和他人建立廣泛的聯繫一樣，一篇文本不是單獨存在，它總是包含著有意無意中取之於人的詞和思想。[13]

　　克里斯蒂娃於 1973 年獲得巴黎大學的博士學位，在博士論文《詩歌語言的革命》裡，克里絲蒂娃進一步發展了互文性的概念。互文性的觀念自從克里斯蒂娃提出後，經過幾個不同時期的演變，拓展增衍許多新的意涵，透過研究者的整理，大約可分為廣義的與狹義的兩種。狹義觀點認為，互文性是指一個文本與存在於文本中的其他文本之間所構成的一種有機聯繫，其間的借鑑與模仿是可以通過文本語言本身驗證的，該觀點的代表人物是以研究結構主義敘事學而聞名的吉拉爾・熱耐特（Gérard Genette,1930- ）；廣義觀點認為，互文性是指文本與賦予該文本意義的所有文本符號之間的關係，它包括對該文本意義有啟發價值的歷史文本及圍繞該文本的文化語境和其他社會意指實踐活動，所有這些構成了一個潛力無窮的知識網絡。這種觀點的代表理論家是以強調解構批評而著名的羅蘭・

---

12 引文見馮壽農：《文本・語言・主題》（廈門：廈門大學出版社，2001 年 11 月），頁 18。

13 〔法〕施耐德《竊詞者》：「文本從何而來？原有的片段、個人的組合、參考資料、突發事件、留存的記憶和有意識的借用。人物從何而來？零碎的認識、合併的形象、同化的特徵性格，所有這般（如果可以這麼說的話）組成了人們稱之為『我』的虛構。」轉引自蒂費納・薩莫瓦約著，邵煒譯：《互文性研究》，頁 30。

巴特（Barthes, Roland, 1915-1980）、德里達（Derrida, Jacques, 1930-2004）和克里斯蒂娃等人。[14]筆者在此僅借用互文中所強調的一些重要觀念，並不涉及互文所牽涉的歷史、學派之爭。由克里斯蒂娃所提示的互文性概念中，我們可以得知幾個重點：其一，一個文本的形成不能光從作者——作品單一的方向考察，而是包括了文本與其他文本之間的關係：與之前的文本（縱向歷時的軸），還有與當時時空環境背景之間的關係（橫向共時的軸）。所以，要理解一個文本，不能孤立地來看待這個文本，因為在一個文本中，又不同程度地以各種能夠辨認的形式存在著其他的文本，包括先前的文本和周圍文化的文本。其二，對於文本意義的理解、詮釋，主要掌握在讀者身上，因此互文性理論重視讀者（詮釋者）的作用。文本載有它自己的記憶，而每一個人的記憶與文本所承載的記憶既不可能完全重合，也不可能完全一致，對所有互文現象的解讀——所有互文現象在文中達到的效果——勢必包含了主觀性。[15]筆者以為，上述的理論有助於理解戴溪《續讀詩記》何以在從裡到外都與呂祖謙《讀詩記》呈現出顯著的差異性。

　　首先，從橫向的共時性與縱向的歷時性觀點來檢視《續讀詩記》，我們會發現，縱向的文本與文本之間的關係（即《續讀詩記》與《毛詩》、《讀詩記》之間的關係），反而不如橫向的文本與社會之間的關係（即《續讀詩記》與當時流行的講章

---

14 董希文：《文學文本理論研究》，頁 234。
15 蒂費納・薩莫瓦約：「互文性的矛盾就在於它與讀者建立了一種緊密的依賴關係，它永遠激發讀者更多的想像和知識、記憶、個性之間的差別。這兩者之間天衣無縫的一致是不可能的，所以對互文的感知可能會是變化的和主觀的。」《互文性研究》，頁 81。

體，以及與自由詮釋三百篇的風氣之間的關係）那般密切。關
於縱向的聯繫方面，戴溪對於《詩序》的解題抱持的是客觀的
態度，他不像呂祖謙那般遵守《序》說，而是以詩文為準來驗
證《序》說，[16]這一點和呂祖謙有極大的不同，又由於戴溪的
著書重心如前引《四庫提要》所言，在「篇內微旨，詞外寄託」
這一部分，所以他對於毛鄭訓詁的舊有成績也並不看重。在此
要說明的是第二個面向，即戴溪《續讀詩記》特有的詮釋法與
當時學術環境之間的關係。

　　《續讀詩記》有一個訓詁方式與尊《序》的呂祖謙不同，
即戴溪往往運用其個人的聯想來創造新說，[17]這樣的方式為
毛、鄭所無，然而若從當時整個時代風氣來說，則戴溪與毛、
鄭之間的「異」正好是他與當時所謂新派學者之間的「同」。
筆者在此所謂的「新派」之說是指相較於那些善用傳統的解釋
成果（漢唐注疏）的學者而言。從《詩經》學史的角度而言，
歷來研究者都指出了宋代《詩經》學與漢唐舊學的差異，而其
中最大的不同就表現在對《詩序》、《毛傳》、鄭《箋》的態度
上，如《四庫提要》說：「自唐以來，說《詩》者莫敢議毛、

---

16 僅以《續讀詩記》直接指出《序》非的文字為例，就有〈召南・鵲巢〉、〈邶
　風・北門〉、〈衛風・芄蘭〉、〈王風・大車〉、〈鄭風・女曰雞鳴〉、〈風雨〉、〈陳
　風・衡門〉、〈墓門〉、〈小雅・鹿鳴〉、〈采綠〉、〈周頌・天作〉、〈昊天有成命〉、
　〈雝〉、〈敬之〉、〈魯頌・閟宮〉等十五處之多，分見卷1，頁5b；15a-15b；
　23b-24a；27b-28a；30b-31a；33a；51a；52a；卷2，頁1a-1b；45b-46a；卷
　3，頁31a-31b；31b-4a；34b-35a；37a-37b；頁41b-42a。
17 戴溪透過聯想力以創造新說的可見《續讀詩記》之論〈陳風・墓門〉，卷1，
　頁52a；論〈曹風・候人〉，卷1，頁56a；論〈小雅・小宛〉，卷2，頁22b-23b；
　論〈北山〉，卷2，頁32a；論〈車舝〉，卷2，頁39b-40b；論〈采菽〉，卷
　2，頁43a-44b。

鄭，雖老師宿儒亦謹守〈小序〉。至宋而新義日增，舊說幾廢。」[18]四庫館臣的說法偏向於結果論，若考慮到詮釋的過程，即解《詩》的方法，則宋代《詩》說「新變」的特點可以更為全面地展現。若以南宋早期《詩經》發展而論，鄭樵（1103-1162）、王質（1135-1189）是主要的新派代表，而他們為後人視為「新」的主要關鍵在於反對《詩序》之說最力。依筆者之見，鄭、王二人的新還展現在解《詩》的方法上，尤其是王質。以鄭樵為例，雖然他的解《詩》之作遺佚大半，但仍可從其殘存的文字中窺見他對毛、鄭的基本態度。鄭氏於〈寄方禮部書〉云：「《詩》之難可以意度明者，在于鳥獸草木之名也。……學者所以不識《詩》者，以大小《序》與毛、鄭為之障蔽也。」[19]由此可知鄭樵為《詩》疏解時反對毛、鄭的基本立場。與鄭樵立場相反的周孚說他：「決裂古訓，橫生臆解，實汨亂經義之渠魁。南渡諸人，多為所惑。」四庫館臣也說他：「博洽傲睨一時，遂至肆作聰明，詆諆毛鄭。其《詩辨妄》一書，開數百年杜撰說《詩》之捷徑，為通儒之所深非。」[20]再加上《詩辨妄》與《六經奧論》都屬於論說體式，前者為駁論體，後者為正論體，[21]用論辨的方式解《詩》，拋棄傳統的訓詁法，如此而得出的嶄新見解，由字詞訓詁至大義闡釋，其證據力量與效力難免會被高度質疑。至於王質，在《詩總聞》中雖然也知襲用毛、鄭之說，

---

18 《四庫全書總目》，第 1 冊，頁 335。

19 〔宋〕鄭樵：《夾漈遺稿》（北京：中華書局，1985 年《叢書集成初編》據《藝海珠塵》本排印），卷 2，頁 12-13。

20 分見《四庫全書總目》，第 2 冊，頁 831；第 5 冊，頁 3166。案：以上兩條評論分見「《爾雅註》（鄭樵撰）」、「《蠹齋鉛刀編》（周孚撰）」條。

21 詳郝桂敏：《宋代詩經文獻研究》，頁 204-213。

但數量有限。據研究者之統計，王質引用《毛傳》舊說共計33篇，引用鄭《箋》之說共計13篇，其中又有3篇重復。襲用《毛傳》之說共計45條，襲用鄭《箋》之說共計14條。[22]透過這樣的數據，可知王質對傳統解釋並不看重。此外我們也要注意王質的解《詩》法，近人在分析王質的解《詩》法時，曾提出了所謂的「以賦體直解」，即只憑詩文表面的字意解《詩》，不顧毛、鄭舊說如何。其訓解的結果往往與舊說相異，但難免流於望文生義。[23]再者，王質說《詩》還有太過坐實、漫衍旁出的歧說等缺失，[24]是以《四庫全書總目》謂其「冥思研索，務造幽深，穿鑿者固多，懸解者亦復不少」，[25]這些對王質解《詩》的評語放在戴溪的身上也是合適的，所謂望文生義、漫衍旁出等解詩缺陷，也發生在戴溪的《續讀詩記》身上。

以上所舉鄭、王二人屬於南宋早期說《詩》新派的代表，

---

22 關於王質襲用毛、鄭舊說的情形，見陳昀昀：《王質詩總聞研究》（臺中：東海大學中文研究所碩士論文，1986年6月），頁35-40。案：陳氏所謂王質說與《毛傳》、鄭《箋》同，係採最寬鬆的標準，如〈小雅・節南山〉「師氏」一詞，《毛傳》解「師」為「大師，周之三公」，王質解「師」為「官」，陳氏謂王質說同《毛傳》；又如〈小雅・大田〉「彼有不穫穉，此有不斂穧；彼有遺秉，此有滯穗：伊寡婦之利」之句，《箋》云：「成王之時，百穀既多，種同齊孰，收刈促遽，力皆不足，而有不穫不斂，遺秉滯穗，故聽矜寡，取之以為利。」王質：「不穫，不及穫者也。不斂，不及斂者也。遺秉，所棄者也。滯穗，所留者也。今北方刈穫，弱婦幼童，隨舉掇拾于後，亦足度日。南方亦謂之拾簽，但不多爾。」陳氏以王質之解「不穫」、「不斂」為同於鄭《箋》。假若我們用比較嚴格的標準來檢覈王質之訓釋，則其同於毛鄭者，數量還會少一些。

23 詳陳昀昀：〈王質詩經學探微（二）〉，《湖北文獻》第118期（1996年1月），頁6-8。

24 詳簡澤峰：〈王質《詩總聞》一書及其詮釋觀〉，《彰雲嘉大學院校聯盟2006年學術研討會論文集》（2006年12月），頁463-465。

25 《四庫全書總目》，第1冊，頁338。

而從他們對於毛、鄭的態度及訓解《詩》文的方法中，約略可見戴溪與鄭、王，或者說與新派的學者較相近。若以南宋時代的治《詩》學者而論，《續讀詩記》整體的表現，在精神上是偏向於新派陣營這邊的。南宋中期之後的研《詩》之士中，朱熹弟子輔廣（生卒年不詳，寧宗嘉定年間〔1208-1214〕尚在）與陸九淵門人楊簡（1140-1225）都是新派說《詩》陣營中的重要角色。輔廣對於其師朱熹的學問欽佩不已，所著《詩童子問》一書即是尊朱一派中的名著。此書得名之由，胡一中之〈序〉言之甚明：「先生親炙朱子之門，深造自得，於問答之際，尊其師說，退然弗敢自專，故謙之曰『童子問』。」而輔廣在書中也對於朱子之說未完備之處多所補充。[26]輔廣並不將毛氏一家之說視為解《詩》的唯一權威，若其他解釋可通，輔廣亦存之不廢。作為朱子的及門弟子，輔廣閱讀、解釋經書，自然受到朱子的影響，尤其是用理學家之視域來解《詩》。我們發現，在八卷本的《詩童子問》中，輔廣的解經的方式與當時的學者相似，即善於說理，以指陳詩中的大意為主，至於名物訓詁、偏詞僻字的解說則為其次。輔廣對於毛、鄭之說的批評雖然不多，仍可見出他對毛、鄭二氏的基本態度，如云穿鑿、增字解經等。[27]另一方面，本著孔子「思無邪」之旨，反覆發明以闡

---

26 胡一中之語轉引自〔清〕朱彝尊：《經義考》（臺北：中央研究院中國文哲研究所，2004 年 12 月），第 4 冊，卷 108，頁 73。朱書同頁引王禕謂《詩童子問》：「其說多補朱《傳》之未備。」有關輔廣《詩童子問》的解《詩》方式、特質，及其在《詩經》學史上的意義，可參拙文〈輔廣《詩童子問》新論〉，《臺大中文學報》第 34 期（2010 年 6 月），頁 325-358。

27 此二處所言為針對鄭玄之訓解，見《詩童子問》，影印《文淵閣四庫全書》，第 74 冊，卷 4，頁 25b；卷 6，頁 11a。

揚《詩》說的楊簡，[28]從身為心學家又受學於陸九淵的學術思想背景，不難推知其說解經文的特質。楊簡重在詮解發揮《詩》文之大義，對他來說，訓詁的工作只是闡述經文的工具而已。從總體上來看，楊簡對於《毛詩》抱持質疑的態度，不僅認為《詩序》是東漢衛宏所作，連《毛詩》的傳承也加以懷疑。依其判斷，毛氏自云其學傳自子夏，而子夏在儒學的道統傳承裡，地位不高，《論語》中也暗示他是小人儒，作為子夏後學的毛公，所得自然亦非孔門之真傳，楊簡由此推知《毛詩》之說不必全然可信。[29]值得注意的是，輔、楊二氏的著作體式都屬通釋體，而通釋體與論說體的差別主要在於它必須面對 305篇每一詩文，無法作選擇性的論述。因此，直接面對字詞訓詁成了通釋體不可避免的課題。即使如此，輔、楊二氏仍只挑揀有問題，或具關鍵性的字詞來訓解。與毛、鄭不同的是，通釋體的訓解方式採取一種說明大義的方式，而不是仔細辨析字詞內涵，從聲音、字形上去追尋字意。因為只說明大義，所以往往有很多字詞的訓解釋產生了望文生義的弊病。如輔廣解〈周南‧芣苢〉「薄言采之」之「薄」為「少」：「薄，猶少略也。雖薄言采之，而采之多以至於袺與襭焉。」[30]此一「薄」字按照毛、鄭之解說，只是語辭，無意義，但輔廣無視於毛、鄭的舊解，只從表面上的意思去揣想「薄」字之意，其訓詁方式確實失之簡單。又如楊簡訓〈曹風‧蜉蝣〉「蜉蝣掘閱」之「掘

---

28 《四庫提要》以為《慈湖詩傳》「大要本孔子無邪之旨，反覆發明」。《四庫全書總目》，第 1 冊，頁 340。

29 詳《慈湖詩傳》，影印《文淵閣四庫全書》，第 73 冊，卷前，〈自序〉，頁 2b-3a；4b-5a；卷 1，頁 5a-5b。

30 《詩童子問》，卷 1，頁 9a。

閱」為：「蜉蝣掘糞土而出，覩陽明。閱有觀覯之義，喻群小
識見卑污之甚也。」楊簡對於「掘閱」的基本解釋與毛、鄭之
說相同，但所比喻者有異，[31]對於「閱」字的解釋有望文生義
之嫌。實則「閱」當讀為「穴」，是「穴」字的假借，而「掘」
為穿之義。因此，「掘閱」意為「穿穴」，指蜉蝣始生時，穿穴
而出的樣子，[32]和所謂群臣的識見卑污無關。從輔廣與楊簡解
《詩》的體式特點上，我們約略可以看出出輔、楊二氏與傳統
毛、鄭舊說不同的解釋取向，而這樣的情形，在戴溪的身上也
可以見到。

第三節　從互文性理論看影響
《續讀詩記》的因素

　　無論從戴溪之前，還是與戴溪相近的學者來論，《續讀詩
記》的詮釋方法都與新派的陣營較為接近，反而與堅守毛鄭舊
說的學者相異較大，呂祖謙就是最直接的一個對比。尊重《毛
傳》、鄭《箋》的訓詁成績，遵守《詩序》之解題，是呂氏讀
《詩》解《詩》的基本信念，[33]雖《讀詩記》偶亦有超出《序》

---

31 楊簡之說見《慈湖詩傳》，卷 10，頁 1a。《毛傳》：「掘閱，容閱也。」鄭《箋》：
　　「掘閱，掘地解閱，謂其始生時也。以解閱喻群臣朝夕變易衣服也。」
32 關於「掘閱」的解釋，見〔清〕馬瑞辰：《毛詩傳箋通釋》，卷 15，頁 436。
33 朱子甚至說：「人言何休為《公羊》忠臣，某嘗戲伯恭為毛、鄭之佞臣。」
　　《朱子語類》（臺北：華世出版社，1987 年 1 月），第 8 冊，卷 122，頁 2950。

說的創新之見，但如同研究者所言，「只是細枝末葉而已」，[34]守舊的成分甚為濃厚。反觀戴溪著書雖以《續讀詩記》為名，卻不僅避開了毛鄭的訓釋成果，對於《詩序》之說也是能修正則不確守。在此，我們還可以舉另一個時代相近的學者嚴粲（1197-？）來說明。嚴粲的《詩緝》乃南宋「舊派」《詩》說中的壓軸之作，[35]將《詩緝》歸入舊學一派中，筆者以為可從兩方面來解釋。首先是《詩緝》中帶有濃厚的傳統《詩》教觀，如堅持聖人的解釋觀點及對《詩序》「美刺」之說的繼承。其次是解《詩》方法上對毛、鄭舊說的重視及傳統解經方法的繼承，包括如以經解經、以傳解經的詮釋法。筆者曾舉《詩緝》中嚴粲針對毛、鄭之說的調停、辨析為例，藉此說明嚴粲的解《詩》特質，以為：毛說、鄭說作為最早的訓詁解經說法，一直為經學家所重視，但是毛、鄭二說難免有衝突之處，傳統的解經者面對此一情況，必須調解或辨析毛、鄭之說，這是他們必要的解經步驟，嚴粲也是如此。從這一點來看，嚴粲的經學

---

34 引文為趙制陽語，趙氏又云：「如〈邶風‧簡兮〉、〈鄘風‧柏舟〉、〈小雅‧祈父〉、〈白駒〉、〈黃鳥〉、〈我行其野〉、〈大雅‧文王有聲〉等篇，其否定《序》說，均言之有據。惟此類質疑之文，嫌其太少，不足以影響全局。」《詩經名著評介》第三集（臺北：萬卷樓圖書公司，1999年11月），頁216。

35 《四庫提要》將《詩緝》與《呂氏家塾讀詩記》相提並論，其評介《詩緝》云：「是書以呂祖謙《讀詩記》為主，而雜採諸說以發明之，舊說有未安者，則斷以己意。……深得詩人本意。至於音訓疑似、名物異同，考證尤為精核。宋代說《詩》之家，與呂祖謙書竝稱善本，其餘莫得而鼎立，良不誣矣。」《四庫全書總目》，第1冊，卷15，頁344。姚際恆（1647-1715）云：「嚴坦叔《詩緝》，其才長於詩，故其運辭宛轉曲折，能肖詩人之意；亦能時出別解。第總圍於《詩序》，間有齟齬而已。惜其識小而未及遠大，然自為宋人說《詩》第一。」《詩經通論》，《姚際恆著作集》（臺北：中央研究院中國文哲研究所，1994年6月），第1冊，頁7。案：《詩緝》採朱子之說最多，《提要》謂是書以呂祖謙《讀詩記》為主，非是。

家氣息更重，也更能凸顯他與當時治《詩》學者的不同，不以
主觀的意見解經，使用的是強調客觀、重視古說的解經法。所
以嚴氏可謂真正的「古之學者」。[36]因此，我們又從嚴粲的例子
中再次看到了戴溪與所謂「舊派」學者之間的差異。這種差異，
尤其是其與呂祖謙之間的的差異，和時代學術風尚有密切的關
係。從互文的角度來說，影響《續讀詩記》的因素，縱向軸的
傳統文本之說似乎頗為輕微。且不論早期的文本，就以呂氏《讀
詩記》作為比較，《續讀詩記》「承續」呂書的成份到底有多少，
已經讓人存疑，至少我們可以大膽地說，「承續」的內容遠低
於戴溪自己發明的內容。根據筆者所作的統計，《續讀詩記》
仍有 67.79％的比率與《詩序》之說相同，雖然，這個「同」
的背後卻有著「去除首句」的焦慮存在。相反的，橫向軸的因
素則在戴溪身上顯然可見，尤其從他面對毛、鄭舊說的態度，
及聯想增出的訓解方法，還有望文生義的直推訓詁，都與當時
代流行的學風相合。除了這些與新派學者相似之處，筆者以為
著作體式也是值得注意的面向。戴溪《續讀詩記》雖說是延續
《讀詩記》而來，但他選擇了與《讀詩記》完全不同的體式，
這就注定了兩書的解經取向必然有所差異。《詩經》的文獻體
式發展到宋代是一個高峰，宋代以前解《詩》的體式較固定，
基本上沿用傳、箋、注、疏的模式。但是宋代的學者勇於創新，
不再以傳統的解經模式為滿足，紛紛自創體例。從現有留存的
著作中，大約可以分為十餘種不同的體式。[37]從上舉戴溪之前

---

36 詳拙著《嚴粲詩緝新探》（臺北：文史哲出版社，2008 年 2 月），頁 66-67。
37 詳郝桂敏：《宋代詩經文獻研究》，頁 189-223。案：郝氏將宋代《詩經》主
　要著書體式分為集解體、集傳體、纂集體、總聞體、論說體、講章體、講義

的鄭樵、王質，到與他時代相近的嚴粲，彼此之間的著書體式都不同，也因此造成詮解結果的分歧。呂祖謙與嚴粲之作都屬集解體，所以對傳統注疏的成果保留較多，也採取尊重的態度。至於鄭樵則用論說的方式，針對有爭議的問題作辨析，顯現出其強烈的主觀性，且不必注意細部的字詞訓詁，甚至訓詁之說只是他在詮解《詩》文之路上的手段，並非目的，所以自然不再重要。王質甚至自創體例，總聞體表現出他解《詩》的雄心，欲以此一體式包攬三百篇所有的問題，可惜所得出的結果並不盡如人意。更重要的是，《詩序》之說與《毛傳》、鄭《箋》都在這種體式之下紛紛被王質刻意忽視。至於戴溪則採用了與呂祖謙不同的體式來解《詩》，他用近似於講章體而實為論說體的方式講述三百篇。作為講章體，戴氏為了向太子講解《詩經》的大義章旨，必須對繁瑣的詩詞名物訓詁作裁剪，甚至直接棄而不論，只作詩旨的發揮、聯想。戴書若要公開問世，他就必須對所有讀者負責，於是，面對千餘年前權威的《詩序》，以及當代的名著《讀詩記》，戴溪選擇另外一種詮釋策略，此一詮釋策略就表現在新的體式——論說體上面。雖然戴溪無法盡脫《詩序》與《讀詩記》的影響，有 67.79％的比率與舊說相同，但戴溪卻從詮釋的方法上掙脫《序》說的糾纏。所以筆者可以這樣說，《續讀詩記》中的「新」成分表現在其詮釋的方法、策略上，而不是內容。當然，著書的體式只是互文情境中橫向軸的一個項目，左右《續讀詩記》這一文本的形成，其因素很多，根據美國的喬納森‧卡勒（Culler, Jonathan D., 1944- ）

體、校勘體、圖解體九種，但書內所述，其實還包含通釋體、博物體、目錄體、輯佚體、音義體等五種。

對互文性的理解，解讀文本時有兩點需要注意的事項：一是文本與文本之間存在的可驗證的有機聯繫；二是文本與文本之外社會意指實踐活動的多方面關係：

> 互文性有雙重焦點。一方面，它喚起我們注意先前文本的重要性，它認為文本自主性是一個誤導的概念，一部作品之所以有意義，僅僅是因為某些東西先前就已被寫到了。然而就互文性強調可理解性、強調意義而言，它導致我們把先前的文本考慮為一種代碼的貢獻，這種代碼使意指作用（signifiliation）有各種不同的效果。這種互文性與其說是指一部作品與特定前文本的關係，不如說是指一部作品在一種文化與空間之中的參與，一個文本與各種語言或一種文化表意實踐之間的關係，以及該文本與為它表達出各種文化的種種可能性的那些文本之間的關係。因此，這樣的文本研究並非如同傳統看法所認為的那樣，是對來源和影響的研究；它的網撒的更大，它包括了無名話語的實踐，無法追溯來源的代碼，這些代碼使得後來文本的表意實踐成為可能。[38]

卡勒將「互文性」放大到了一個文本與文化之間的關係，於是文本與文化之間各種參與、實踐等互動滲透都成為研究互文的重要途徑。卡勒從符號的角度來詮釋互文，雖然不免將互文的範圍推拓至極大，但互文性閱讀理論與傳統重視文本來源、影響等考據學式的研究法之不同，在他那裡確實說得頗為明確。筆者雖非從文化的角度來說明戴溪《續讀詩記》的特點，

---

38 〔美〕喬納森・卡勒：《符號的追尋》，康奈爾大學出版社，1981 年，頁 103-104，轉引自黃念然：〈當代西方文論中的互文性理論〉，《外國文學研究》第 83 卷第 1 期（1999 年 3 月），頁 17。

但從橫向、共時的時代學術風尚來看，《續讀詩記》確實接受
了當時新學派解《詩》的方式，因而表現出與呂祖謙《讀詩記》
的內外差異。甚至，戴溪若不在書名上標示得如此直接，恐怕
無人會將之與《讀詩記》相提並論。

　　如果說橫向軸的文本——社會關係——重在說明文本形
成的過程，那麼重視讀者（詮釋者）的作用，便是互文性觀點
強調的讀者接受，以及對文本意義的理解。這種論點和解構主
義（deconstructivism）的文本觀有絕對的關係。解構的互文觀
念突出了讀者在溝通文本間及文本與社會關聯過程中的重要
性，文本潛在意義能否釋放就在於讀者本身語言能力和文學能
力如何，讀者成了理解文本的關鍵。他們將文本視為一種開放
的空間而不是獨白（monologue），「在文本之上的讀者和作者，
一種社會、歷史與另一種社會、歷史，現象文本與生產文本進
行對話，創造出新的文本，使文本多聲化。」[39]這個觀念和德
國詮釋學（hermeneutics）大師加達默爾（Gadamer, Hans-Georg,
1900-2002）從對話的關係論理解的重要性極為相似：「流傳物
並不只是一種我們通過經驗所認識和支配的事件，而是語言。
也就是說，流傳物像一個『你』那樣自行講話。一個『你』不
是對象，而是與我們發生關係……流傳物是一個真正的交往伙
伴，我們與它的伙伴關係，正如我和你的關係。」[40]這種「我」
與「你」的關係就是一種交流和對話關係，這也決定了意義必

39　〔日〕西川直子著，王青等譯：《克里斯托娃：多元邏輯》（石家莊：河北教
　　育出版社，2002年1月），頁358-359。
40　〔德〕加達默爾著，洪漢鼎譯：《真理與方法》（上海：上海譯文出版社，2004
　　年7月），上卷，頁136。

然是動態變化的。作為一個《毛詩》讀者，戴溪顯然忠誠度不夠，所謂「忠誠」意指他對於傳統舊說的遵從，戴氏對於《毛傳》、鄭《箋》並不重視，其解題與《詩序》相比，也有約 32％的相異程度。不過，戴溪雖然不算是《毛詩》的忠實讀者，卻可能是一個「稱職」的讀者。對於《詩序》而言，戴溪最引人注目的不是他對詩旨的創新之說，而是他對《詩序》的解放。戴溪面對《詩序》，作出的是減少美刺、去除特定時代背景、人物的刻板之說，由此可以見出他勇於自立的態度。另外，在解說詩文的過程中，他所表現出的主觀性之強烈，也讓人印象深刻。雖然有許多訓解犯了望文生義、聯想增出的毛病，但是就一個讀者接受的角度而言，戴溪無疑是一個角色鮮明的創造者，他在文本的叢林裡走出屬於他自己的路，不重蹈前人所留下的足跡，勇往直前。

第四節　結　語

　　文本不是一個自足的封閉實體的傳統，根據互文性概念，任何文本都受到讀者已經閱讀的其他文本及讀者自身的文化背景影響，每個文本都存在於與其他文本的關係之中，多種文本可以視為一個互聯網，文本總是與某個或某些前文本（pre-text）有所交織，所以我們在這裡未必要指出戴溪的《續讀詩記》究竟是受到哪一特定文本的直接影響，而是要檢驗出戴書與哪一或哪些前文本糾纏在一起，包括吸收與破壞。

　　透過互文向度，《續讀詩記》的讀者可以看到創作主體—

—戴溪——在身份上的二重性，一方面他是《續讀詩記》的創造者，另一方面他同時又是三百篇的讀者。這種二重性在戴溪身上同時存在，又相互作用。作為一個讀者，戴溪所處的社會歷史環境、他的個人經歷以及閱讀過的文本不可能與三百篇的作者完全一致，因此，在讀者的互文性語境下，詩篇意旨往往能得到新的闡釋。作為一個作者，當戴溪看到前輩諸人對於三百篇的詮釋成果已如此豐碩，自己似乎無法再作出截然不同的詮解，於是在面對呂祖謙《讀詩記》這樣的稱譽士林的經典之作時，他採取了與《讀詩記》完全不同的策略，接受當時學術界流行的風尚，以新的治學觀點與詮釋方法解《詩》，得出了與《讀詩記》風貌迥異的續作。

從互文性的觀點來審視《續讀詩記》，我們看到了影響戴溪的釋義因素不少，而這其中共時性的文化背景、宋代特有的學術風氣尤其明顯。相較之下，綜貫軸的《詩經》文化背景，那些從西漢時期的釋義成果，一路下來直到宋代呂祖謙的《讀詩記》，千餘年來的傳統資產，並沒有被戴溪在詮釋的路途中所倚重。不過，假若我們因此而將戴溪歸入宋代「新派」的說《詩》陣營中，也難免讓人不安，因為《續讀詩記》依然是以探索詩中蘊藏的聖人深意為依歸，不以字詞訓詁為務；固然修正了《詩序》的局部論調，卻又有近七成的詩篇解讀向《序》說靠攏；由此可見，戴溪在新舊兩派中遊走，《續讀詩記》的解詩過程與精神有新化的傾向，解詩心態與結果又純屬「舊派」產物。因此，當我們判定《續讀詩記》是「新派」著作時，必須補一句「新中帶舊」；而當我們判定它是「舊派」著作時，又必須補一句「舊中帶新」。唯有如此，才能合乎歷史事實。

第五章　呂祖謙《讀詩記》與戴溪《續讀詩記》之比較研究

第一節　前　言

　　《詩經》學發展至宋代呈現出前所未有的一片榮景，從收錄宋代經學最齊全的朱彝尊《經義考》中，《詩》類便佔了一百八十三種，一千八百餘卷便可略知其昌盛。[1]到了南宋，對於三百篇的本質與詮釋出現了極具爭議性的不同看法，《詩序》就是這一段期間學者所爭辯的重心之一，於是研究者紛紛以守（存、尊）《序》、廢（反）《序》之爭來標示這一時代的解《詩》兩大取向。

1　《經義考》所著錄之宋代《詩經》學著述都凡 183 種，其中不知姓名者 14
　　部，由下列有作者可考的著作未收於《經義考》中即可知道，實際上宋人的
　　《詩經》學著作絕對比朱彝尊《經義考》所收錄的 183 種還要多：毛居正之
　　《毛詩正誤》、章如愚之《新刻山堂詩考》、袁燮之《絜齋毛詩經筵講義》、李
　　公凱之《東萊毛詩句解》、楊甲之《毛詩正變指南圖》、陳植之《潛室陳先生
　　木鍾集詩》。此外，南宋末年劉克說：「近世之解經者，盛於前古。一經之說，
　　多至數百家。」〔宋〕劉克：《詩說》，《續修四庫全書》（上海：上海古籍出版
　　社，2002 年 3 月），經部，第 57 冊，頁 3，〈總說〉。《詩說》完成於紹定壬辰
　　年（1232），距離南宋滅亡之時還有四十餘年，宋代《詩經》學著述之盛由此
　　可見一斑。

呂祖謙（1137-1181）的《呂氏家塾讀詩記》（以下視情況得簡稱《讀詩記》）與戴溪的《續呂氏家塾讀詩記》（以下視情況得簡稱《續讀詩記》）被歸在維護傳統《詩序》的陣營中，呂氏的《讀詩記》一直以來更被當作存《序》派的代表著作，也吸引了大部分研究者的目光。相較於呂祖謙，戴溪（開禧年間〔1205-1208〕擔任太子詹事兼祕書監）的《續讀詩記》雖同為尊《序》一派，受到重視的程度顯然偏低。比較耐人尋味的是，何以戴溪的解《詩》之作要以「續」呂氏的《讀詩記》為名？以最早的批評為例，陳振孫（1183-1261）說：「其書出於呂氏之後，謂呂氏於字訓章已悉，而篇意未貫，故以『續記』為名。其實自述己意，亦多不用〈小序〉。」此一說法也為四庫館臣所採用；[2] 就書名觀之，戴溪作《續讀詩記》的目的應該是在補充或加強呂祖謙《讀詩記》對於詩旨解釋不足的地方，而這些補充、延伸的說法又有不少是戴溪自己的意見，與呂氏不同，所以陳振孫才會說此書「自述己意，亦多不用〈小序〉」。假若陳振孫的說法是對的，《續讀詩記》與呂書差異不小，而清儒周中孚（1768-1831）卻說其書「與呂氏宗旨小異」，[3] 可見後來學者對兩書異同性的看法並不一致。當然，戴溪的書以「續」《讀詩記》為名，自有其用意，但其用意為何？表現在

---

2 〔宋〕陳振孫：《直齋書錄解題》（臺北：廣文書局，1979 年 5 月），上冊，頁 101。《四庫提要》云：「溪以《呂氏家塾讀詩記》取《毛傳》為宗，折衷眾說，於名物訓詁最為詳悉，而篇內微旨，詞外寄託，或有未貫，乃作此書以補之，故以『續記』為名；實則自述己意，非盡墨守祖謙之說也。」《四庫全書總目》（臺北：藝文印書館，1974 年 10 月），第 1 冊，卷 15，頁 25b。

3 周中孚基本上沿用陳振孫的說法，特將最末一句「亦多不用〈小序〉」改為「與呂氏宗旨小異」，見〔清〕周中孚：《鄭堂讀書記》（臺北：臺灣商務印書館，1978 年 8 月），第 1 冊，卷 8，頁 134。

哪些方面？以及這種續作的情形在當時的學術環境中又存在著什麼樣的意義？這些都是值得觀察、研究的課題。

第二節　呂戴兩書著作體例的差異

從著作的體例來說，呂祖謙的《讀詩記》屬於集解體，是一部完整的《毛詩》讀本，各篇皆蒐集諸家之說以為解，這是魏晉以來廣為使用的一種解經方式。[4]蒐集眾解的目的在於發明文意，並不僅止於纂輯資料，呂祖謙的《讀詩記》就是現存可見宋代集解體《詩經》讀本的代表。《讀詩記》的體例很一致，先將《詩序》原文謄寫在前，下列後人的解說，從東漢鄭玄到南宋時人都有，若有自己的意見，則寫在最後面。在《詩序》之後則是分章抄寫經文，對經文中生難字詞作反切，並引諸家之說，其中以毛、鄭二家的訓解最受重視，有時也會總結每一章詩文大意，最末則以某詩幾章幾句為結。所以陸鈗為呂書作〈序〉云：「其書宗毛氏以立訓，考註疏以纂言。剪綴諸家，如出一手，有司馬子長貫穿之巧……。」陳振孫也說呂氏：「博

4　馮浩菲：「集解體是東漢以下廣為使用的一種訓詁體式，主要有三類，一為集眾說以作解。……如魏時何晏《論語集解》、宋時裴駰《史記集解》、唐李鼎祚《周易集解》、代呂祖謙《呂氏家塾讀詩記》……。」詳《中國訓詁學》（濟南：山東大學出版社，2003 年 3 月），頁 95-96。案：本文原寄《中國文哲研究集刊》，初稿原以馮氏之語為據，以為集解體著作在東漢末以來廣為使用，某一審查人表示，「就目前所能看到之東漢解經之作，較接近集解體式的是鄭玄的《周禮注》，但鄭玄卻不以『集解』名之；且鄭玄是東漢末年時人，其去世更在曹操、袁紹官渡大戰前夕。」筆者接受此論點，論文正式發表時，即將「東漢以來」改為「魏晉以來」，特在此作一說明。

采諸家，存其名氏，先列訓詁，後陳文義，剪截貫穿，如出一
手。己意有所發明，則別出之。」[5]根據後人的統計，呂氏《讀
詩記》所參引的古今人物之說極多，高達古今人 44 家，古今
書 41 種，[6]由此可見《讀詩記》廣蒐博採的程度，但用上的資
料雖多，卻也反襯出呂氏個人的意見太少，呂祖謙常常在引用
諸家說法之後隨即劃上句號，或者僅簡單地提點其中文意。如
同書名「呂氏家塾讀詩記」所揭示的，這一本書是呂祖謙用來
教授子弟的基礎性教材，以此引導那些初入門的學子理解三百
篇，所以在卷前羅列諸家名氏，[7]以利學子查考。也因為這樣的
著書動機、目的，限制了《讀詩記》的寫作方式，再加上集解
體式的運用，使得呂祖謙無法盡情地表達自己的意見。

　　戴溪《續呂氏讀詩記》的體式接近講章體，但實質上可以
將之歸為論說體。《宋史‧儒林傳》云：「景獻太子命溪講《中
庸》、《大學》，溪辭以講讀非詹事職，懼侵官。太子曰：『講退
便服說書，非公禮，毋嫌也。』復命類《易》、《詩》、《書》、《春

---

5 陸釴之說見《呂氏家塾讀詩記》，影印《文淵閣四庫全書》（臺北：臺灣商務
　印書館，1983 年 8 月），第 73 冊，卷前，原序頁 1a。陳振孫之說見《直齋書
　錄解題》，上冊，卷 2，頁 15b-16a。案：《四部叢刊續編》本《讀詩記》無陸
　氏序。又，本文引《呂氏家塾讀詩記》，以《四部叢刊續編》本（中國詩經學
　會編：《詩經要籍集成》第 6、7 冊〔北京：學苑出版社，2002 年 12 月〕）為
　主，以下註解若未標明版本，即為此本。
6 陸侃如：「呂氏此書是集注體裁，共引古今人 44 家，古今書 41 種，取其長而
　棄其短，很可供初學的參考。」詳〈詩經參考書提要〉，《陸侃如古典文學論
　文集》（上海：上海古籍出版社，1987 年 1 月），頁 220-221。
7 影印《文淵閣四庫全書》本《讀詩記》卷前特別列出從毛氏、鄭氏、孔氏到
　南軒張氏、晦庵朱氏等共 44 家，另外，毛氏應為毛亨，孔氏應為孔穎達，表
　誤標為毛萇、孔安國。案：《四部叢刊續編》本無此姓氏表。

秋》、《論語》、《孟子》、《資治通鑑》，各為說以進。」[8]今人戴維便以這一段文字記載推導出戴溪書寫《續讀詩記》的可能背景，那就是此書和太子命令戴溪為之講授傳統經籍（講讀）有關，戴維表示《續讀詩記》「也許就是這種類《詩》以進的結果，或是在此基礎上的加工，但已不能確定」[9]。設若此說為真，筆者還可以進一步推測，戴溪當初在為太子講授三百篇時，可能選擇了當時流傳最廣的呂祖謙《讀詩記》作為底本，在講授的過程中酌以己見加入呂書之中，其後自己所續補之作，就以「續」呂氏之書為名，單獨成書。不過，我們不妨說得單純一些，從《續讀詩記》與《讀詩記》之間書名的關係來看，戴溪的用心之一就在於對呂書的模仿、補充、修訂，或者是借鏡。然而一旦我們從兩書的實際內容來分析，立刻就會驚訝地發現，《續讀詩記》與《讀詩記》之間的差異其實比相同或相似之處還多，而這些相異的部分主要正是最具關鍵性的詩旨判讀，我們應該如何看待這些現象？這些相異之處所代表的意涵為何？釐清這些問題有助於我們確認戴書與呂書之間的關係，更有助於我們瞭解《續讀詩記》在《詩經》學史上的定位。

　　前云戴溪的《續讀詩記》近似講章體，所謂講章體是為古代帝王、太子講讀經書而產生的一種特殊體式。按照學者的理解，講章體的特點是將講經同勸戒皇帝連繫起來，所以在講解時常常同當時的時勢政治結合。這一體式的《詩經》讀本，多不抄原詩，只錄詩名，不以詞義訓詁為務，詞句的講解主要也

---

8 〔元〕脫脫等：《宋史》（北京：中華書局，1977 年 11 月），第 37 冊，卷 434，頁 12895。

9 戴維：《詩經研究史》（長沙：湖南教育出版社，2001 年 9 月），頁 349。

是為詩義的理解而服務的。每篇議論之前以「臣聞」、「臣竊聞」、「臣竊謂」的字樣發語。[10]筆者說戴溪此書「較接近」講章體的原因在於《續讀詩記》的寫作方式與上述學者對講章體的介述有相似也有相異之處。相似的是《續讀詩記》不抄原詩，只錄詩名，對於詞義的訓詁並不積極，即使有訓釋也多半是為詩旨的講解來服務的。相異的是，《續讀詩記》並沒有以「臣聞」、「臣竊聞」、「臣竊謂」的字樣發語，內容也未能與當時的時勢政治結合，至於勸戒太子的言語更是少見。由此觀之，今本《續讀詩記》應該是戴溪當年為太子講授《詩經》的講本之改訂本。由於內容的變動，使得我們現在不易精確地將《續讀詩記》歸入某一類的體式中，只能說，此書由原先的講章體轉換成了論說體。

　　體式的選擇與設計牽涉到了解經取向的不同，絕非僅是形式上的差異而已（詳後）。就以對於字詞名物的訓解來說，《讀詩記》每篇都必須謹慎處理這一部分，甚至這可說是全書最重要的書寫內容，如前所言，為了教導子弟入門，呂氏特別參引諸家之說以備參稽。至於《續讀詩記》在這一部分則是持輕忽的態度，不只是訓釋的內容極少，而且戴溪的訓解過程中也暴露出其粗率、簡易的態度。以〈邶風・新臺〉為例，戴溪云：

　　〈新臺〉，國人作也。「有泚」、「有洒」言新臺之有愧色也。籧篨之疾不能俯，言宣公作新臺以要伋妻，其未至也仰而望之。不鮮者，言其望之甚多；不殄者，言其望之不絕也。戚施

10　郝桂敏：《宋代詩經文獻研究》（北京：中國社會科學出版社，2006 年 2 月），頁 219-220。

之疾不能仰，言伋妻既得，俯首下心而不復望矣。[11]

　　此處的解釋顯得極為疏略，依據《毛傳》的解釋，「有泚」、「有洒」二詞為新臺鮮明貌、高峻貌，與有無愧色無關。其次，「籧篨」一詞，戴溪表面上用毛公之解，實際上卻自創新說，與鄭玄、孔穎達之意都不相同。[12]事實上，戴溪本就不重視生難、艱澀字詞的訓解，他往往借用前人已有的訓解（特別是毛、鄭之說），但卻又望文生義地以自己的理解來詮解詩詞，得出讓人不易接受的結果。同樣面對〈新臺〉，呂祖謙用了毛公之說四處，孔氏之說二處，《爾雅》、《說文》、《釋文》及曾氏之說各一處。[13]僅從所引用的舊說便可知呂祖謙對於傳統訓詁成果的重視，以及他引導讀者接觸傳統訓解的作法。相反地，戴溪並不重視詩文字詞的解釋，而是將重心放在對整篇詩旨的理解，所以才會發生如同上舉粗率而明顯的過失。對於詩文字詞的訓解，筆者將於下節中作更詳細的說明，然而僅由此例就可以讓我們想到孫詒讓的評介《續讀詩記》：「其書雖云賡續《呂

11　〔宋〕戴溪：《續呂氏家塾讀詩記》，影印《文淵閣四庫全書》，第73冊，卷1，頁16b。

12　鄭《箋》云：「鮮，善也。伋之妻，齊女，來嫁於衛。其心本求燕婉之人，謂伋也，反得籧篨不善，謂宣公也。籧篨口柔，常觀人顏色而為之辭，故不能俯也。」孔《疏》：「籧篨、戚施本人疾之名，……。但人口柔者必仰面觀人之顏色而為辭，似籧篨不能俯之人，因名口柔者為籧篨。面柔者必低首下人，媚以容色，似戚施之人，因名面柔者為戚施。故《箋》云：『籧篨口柔……故不能俯。』戚施面柔，下人以色，故不能仰也。時宣公為此二者，故惡而比之，非宣公實有二病，故《箋》申《傳》意，以為口柔、面柔也。」〔漢〕毛亨傳，〔漢〕鄭玄箋，〔唐〕孔穎達疏：《毛詩正義》（臺北：藝文印書館，1976年5月），卷2之3，頁106。

13　詳《呂氏家塾讀詩記》，卷4，頁39a-40a。

記》，然體例與彼迥異，逐篇各自為說，不復臚列舊訓。」[14]不再臚列舊訓便省去許多訓解的麻煩，而戴溪也利用這些多出來的空間來處理發揮詩旨、闡釋詩意的工作。

第三節　呂戴二人對詩旨理解的差異

宋代《詩經》學中的「舊派」人物，相較於對立面的學者，對於《詩序》仍保有相當程度上的尊重，當然，新舊兩陣營中的著作，其擁《序》、反《序》之程度仍有所不同。呂祖謙與朱子同為南宋前期極具影響力的講學人物，[15]後者被視為「新派」說《詩》的大家，呂氏則屬於宋代《詩經》學中的著名「舊派」人物，戴溪著書既然標榜承續呂書而來，那麼考察呂戴二人對於《詩》旨的理解差距，即可較量出雙方在本質上、精神上的異同。

一、從統計數字而言

如陳振孫與四庫館臣所說，戴溪此書雖以「續」呂氏的《讀

---

14 〔清〕孫詒讓：《溫州經籍志》，《續修四庫全書》（上海：上海古籍出版社，2002 年 3 月），第 918 冊，卷 2，頁 167：32b。

15 陳亮：「乾道間，東萊呂伯恭、新安朱元晦及荊州，鼎立為一世學者宗師。」「紹興辛巳、壬午之間……道德性命之學亦漸開矣。又四、五年，廣漢張栻敬夫、東萊呂祖謙伯恭，相與上下其論，而皆有列於朝。新安朱熹元晦講之武夷，而強立不反，其說遂以行而不可遏止……。」分見〔宋〕陳亮：《龍川集》，影印《文淵閣四庫全書》，第 1171 冊，卷 21，頁 9a-9b；卷 28，頁 18b-19a。案：影印《文淵閣四庫全書》本張栻誤作張拭，茲改。

詩記》為名，但實際上多抒發己意，對於呂祖謙的說法繼承的
並不多，只有周中孚說戴溪此書「與呂氏宗旨小異」。到底真
相為何？是《續讀詩記》僅沿用《讀詩記》之名，欲以此使己
書見重於世，實質上多自抒己見，可以與《讀詩記》徹底脫鉤，
還是其書確實旨在延續、推廣呂氏之說，彼此之間關係密切，
對於各詩主題的理解相異程度不大？根據筆者所作的統計，可
以解決這個疑問。以呂祖謙的《讀詩記》為例，研究者將他歸
入守舊尊《序》一派是有道理的。在面對 305 篇詩文時，呂祖
謙解說與《詩序》相異的共有 31 篇，而在這篇中仔細區分又
可得出四種情形：與《詩序》大同小異的 21 篇（含不錄〈續
序〉之四篇）、大異小同的 4 篇、完全相異的 2 篇，以及闕疑
的 4 篇（含質疑〈序〉說，未立新解的一篇）（參見「附表一」）。
在這些與《序》相異的篇章中，可以見出呂祖謙主要是針對〈小
序〉第二句以下（可稱為〈續序〉、〈後序〉）的文字有所質疑。
他肯定〈小序〉首句（可稱為〈古序〉、〈前序〉或〈首序〉）
的詮釋，而認為〈續序〉多半是後來的講師因為看到〈首序〉
而添加、附益的，而這些講師之徒大概是衛宏等輩。[16]在《讀
詩記・大小序》條例中，呂祖謙便清楚地告訴後人其對於《詩
序》的態度，他引用了程氏的說法，以為《詩序》是學《詩》
必經之門戶，學《詩》當於〈大序〉中求。〈大序〉為國史所

---

16 呂祖謙：「三百篇之義，首句當時所作，或國史得詩之時，載其事以示後人，
其下則說《詩》者之辭也。說《詩》者非一人，其時先後亦不同。以《毛傳》
考之，有毛氏已見其說者，時在先也。有毛氏不見其說者，時在後也。……
《毛傳》止曰鳲鳩不自為巢，居鵲之成巢，未嘗言鳲鳩之德，然則鵲巢之義
有毛公所不見者也。意者後之為毛學者如衛宏之徒附益之耳。」《呂氏家塾
讀詩記》，卷 3，頁 1b-2a。

作,〈小序〉則有後人添入者。更用蘇轍之說,以為《序》言
「時有反覆煩重,類非一人之辭」。[17]以〈鵲巢〉為例,他說:

〈鵲巢〉之義,其末曰德如鳲鳩,乃可以配焉。……《毛
傳》尚簡,義之已明者,固不重出;義之未明者,亦必申言。
如〈鳲鳩〉之義雖刺不一,而其旨未明,故《傳》必言鳲鳩之
養其子平均如一,以訓釋之。今〈鵲巢〉之義止云德如鳲鳩,
而未知鳩之德若何,使毛公果見此語,《傳》豈應略不及之乎?
詩人本取鳩居鵲巢以比夫人坐享成業。蓋非有婦德者,殆無以
堪之也。若又考鳲鳩之情性以比其德,詩中固亦包此意,但是
說出於毛公之後,決無可疑也。[18]

呂氏以《毛傳》的訓解習慣推論〈鵲巢〉之《序》文有誤,
而這些有誤的文字應該出自於後代的講師之輩所添加。這些添
附之詞有些有跡可循,有些則不知所從來。〈周南・葛覃〉、〈鄭
風・野有蔓草〉、〈齊風・東方未明〉、〈小雅・絲蠻〉、〈大雅・
旱麓〉、〈靈臺〉、〈行葦〉、〈既醉〉等都是如此(見附表一)。
對呂祖謙而言,《詩序》乃是學《詩》的入門之鑰,〈大序〉尤
應尊重,萬萬不可隨意拋棄。至於〈小序〉的敘述就應該加以
區分,首句是聖人之語,至於第二句以下,部分為後世講師所
附益,作為讀者,面對〈續序〉應當仔細甄別,不可隨便聽從
引用。雖然呂氏抱持如此謹慎的態度看待《詩序》,但他實際
上所表現出來的結果卻是超過百分之九十五的比率是遵守

---

17 在以大字引用程氏之說後,呂祖謙又用了張氏之說:「《詩序》亦有後人添入
   者,則極淺近,自可辨。」又引《釋文》沈重之語、《隋書・經籍志》等傳
   統之說,見《呂氏家塾讀詩記》,卷1,頁16b。
18 《讀詩記》,卷3,頁2a-2b。

《序》說的。其中，完全與《詩序》同義的有274篇，比率高達89.83％。若加上21篇大同小異的部份，則更有96.72％的超高比率，可見呂氏《讀詩記》被劃入尊《序》一派陣營完全合乎事實。

　　戴溪對於《詩序》之說也是多數同意的，這一點與呂祖謙相似，只是他的同意與呂祖謙又不一樣，這種不一樣表現在底下幾方面。我們同樣用「完全相同」（以A表示）、「大同小異」（以B表示）、「大異小同」（以C表示）、「完全相異」（以D表示）、「闕疑」（以E表示）的方式來統計《續讀詩記》的表現，看看其結果如何。根據附表二的統計：《續讀詩記》之說與《詩序》完全相同的篇數有103；大同小異的有84篇；大異小同的有54篇；完全相異的有32篇；闕疑的有2篇，亡佚的有30篇。如果扣除已經亡佚的篇目，則《續讀詩記》與《詩序》完全相同的比率為37.45％；大同小異的比率為30.54％；大異小同的比率為19.63％；完全相異的比率為11.63％。若將A、B兩類視為大體上與《詩序》說同，C、D兩類視為大體上與《詩序》之說異，則其比率又各自為67.79％與31.26％。單獨來看戴溪說《詩》與《詩序》的同異程度，可知他大體上還算尊重《序》說，但和呂祖謙《讀詩記》相比，其擁《序》的程度遠不及呂氏，只要看呂祖謙完全支持《序》說（A）的比率高達89.83％，而戴溪只有37.45％，兩者相差了52.38個百分點，就可知呂祖謙的尊重傳統，是戴氏無法「延續」的。當然，呂祖謙的解釋與《序》大同小異（B）的比率只有6.8％，而戴溪卻有30.65％，兩者相差23.85個百分點，將此數據也納入考量，96.72％與67.79％的尊《序》比率仍有不算小的差距，

因此，假設我們以為呂祖謙與戴溪二人都是尊《序》的「舊派」人物，那麼實際上二人尊《序》的過程與結果仍然大不相同，戴溪擁護《詩序》的程度是遠不如呂氏那樣強烈的。

若從解詩與《序》說相異的部分來看，則兩者之間的不同就更明顯了。以呂祖謙來說，《讀詩記》裡表現出和《序》說大異小同（C）的篇章只有 4 篇，完全相異（D）的更只剩 2 篇，其比率極低，分別為 1.31％與 0.65％。至於戴溪，雖然反對《詩序》的篇章也不多，但總體上大異小同的仍有 54 篇（19.63％），完全相異的有 32 篇（11.63％）。透過統計出來的數據，我們可以肯定地說，戴溪的《續讀詩記》較諸呂氏的《讀詩記》，絕非如周中孚所說的「與呂氏宗旨小異」，其差異其實是極大的。

二、從實際解詩的內容而言

就實際上對《詩序》的議評而言，戴溪與呂祖謙之間的差異也明顯可見。《續讀詩記》因為是從《永樂大典》中綴輯而成，無法窺其全貌，但今存之卷帙與原本內容相較尚留有十之七八，[19]要瞭解戴溪的《詩經》學內涵已經足夠。

---

19 孫詒讓：「岷隱《續讀詩記》最為黃東發所推，明以來久無傳本，乾隆間始從《永樂大典》輯出。〈國風〉缺十二篇，〈小雅〉缺十篇，〈大雅〉缺五篇，〈三頌〉缺四篇，若〈摽有梅〉、〈無衣〉諸篇之說見於《黃氏日鈔》者，《大典》並缺。」《溫州經籍志》，卷 2，頁 167：32b。案：孫氏之說與筆者統計小有出入，《永樂大典》原缺《國風》十三篇，其餘〈雅〉、〈頌〉篇帙與孫氏說相同。今本《續讀詩記》據《黃氏日鈔》補進〈摽有梅〉與〈無衣〉，故〈國風〉僅缺十一篇。

今本《續讀詩記》中並沒有如《讀詩記》一般，在書前專立一卷類似〈綱領〉、〈自序〉之文，以說明作者對於三百篇的背景、性質等基本問題的見解，因此我們必須從戴溪實際解詩的過程中，推知他對《詩序》的態度。就支持《序》說的言論來說，戴溪很少用直接而正面的語言來維護《序》說，全書中唯一可以找到的論述只有一條，即論〈秦風・渭陽〉時說：「序詩者稱其念母，原其意也。其形容康公之意最詳，以為即位而作詩，當有所本。」[20]沒有人會僅憑這一條就開始針對戴溪對《詩序》的基本立場進行臆測，畢竟從大體上來說，戴氏認同《詩序》的比率高於反對《序》說。不過，假若我們從相對的角度來看待此一問題，將他反對與肯定《詩序》的言論來互相比較，此時我們可以知道，戴溪面對這千餘年來的權威之說似乎頗有意見，且這些意見都表達地相當直截。也就是說，戴溪面對《詩序》，認同的部分是默默接受，反對的部分不僅要出以己見，也不忘批評《序》說之非是。

就《續讀詩記》中出現反對或批評《詩序》的言論來看，戴溪最常用方式就是直接點出詩文中並無《詩序》所說的那些內容，即詩中無某意。我們不妨再度以〈召南・鵲巢〉為例，《序》云：「夫人之德也。國君積行累功，以致爵位，夫人起家而居有之。德如鳲鳩，乃可以配焉。」戴溪說：「〈鵲巢〉為諸侯夫人作也，不必有主名。當時諸侯婚姻以禮被文王之化者多矣，鵲營巢而鳩居之，取其享已成之業，非謂其德如鳩也。」[21]戴溪的批評顯然是針對〈續序〉中「德如鳲鳩」一段話而發，

---

20 《續讀詩記》，卷 1，頁 49b。
21 《續讀詩記》，卷 1，頁 5b。

而同樣面對這些話，呂祖謙雖然也有所批評，以為出自後世講師之徒，卻又說：「又考鳲鳩之情性以比其德，詩中固亦包此意，但是說出於毛公之後，決無可疑也。」[22]（詳見前引）由此可見呂氏雖然以為「德如鳲鳩」之說非聖人之言，卻也同意詩中本亦包含此意，非如戴溪那麼直截而明確地推翻《序》說。

類似這種直接指出《序》非的文字，在《續讀詩記》中還有十四處，[23]而戴溪駁斥《詩序》的方法是扣緊詩文本身。如〈王風・大車〉之《序》云：「刺周大夫也。禮義陵遲，男女淫奔，故陳古以刺今。大夫不能聽男女之訟焉。」戴溪則直云「是詩不見有傷今思古之意」。[24]〈陳風・衡門〉之《序》云：「誘僖公也。愿而無立志，故作是詩以誘掖其君也。」戴溪則說：「非謂其君愿而無立志也。使其君自安於固陋不務其大者遠者，豈足以強其志乎？觀其詩詞，陳之君必狹小其國，以為不足為也而遂怠焉，故從而誘掖之，使自強於善也。」[25]對於〈小雅・鹿鳴〉之《序》，戴溪更直言：「詩辭止言嘉賓，序《詩》者增言群臣，失文王賓友群臣之意矣。」[26]說〈周頌・雝〉：「序《詩》者以為禘太祖，然攷其詩辭，始言皇祖，繼言烈考，殊

---

22 《呂氏家塾讀詩記》，卷3，頁2b。
23 分見〈邶風・北門〉，《續讀詩記》，卷1，頁15a-15b；〈衛風・芃蘭〉，卷1，頁23b-24a；〈王風・大車〉，卷1，頁27b-28a；〈鄭風・女曰雞鳴〉，卷1，頁30b-31a；〈風雨〉，卷1，頁33a；〈陳風・衡門〉，卷1，頁51a；〈墓門〉，卷1，頁52a；〈小雅・鹿鳴〉，卷2，頁1a-1b；〈采綠〉，卷2，頁45b-46a；〈周頌・天作〉，卷3，頁31a-31b；〈昊天有成命〉，卷3，頁31b-32a；〈雝〉，卷3，頁34b-35a；〈敬之〉，卷3，頁37a-37b；〈魯頌・閟宮〉，卷3，頁41b-42a。
24 《續讀詩記》，卷1，頁27b-28a。
25 《續讀詩記》，卷1，頁51a。
26 《續讀詩記》，卷2，頁1a。

不及太祖，恐于意未然。」[27]說〈敬之〉：「序《詩》者以為群臣進戒，詳觀詩辭似非也。……疑成王求助於群臣而歌是詩也。」[28]由這些文字裡，我們可以看出戴溪對於《詩序》的話並非絕對地信從，而是以詩文為準，然後驗證《序》說，絕非先將《序》文視為唯一的解釋權威，這一點和呂祖謙有極大的不同。更何況，以上所舉之例，都是戴溪對於〈首序〉的質疑，而這些正是呂祖謙最尊重的傳統解題。

對呂祖謙而言，《詩序》首句和第二句以下，其意義大不相同。這大概和他接受了程顥、蘇轍的說法有關。無疑的，呂祖謙對於《詩序》首句的堅持遠勝於〈續序〉，故《讀詩記》中罕見針對〈首序〉進行強烈的質疑（詳「附表一」），[29]然而對於〈續序〉，呂氏也知所責難。將這種情形與戴溪對照參看，我們會立即發現戴溪似乎並沒有呂氏這種堅持，也可以說，他沒有一種固定的《詩序》觀。戴氏甚至還常常直接拋棄《詩序》首句之言，去除其中特有的美刺，或者其所標明的歷史時代、人物等固定之時空背景，而採用一種比較寬廣的視野去詮釋詩文。筆者將戴溪說詩與《詩序》相異的幾種類型作一簡單的整理，發現戴溪去除美刺之說，主要是以三種類型為主：去除「刺」

---

27 《續讀詩記》，卷3，頁34b。

28 《續讀詩記》，卷3，頁37a。

29 杜海軍以為呂祖謙雖然尊重《詩序》之說，尤其是首句，但並非每一首都無批評置疑之辭。他舉〈召南‧摽有梅〉與〈采蘋〉二詩為例，說明呂祖謙對《詩序》有獨立思考的能力，並總結地說：「與其說呂祖謙尊《序》，毋寧說呂祖謙對《序》堅持了獨立思考。」〈呂祖謙的詩學觀〉，《浙江社會科學》，2005年第5期，頁136-137。不過，筆者從《讀詩記》對於此二詩的解釋中卻未見如杜氏所說的那種與《序》首句不同的意思，呂氏應該是為《序》說進行疏解、補充的工作。

某人某事某時、去除特定的人物時代等具體的時空背景、去除
《詩序》首句。當然，這三種分類只是為了敘述方便，因為很
明顯的，這三類其實屬於同一種。就《詩序》的行文表述方式
即可知，《序》文常於第一句就點出刺某人某事某時，這成了
《序》文釋詩的特色，但也成為後人攻擊批評的主要目標。對
於戴溪而言，反對或不採用《詩序》首句，其意義為何？若單
獨來看待這一個問題，有人可能會認為戴溪並不是傳統尊
《序》、守《序》一派的學者（這一點從統計出來的戴溪去除
《序》文篇數多達 92 篇可以證明，見附表三），反而比較接近
獨立思考、詮釋詩文的作法。只是，這種印象必須拿來與《續
讀詩記》中所表現出超過 67.79％的比率與《詩序》之說相同
這個結果一併參看，我們才能做出正確的解讀。在進一步分
析、解釋這兩個數據所代表的意義之前，筆者有必要先說明戴
溪的釋《詩》策略。

　　以美刺來說《詩》，大概是序《詩》者堅持聖人教化的用
心，所以面對題材內容多樣、情感表現複雜豐富的詩文都習慣
套上美刺的模式，藉以達到說教的目的。不過，要達到教化的
作用，當然未必要採用這套模式。以戴溪而言，他並不反對三
百篇寓含有聖人教化的作用，甚至其部分詮釋比《詩序》還像
《詩序》。[30]這也表示了，詮釋三百篇，若要發揮出聖人之《詩》

---

30 戴溪在批評〈魏風・碩鼠〉時云：「謂狡童碩鼠為君，失聖人刪詩之意矣。」
　《續讀詩記》，卷1，頁40a。又論〈魯頌・閟宮〉云：「〈魯頌〉非聖人意也，
　刪詩何取焉？存舊章以示訓戒，未必皆記其德也。」《續讀詩記》，卷3，頁
　42a-42b。可見戴溪仍持舊有的聖人刪詩之說，也認同三百篇中蘊藏有聖人
　教化訓戒的意涵。因此之故，戴溪在論述、詮釋詩文的過程中，有不少地方
　甚至說的比《詩序》還深入、傾向於教化一面。如其論〈周南・漢廣〉、〈召

教，除了漢儒慣用的美刺觀點之外，應該還有其他不同的路徑可以選擇。同時這也說明了上述的疑慮：戴溪表面上拋棄或漠視《詩序》首句的美刺之說，但他只是出之以不同的角度來賦予詩文教化的意蘊。當然，這些教化的色彩比起《詩序》已經是淡化了。另外，這也牽涉到戴溪說《詩》的技巧，我們也發現他雖然去除〈首序〉美刺之說，但在詮釋的過程中，其實卻仍襲用這種觀點，只是他並未明確地說出某詩諷刺的是某人、某事、某時。如《詩序》之解〈鄭風・子衿〉云：「刺學校廢也。亂世則學校不脩焉。」戴溪則不說地那麼板滯，而是從另一個角度去解釋：「教者勤而學者怠，述教者之辭也。」[31]戴溪的意見其實與《詩序》之說相近，但他把首句之「刺」拿掉，就顯得靈活許多，詩意的範圍變得寬鬆，當然，整個說詩氛圍仍侷限在教與學之中。

　　另外一種策略則是取《詩序》中部分的意思，而去除他所認為不適當的部分，而這個部分往往就是〈首序〉美刺的說法。如《詩序》之解〈陳風・東門之池〉：「刺時也。疾其君子淫昏，而思賢女以配君子也。」戴溪則不取「刺時」之說，只云：「思賢女也。」[32]〈東門之楊・序〉：「刺時也。昏姻失時，男女多違，親迎女猶有不至者也。」戴溪也不取首句「刺時」之說，而云：「昏姻失時而女歸愆期也。」[33]如此一來，雖然沒有了諷刺的對象，仍然保有教化的意涵，只是氣味淡薄了些，這正是

南・小星〉、〈鄭風・野有蔓草〉等詩都是屬於這樣的例子。。分見《續讀詩記》卷 1，頁 4a-4b；卷 1，頁 7b-8a；卷 1，頁 34a-34b。

31　《續讀詩記》，卷 1，頁 33a。

32　《續讀詩記》，卷 1，頁 51b。

33　《續讀詩記》，卷 1，頁 51b。

戴溪所選擇的詮釋方式。比較特殊的是，戴溪解《詩》不喜濫用「刺」這個字眼，而是轉用「述」、「閔」、「志」、「戒」等詞來說詩，這些詞語和刻板的「刺」字比較起來，的確顯得溫柔敦厚、活潑靈動，而且有時也確實能更貼近詩意。如解〈王風·中谷有蓷〉為：「國人述其室家之離散而為是詩也。凶年飢歲，室家不能相保，不可刺而可閔也。」〈鄭風·丰〉為：「國人述婦人專恣之辭也。」〈東門之墠〉為：「述婦人欲奔之意也。」〈溱洧〉為：「志鄭聲之淫以示後世，此王者所宜放也」〈齊風·著〉為：「述不能親迎也。墠不出門俟於家庭，是不知有禮也。」〈唐風·蟋蟀〉為：「詩人閔晉僖公也。」〈綢繆〉為：「述昏姻之不正也。」〈采苓〉為：「戒其君無聽讒也。」〈曹風·蜉蝣〉：「國人閔其君而念之也。」〈下泉〉為：「國人閔其君而思治也。」〈小雅·黃鳥〉為：「閔衰世俗薄也。」[34]這些說解似乎可以見出戴溪說詩有意力求中正客觀，而且，由於抹淡了教化的色彩，或許也能因此而讓徘徊於新舊詮解的讀者更能接受其說。

　　透過這些敘述，我們可以約略地感受到一股平正客觀的味道，這種平正客觀來自於「述」、「志」等中性文字的大量使用。它所強調的，是用一種旁觀者的角度來傳述當時的情形，或者乾脆表明自己與其他讀者一樣，也僅是一個忠實的文本接受

---

34 以上分見《續讀詩記》，卷 1，頁 26a-26b、32a、34b、35b、40b、42a、44b、55b、57a；卷 2，頁 13a。不過，戴溪在解〈唐風·采苓〉時又說：「是詩非特刺其君，且戒以聽言之道也。」卷 1，頁 45a。解〈小雅·黃鳥〉時又說：「……非我族類，其心必異，不若復我族人兄弟之為安也。上無勤恤之心，故下有相棄之意，此其所以刺宣王也。」卷 2，頁 13b。依然保留了「刺」的字眼。。

者，將自己的讀詩理解與感受，透過文字一一陳述。把這種類似孔子所說的「述而不作」的精神放置到詮釋三百篇時，是可以凸顯其特殊之意涵的。當然，割棄「刺」字而改用其他較溫和的字詞，不能確保其說詩態度就一定客觀，但其用心仍可得見。以是，孫詒讓評戴溪：「持論醇正，於枝言曲說芟除殆盡，而反復闡明，多得詩旨。」相對於周中孚只拿兩篇詩歌就說戴溪「好為新說」，孫氏的評論毋寧顯得較為接近事實。[35]除上舉幾個例證之外，還有 16 篇詩文，戴溪也用「述」來詮釋，[36]這種現象可以說明《續讀詩記》對於傳統《詩序》的基本態度，尤其是面對〈首序〉專言美刺的慣例，戴溪沒有預設立場，不堅持舊說，這和呂祖謙的篤守〈首序〉完全不一樣，在戴氏心目中，《詩序》固然可信的居多，但不可接受的也仍然高達三分之一，且〈首序〉、〈續序〉都一樣，前者不見得就具備了什麼權威性可言。

　　除此之外，戴溪還會從詩文本身所表現出的情調內涵來說明其意旨，他不再使用諷刺的角度解釋詩文，轉而從正面的，或者比較可能接近詩文表面上的文字意涵的方式來看待三百篇。如說〈鄘風·相鼠〉為：「群臣相戒之辭也。當廬於漕之

---

35 孫詒讓之說見《溫州經籍志》，卷 2，頁 167：32b。《四庫提要》將孫氏的說法講地更明白：「《溫州志》稱溪平實簡易，求聖賢用心，不為新奇可喜之說，而識者服其理到。」《四庫全書總目》，第 1 冊，卷 15，頁 26a。周中孚：「其謂〈有狐〉國人憫鰥夫，〈摽有梅〉父母之心也，『求我庶士』乃擇續壻之辭。如此說詩，亦好為新說者歟！」《鄭堂讀書記》，第 1 冊，卷 8，頁 134。

36 在《續讀詩記》中以「述」來詮釋詩文的還有：〈周南·關雎〉、〈邶風·靜女〉、〈鄘風·桑中〉、〈衛風·氓〉、〈王風·葛藟〉、〈鄭風·將仲子〉、〈女曰雞鳴〉、〈子衿〉、〈魏風·陟岵〉、〈唐風·揚之水〉、〈椒聊〉、〈小雅·四牡〉、〈采菽〉、〈大雅·靈臺〉、〈文王有聲〉、〈魯頌·泮水〉。

后,庶事草創,朝儀不肅,群臣無禮儀者多矣。文公中興,故群臣相戒如此。」[37]與《序》「刺無禮也。衛文公能正其群臣而刺在位,承先君之化,無禮儀也」之說相較,戴溪的說法非僅取消了「刺」,也免去後人對於詩是否作於「衛文公」時代提出質疑。又如說〈衛風・考槃〉:「國人美賢者而作也。說此詩者以為弗諼為不忘其君,故下文多說不通。既不忘其君矣,又誓不過其君而告之,何其舛也?其怨若此,既非忠臣,亦不可以為碩人矣。碩大之人其性寬閒,……此隱遁者之常也。」[38]在此,戴溪主要是針對鄭《箋》的說法提出質疑,透過他的解釋,後人可以更清楚看到傳統說法的不周延處,自然也對《序》「刺莊公也。不能繼先公之業,使賢者退而窮處」之說開始起疑。又如以〈魏風・汾沮洳〉為「上儉而下勞也」之作,[39]不用《序》「刺儉也。其君儉以能勤,刺不得禮也」之說,也是將傳統負面的解釋改為正面化,讓保守的讀《詩》者有了另一種選擇。

　　戴溪拋棄部分《詩序》首句,可以使他不必拘限在序《詩》者為後人所設的框架內,這個框架除了《詩序》所指定的美刺指涉,還有那些具體的人物、時代、事件等背景的包袱。從「附表三」中可以見出一個現象,即《續讀詩記》中,戴溪不再堅持某些詩篇必須追隨《詩序》解為美刺特定人士之作,而這些篇目超過一半集中在二〈雅〉裡。這一點我們很容易解釋,因為序《詩》者本來就最擅長將二〈雅〉作品歸入某些君王之下,點名某詩乃刺誰、美誰之作。從「附表三」所整理出的篇目,

---

37 《續讀詩記》,卷1,頁19b-20a。
38 《續讀詩記》,卷1,頁21b-22a。
39 《續讀詩記》,卷1,頁38a。

以〈小雅〉為例，25篇詩作中有22篇被《詩序》歸之為刺幽王之作，2篇是刺宣王的，剩下1篇為刺怨曠，[40]而怨曠的時代又剛好是周幽王，因此可以說，25篇作品中有23篇，《詩序》以為詩人旨在諷刺周幽王。不過，這些指實性的解題，戴溪一律不採用。如〈小雅・谷風・序〉云：「刺幽王也。天下俗薄，朋友道絕焉。」而戴溪只說：「刺朋友道缺，先和而其後有隙也。」[41]〈蓼莪・序〉云：「刺幽王也。民人勞苦，孝子不得終養爾。」戴溪同樣只取後說：「孝子無以終養，父母既歿，追念而作是詩也。」[42]〈四月・序〉云：「大夫刺幽王也。在位貪殘，下國構禍，怨亂並興焉。」戴溪僅同意是大夫所作，但不認為全詩專門針對幽王而發。他說：「大夫遭亂，欲遯世，而作是詩也。」[43]至於〈楚茨〉與〈信南山〉，《詩序》說成是：「刺幽王也。政煩賦重，田萊多荒，饑饉降喪，民卒流亡，祭祀不饗，故君子思古焉。」「刺幽王也。不能脩成王之業，疆理天下，以奉禹功，故君子思古焉。」戴溪則很清楚地將首句刺幽王抽出，並且就詩論詩說：「〈楚茨〉，祭之始末略具於是，君子可以觀禮矣。」[44]「〈信南山〉與〈楚茨〉詩相類，〈楚茨〉

---

40 在「附表三」中，戴溪去除人物時代背景的25篇〈小雅〉作品中，今本《詩序》以為刺周幽王的篇章為：〈正月〉、〈小弁〉、〈巧言〉、〈巷伯〉、〈谷風〉、〈蓼莪〉、〈四月〉、〈北山〉、〈楚茨〉、〈信南山〉、〈甫田〉、〈大田〉、〈桑扈〉、〈鴛鴦〉、〈頍弁〉、〈車舝〉、〈青蠅〉、〈魚藻〉、〈采菽〉、〈角弓〉、〈隰桑〉、〈瓠葉〉。而〈采綠〉一篇則為刺怨曠，其《序》云：「刺怨曠也。幽王之時多怨曠者也。」刺宣王的詩篇是：〈白駒〉、〈我行其野〉。

41 《續讀詩記》，卷2，頁29a。

42 《續讀詩記》，卷2，頁29b。

43 《續讀詩記》，卷2，頁31a。

44 《續讀詩記》，卷2，頁33b。

言祭祀之禮，推至於蓺黍稷。〈信南山〉言稼穡之事，極至於奉祭祀。」[45]戴氏在面對〈甫田〉與〈大田〉時也是如此，他說〈甫田〉「與〈大田〉相類。歷言田事，因及祭事祈禱而已」，[46]而〈大田〉「與〈甫田〉不類者，〈甫田〉言省耕，〈大田〉言省斂」，[47]這些都與《序》說「刺幽王也。君子傷今而思古焉」、「刺幽王也。言矜寡不能自存焉」絕異，顯見戴書雖以「續」呂書為名，卻擁有自己鮮明的特性。[48]

若對照著呂祖謙的說法，則更可見出彼此間的差異。呂祖謙在面對〈楚茨〉、〈信南山〉、〈甫田〉、〈大田〉四詩時，只在〈楚茨‧序〉之下云：「呂氏曰：〈楚茨〉極言祭祀所以事神受福之節，致詳致備，所以推明先王致力於民者盡，則致力於神者詳。觀其威儀之盛，物品之豐，所以交神明，逮群下，至於

---

45 《續讀詩記》，卷2，頁35a。
46 《續讀詩記》，卷2，頁36a。
47 《續讀詩記》，卷2，頁37a。
48 不過，戴溪從未質疑過以美刺角度說詩的不當，實際上他也善於運用這樣的模式說詩，在《續讀詩記》中，〈召南‧羔羊〉、〈江有汜〉、〈鄘風‧干旄〉、〈衛風‧考槃〉、〈鄭風‧風雨〉、〈魏風‧伐檀〉、〈秦風‧車鄰〉、〈終南〉、〈豳風‧狼跋〉、〈小雅‧六月〉、〈采芑〉、〈車攻〉、〈鴻雁〉、〈無羊〉、〈都人士〉、〈大雅‧下武〉、〈卷阿〉、〈韓奕〉、〈常武〉都被戴溪解為讚美詩，〈邶風‧匏有苦葉〉、〈鄘風‧桑中〉、〈鶉之奔奔〉、〈衛風‧芄蘭〉、〈王風‧大車〉、〈鄭風‧叔于田〉、〈大叔于田〉、〈齊風‧東方未明〉、〈敝笱〉、〈載驅〉、〈魏風‧葛屨〉、〈伐檀〉、〈唐風‧杕杜〉、〈羔裘〉、〈鴇羽〉、〈有杕之杜〉、〈陳風‧東門之枌〉、〈墓門〉、〈小雅‧我行其野〉、〈雨無正〉、〈谷風〉、〈大東〉、〈頍弁〉、〈采菽〉都是諷刺詩，由此可見漢儒常見的解《詩》模式，在《續讀詩記》中依然有所延承。以上讚美詩的部分見《續讀詩記》，卷1，頁7a、8a、20a、21b、33a、39b、45a、47b、62b；卷2，7b、8b、9b、10a、14b、45a；卷3，9a、14b、25b、27a；諷刺詩的部分見《續讀詩記》，卷1，13a、18a、18b、23b、27b、28a、28b、36a、37a、37b、38a、39b、42b、43a（含〈羔裘〉、〈鴇羽〉兩處）、44a、50b、52a；卷2，14a、21a、29a、30a、39a、43b。

受福無疆者，非德盛政修，何以致之？」[49]其餘三詩則不引述特別的意見，按照《讀詩記》的寫作體例，表示呂祖謙對〈楚茨‧序〉有意見，〈信南山〉等三詩基本上同意《序》說，故不再置喙。

　　筆者為了方便說明朱子對於《詩序》的態度、看法，曾將《詩集傳》作一全面的統計，提出了所謂的「解放」之說，在這些不同的解放項目中，有兩項是朱子解放的重心：其一是對《序》中某人某事的解放，其二是解放《詩序》的美刺之說。[50]如果從解放《詩序》的角度來說，朱子解放人物時代、美刺之說的篇幅共 115 篇，戴溪有 92 篇，不只兩人解放的篇幅相近，連他們對《詩序》的缺點都有同樣的看法。如此一來不得不讓我們對前人將戴溪歸入「舊派」說《詩》者的說法起了疑心，若考慮到戴氏去除《詩序》首句的觀點與朱子相近，加上其說《詩》與《序》說同異的比率也接近朱子，[51]那麼將戴溪歸入守《序》陣營中就恐怕是一種誤解了。[52]

49　《呂氏家塾讀詩記》，卷 22，頁 11a-b。

50　筆者將朱子對《詩序》的解放分為五項，前三項與戴溪的去刺、去人物時代背景意涵相同：解放某人某事（全部）；解放某人某事（部分）；解放美刺之說。而這三項在《詩集傳》中分別佔了朱子詮釋《詩》旨的 17.04％；9.83％；10.81％。參見拙文〈論宋儒與清儒對詩旨的解放——從朱子到姚際恆、崔述、方玉潤〉，附表二，《興大中文學報》第 22 期（2007 年 12 月），頁 155。

51　朱子《詩集傳》對《詩序》所訂詩旨的解放多達 143 篇，《詩序辨說》駁斥《詩序》之說 104 篇，詳拙文〈論宋儒與清儒對詩旨的解放——從朱子到姚際恆、崔述、方玉潤〉，《興大中文學報》第 22 期，頁 129-135、151、155。

52　陳戰峰指出，戴溪「無師法門戶之弊，以己意解《詩》。同時可進一步說明僅以尊《序》、反《序》貫穿宋代《詩經》學值得深入反思和商榷」，陳氏並以理學的觀點分析戴溪《續讀詩記》的內涵，以為戴氏有綜合朱陸、漢宋的傾向。《宋代詩經學與理學——關於詩經學的思想學術史考察》（西安：陝西人民出版社，2006 年 7 月），頁 397，備之以參。

第四節 呂戴兩書訓詁方式的差異

前云《讀詩記》與《續讀詩記》在當初寫作的動機與預設讀者的對象上就已經有了差異：前者是當作教育子弟的教材，用集解體式書寫；後者的前身則是以太子為講述對象，因此採用講章體式來書寫，雖然《續讀詩記》是在改寫原講稿後才問世，但講章的形式雖不復存在，其精神也依然流入書中。

為了讓年輕學子瞭解三百篇的內容，呂祖謙在書寫設計上就採用集解體式，蒐羅前人舊說後，加以剪裁，將合適的內容包括詩旨、文句、字詞的解釋放在內文中，用嚴謹的態度看待訓詁，以期初入門的弟子能夠確實的掌握基本的字詞本意。雖然蒐羅採集的對象從西漢開始到南宋初年，以字詞的訓詁來說，呂祖謙採用較多的仍是毛公、鄭玄、孔穎達等漢唐舊說。以二〈南〉為例，《讀詩記》在訓解字詞時引用了毛公之說共81次，鄭玄之說共30次。從這些數字可以知道呂祖謙偏向於引用《毛傳》之說，而鄭《箋》也成為重要的參考對象。這當然和呂祖謙尊重古訓之說的態度有關。相對的，戴溪《續讀詩記》對於字詞訓解這件事就不是那麼重視，這大概涉及到其原先講述的對象與目的。作為講給太子聽的講義，講章體式的目標是讓對方瞭解詩文大意，所側重的是將內容與時勢政治相結合，因此講章體多半不抄寫原詩文，也不以辭意訓詁為務。在這種基本的寫作方式中，自然忽略傳統的訓詁成果。如其論〈鄭風·遵大路〉云：「國人留賢之詩也。莊公不用賢，賢者堂堂而去國，非間道奔亡也。於是國之留行者曰，遵大路而執其裾，

少滯行色，子無我惡。蓋與國有故，其行固不當速，此去父母國之義也。」[53]這裡，戴溪全然只論詩旨大意，對於詩文中的字詞全不論及，其對訓詁一事的基本態度由此可以窺知。

　　相較於呂祖謙對傳統訓詁成果的重視，戴溪則顯得對自己的訓詁能力自信過度。我們發現，戴氏在訓解一篇詩文時，面臨了生澀或少見的艱難字詞時，他所採取的策略往往不是參考前人之說，而是直接用字面上的意思作為解釋，因此其訓解不能讓人放心接受。《續讀詩記》中最常見的可議訓詁方式之一就是望文生義。如〈衛風・芃蘭〉之「垂帶悸兮」、「能不我甲」，戴溪釋云：「垂帶而坐，若悸恐然」；「甲，猶甲乙之甲，謂其所能者，我不以為稱首也。」[54]根據毛、鄭的解釋，「悸」為形容垂帶之貌，而「甲」則為「狎」之借字，[55]與戴溪之說相差甚遠，且戴溪之說顯然都是望文生義，直接就字面上訓解，無法讓讀者捨舊解而取其說。又如論〈秦風・小戎〉末章「厭厭良人，秩秩德音」云：「言其夫當亦念我厭然憔悴，必數寄聲于我，秩秩然次第至矣。」[56]釋「厭厭」為厭然憔悴，「秩秩」為次第，都是根據表面字義而說解。為了遷就此一解釋，戴溪

53　《續讀詩記》，卷1，頁30a-30b。

54　《續讀詩記》，卷1，頁24a。

55　《毛傳》：「容儀可觀，佩玉遂遂然垂其紳帶，悸悸然有節度。」鄭《箋》：「言惠公佩容刀與瑞，及垂紳帶三尺，則悸悸然行止有節度，然其德不稱服。」不只《毛詩》的解釋為此，以《韓詩》為例，「悸」作「萃」，云「垂貌」，其意與毛公同。見〔清〕王先謙：《詩三家義集疏》（臺北：明文書局，1988年10月），上冊，頁302。又《毛傳》云：「甲，狎也。」鄭《箋》云：「此君雖配媟與，其才能實不如我眾陳之所狎習。」《毛詩正義》，卷3之3，頁10b。

56　《續讀詩記》，卷1，頁46b。

索性將此二句的主角作了轉換，使得全章成為征夫安慰其妻之
辭。反觀毛、鄭將此二句解為形容此丈夫之性與德。「厭」為
「懕」之借字，形容其質性溫和。「秩秩」，毛公釋為「有知也」，
顯然以「秩」為「智」之假借，以此形容此丈夫之有智德；如
此解釋是否就是正詁，當然可以討論，但戴溪解「厭厭」為厭
然憔悴，「秩秩」為次第，恐未必勝過舊說。[57]再如釋〈小雅・
隰桑〉「隰桑有阿」、「德音孔膠」二句為：「阿，卷也。庇蔭萬
物，卑下卷曲而其葉茂盛若此，由君子有謙下之德而庇覆于人
也。」「德音孔膠，言使我聞其德音，必膠固以附之，不可解
矣。」[58]戴氏之解恐不可從。毛公解此詩：「興也。阿然美貌。」
「膠，固也。」鄭《箋》云：「隰中之桑，枝條阿阿然長美，
其葉又茂盛，可以庇蔭人。」「君子在位，民附仰之，其教令
之行，甚堅固也。」顯然，毛、鄭視〈隰桑〉每一章的發端二
語為興，「隰桑有阿，其葉有難」、「既見君子，德音孔膠」都
是借用隰桑來指稱此一君子，「阿」有庇覆而無卷曲之意。透
過前人（尤其是清儒）的研究，我們可以知道「阿」為「猗」
（美盛）之意，「膠」為「傮」之省借，盛也。「德音孔膠」即
德音甚盛，此句也是用來指稱此君子，不是說明受到君子教化

---

57 關於「厭厭」的解說，馬瑞辰、王先謙、陳奐等人都同意毛公之說，也都舉
三家《詩》為證，分見〔清〕馬瑞辰：《毛詩傳箋通釋》（北京：中華書局，
1992 年 2 月），上冊，頁 383。〔清〕王先謙：《詩三家義集疏》，上冊，頁
447。〔清〕陳奐：《詩毛氏傳疏》（臺北：學生書局，1968 年 6 月），第 3 冊，
頁 34。但對於「秩秩」的解釋，馬瑞辰與陳奐之說卻不同。馬氏解作次第，
而陳奐則視之為「智」的借字。筆者以為，「秩秩」兩解皆可通，但戴氏解
「厭厭」為厭然憔悴則似無理據。

58 《續讀詩記》，卷 2，頁 46b。

的百姓，其依附君子甚為堅固。[59]類此背離詩義的訓解在《續讀詩記》中並不少，依筆者的初步統計約有 39 處。如說〈召南·小星〉「肅肅」為恭謹不懈之意；〈齊風·著〉「充耳以素乎而」為「充耳不聞」；〈唐風·椒聊〉為「椒之始生聊復爾」；〈小雅·沔水〉「念彼不蹟」為「蹤跡不至」；〈巷伯〉「緝緝翩翩」為「緝綴語言，翩翩然順入而已」，「捷捷」為機警之意，「幡幡」為反覆之貌；〈大雅·抑〉「抑抑」為謙下；〈周頌·執競〉「執競」為「持勝」……等，[60]遍見〈風〉、〈雅〉、〈頌〉中，成了戴溪訓釋詩文的習慣。

　　如果說望文生義是戴溪解《詩》的一大特質，那麼另一個引人注目的就是他發揮聯想的能力。四庫館臣說戴溪《續讀詩

---

59 清儒陳奐解「阿」為「猗」（美盛）之意，馬瑞辰釋「膠」為「樛」之省借，盛也，陳奐接受其說。分詳《詩毛氏傳疏》，第 5 冊，頁 66；《毛詩傳箋通釋》，中冊，頁 779。案：這裡不是借用清儒說解來批評戴氏之說，而是以清儒的訓詁結果來表示戴氏新解不如毛鄭舊說。

60 分見《續讀詩記》，卷 1，頁 7b 釋「肅肅」宵征；卷 1，頁 12a 釋「不我活兮」；卷 1，頁 15b 釋「其虛其邪」；卷 1，頁 24a 釋「垂帶悸兮」、「能不我甲」；卷 1，頁 35b 釋「充耳」以素乎而；卷 1，頁 37b 釋四矢「反」兮；卷 1，頁 39a 釋士也「罔極」；卷 1，頁 39b 釋桑者「閑閑」；卷 1，頁 42a 釋「椒聊」；卷 1，頁 46b 釋「厭厭良人，秩秩德音」之「厭厭」、「秩秩」；卷 1，頁 47a 釋蒹葭「采采」；卷 1，頁 49b 釋憂心「欽欽」；卷 1，頁 53a 釋「窈糾」、「懮受」、「夭紹」；卷 1，頁 62b-63a 釋「公孫碩膚」、「赤舄几几」；卷 2，頁 2a 釋不遑「將」父；卷 2，頁 8b-9a 釋「薄言采芑」；卷 2，頁 11b 釋念彼「不蹟」；卷 2，頁 20b 釋悠悠我「里」；卷 2，頁 26b 釋其心「孔艱」；卷 2，頁 28b 釋「緝緝翩翩」、「捷捷幡幡」；卷 2，頁 30a 釋南山「烈烈」、南山「律律」；卷 2，頁 30b 釋「佻佻」公子；卷 2，頁 32a 釋「匪鶉匪鳶」、「匪鱣匪鮪」；卷 2，頁 35a 釋「昀昀」原隰；卷 2，頁 41b 釋有「王」有林；卷 2，頁 42a 釋威儀「抑抑」；卷 2，頁 44b 釋天子「葵」之；卷 2，頁 46b 釋隰桑有「阿」、德音「孔膠」；卷 3，頁 13b 釋「穆穆皇皇」；卷 3，頁 16b-17a 釋莫我敢「葵」、「价人」維藩；卷 3，頁 18b 釋「抑抑」威儀；卷 3，頁 28b 釋「鞫人忮忒」；卷 3，頁 32b 釋「執競」武王。

記》是因為呂祖謙《讀詩記》在訓詁上取毛氏為宗，且「於名物訓詁最為詳悉，而篇內微旨，詞外寄託，或有未貫，乃作此書以補之，故以『續記』為名」。[61]可見發揮微旨大義，找出詩人的言外寄託正是戴溪釋《詩》的重心。為了闡釋這些篇外微旨，戴溪在詮釋的過程中便會不自覺地發揮其聯想的能力，將詩詞的解釋導向他所設定的詩旨，讓部分的詩詞被賦予本來不屬於它自身的義涵。如論〈衛風・氓〉「漸車帷裳」云：「言往來涉水之勞也。猶〈谷風〉言『就其深矣，方之舟之；就其淺矣，泳之游之』之意也。」說「淇則有岸，隰則有泮」云：「孰謂子之流蕩若此乎！」[62]毛公對於「漸車帷裳」的解釋過於簡略，此處可以不論，但鄭玄的解釋很清楚，他以為此句意為時淇水盛大而疾，我（此婦人）仍冒險渡河，故使水濡濕了車裳（車旁之帷障），「明己專心于女（指詩中的「氓」）」。[63]戴溪又舉〈邶風・谷風〉為例，引證此說與彼相通。雖然〈谷風〉與〈氓〉本質上都是棄婦詩，但不可因為兩詩中都出現相類似的意象——「渡河」，就將兩詩連著一起說，畢竟仍需根據上下文意發展來詮釋才是正途，何況就鄭玄的解釋〈谷風〉原詩，也是形容此被棄之婦女昔時為夫家盡心地服事，無論大小、難易之事皆全力以赴，非如戴溪所釋。又如論〈大雅・旱麓〉云：

---

61 《四庫全書總目》，第 1 冊，卷 15，頁 25b。

62 《續讀詩記》，卷 1，頁 23a-23b。

63 毛公云：「帷裳，婦人之車也。」鄭玄云：「桑之落矣，謂其時季秋也。復關以此時車來迎己。徂，往也。我自是往之女家，……幃裳，童容也。我乃渡深水，至漸車童容，猶冒此難而往，又明己專心於女。孔《疏》：「童容，以幃障車之傍如裳，以為容飾，故或謂之幃裳，或謂之童容，其上有蓋，四傍垂而下，謂之襜。」《毛詩正義》，卷 3 之 3，頁 135。

　　言周之先祖干祿求福之道也。旱山之麓無木不萋，而茂盛若此。猶殷之無道，斲喪下國。周家之業獨為茂盛，果何修而得？……「瑟彼玉瓚，黃流在中」，所謂酌于中而清明於外也。表裡洞徹無有瑕玷，若此宜夫福祿之來下也。不惟此也，作成人材，如鳶飛魚躍，悠久培植，以貽後人。[64]

　　所謂「旱山之麓無木不萋」云云都屬於創造性的解釋。戴溪喜歡用比喻聯想的方式解詩，使得此篇的解釋充滿了其獨特的個人風格。毛公並未標明〈旱麓〉為「興」詩，僅說旱山之足下有眾多之材，其多材源自於陰陽和暢，所以君子才可以如此得祿而樂易，鄭玄則從比喻的角度進行解釋：「旱山之足，林木茂盛者，得山雲雨之潤澤也。喻周邦之民獨豐樂者，被其君德教。」[65]戴溪不取毛、鄭二說，自創新解，甚至聯想到殷商因為無道，所以滅國。底下「瑟彼玉瓚，黃流在中」與「鳶飛戾天，魚躍于淵」的說明更是由比喻的角度而來。毛、鄭對於前面二句似乎視之為直述，並不作比喻說，只有後二句視為比喻。相較之下，戴溪「酌于中而清明於外也。表裡洞徹無有瑕玷」的說法似乎發揮得太過，而鳶飛魚躍的比喻更是與毛、鄭之說有絕大的差異。[66]以比喻的方式解詩雖然不是戴溪獨有的看家本領，但筆者發現這種方式對戴溪而言極具意義，甚至

64　《續讀詩記》，卷3，頁5a。

65　《毛詩正義》，卷16之3，頁558。

66　《毛傳》：「玉瓚，圭瓚也。黃金，所以飾流鬯也。九命然後錫以秬鬯圭瓚。」鄭《箋》：「瑟，絜鮮貌。黃流，秬鬯。圭瓚之狀以圭為柄，黃金為勺，青金為外，朱中央矣。殷王帝乙之時，王季為西伯，以功德受此賜。」《毛傳》釋「鳶飛戾天，魚躍于淵」：「言上下察也。」鄭《箋》：「鳶，鴟之類，鳥之貪惡者也。飛而至天，喻惡人遠去，不為民害也。魚跳躍于淵中，喻民喜得所。」《毛詩正義》，卷16之3，頁559-560。

可以說他是透過比喻的方式而聯想、增出了許多原本詩文所沒有的內容。這是戴溪《續讀詩記》中解詩的特點之一。也因為這種解釋方式,讓戴溪把傳統的毛、鄭之說置諸腦後,進而得出許多的新說。

相較於呂祖謙,戴溪擅長用比喻的角度來解詩,而這種以比喻解詩的傾向和三百篇本身善用比興的技巧有關。毛公曾選擇了百餘篇詩作,在其首章之下標示「興也」,[67]呂祖謙面對毛公的判斷幾乎都是接受的,但是戴溪則否。戴氏喜歡自創新說,尤其是對原本毛公標「興」的詩文。如論〈陳風·防有鵲巢〉云:

> 詩人憂賢者之被讒也。夫讒人者非直致其情,一日而遂也。必架造砌疊而後成,故積之也有漸。必延蔓組織而後就,故受之者不覺。「防有鵲巢」,言其架造也;「中唐有甓」,言其砌疊也;「邛有旨苕」,言其延蔓也;「邛有旨鷊」,言其組織也。[68]

毛公標〈防有鵲巢〉為興體,云:「防,邑也。邛,丘也。苕。草也。」鄭玄的解釋是:「防之有鵲巢,邛之有美苕,處勢自然。興者,喻宣公信多言之人,故致此讒人。」[69]戴溪的說法顯然與此不同。同樣是扣緊憂讒賊之說,他卻將「讒言之

---

67 毛公直接標示「興也」之詩共計 115 篇,除了〈秦風·車鄰〉、〈小雅·南有嘉魚〉兩詩之外,其餘各篇皆於首章下標示。另外,據裴普賢的觀察,〈邶風·燕燕〉、〈小雅·四月〉、〈魯頌·有駜〉三篇,依毛鄭所釋,應該也是毛公心目中的興詩,如此則《毛傳》所定興詩一共是 118 篇,詳裴普賢:《詩經研讀指導》(臺北:東大圖書公司,1977 年 3 月),頁 191-195。

68 《續讀詩記》,卷 1,頁 52b。

69 《毛詩正義》,卷 7 之 1,頁 254。

興在於漸」之觀念施於詩文中所用的起興事物上邊。在這樣的
情況之下，架造、砌疊、延蔓、組織等性質都被強加在鵲巢、
甓、旨苕、旨鷊身上。此一解經習性如上所述，是戴溪說《詩》
的特色之一。他雖然有心追求平實客觀，但仍難掩其稍強的主
觀意識，兼之他慣於從詩旨大意上去拆解詩文，於是解詩往往
如這篇〈防有鵲巢〉一般，將原本起興的事物與詩旨連結解釋，
如此反而失去比興應有的意味。又如論〈小雅・谷風〉云：

　　刺朋友道缺，先和而後有隙也。首章言谷風和習生長萬
物，猶朋友相與之益也。已而風雨交作，則和習之意少衰
矣。……二章申言維風及頹，則迴風飄急，勢益可畏，比之風
雨尤甚矣。末章言維山崔嵬，草木萎死，則是風也，飄蕩乎大
山之上，其威尤甚向之所謂習習者安在哉？[70]

　　〈谷風〉三章，每一章開頭都以「習習谷風」為喻，因而
毛公標興。但毛、鄭對於三章的起興內涵都視為相似、相近，
以為風雨相感喻朋友之相須。所以毛公解釋「維風及頹」之「頹」
為：「風之焚輪者也。風薄相扶而上，喻朋友相須而成。」第
三章開頭「習習谷風，維山崔嵬」，鄭玄也說：「此言東風生長
之風也。山巔之上草木猶及之。」[71]再加上每一章的寫作方式
都相似：「將安將樂，女轉棄予」、「將安將樂，棄予如遺」、「忘
我大德，思我小怨」。依常理判斷，是詩各章的意涵應該相似，
而非如戴溪所說的，有一個漸進的程度之別。當然，對於戴溪
而言，這些新解既然是因為比喻而聯想、增出的，操作時也就
不需考慮到合理性的問題。此外，《續讀詩記》裡還有不少詮

---

70 《續讀詩記》，卷2，頁29a-29b。
71 《毛詩正義》，卷13之1，頁435。

解是出自戴溪個人的聯想,這些聯想與比喻的解讀無關,有時是因為詩旨給予的啟發,或者就僅是因為詩文本身的關係,而給了他想像的空間,讓其創造了不少的新說,[72]這讓我們想起了周中孚對戴氏的批評:「好為新說」。不過,依筆者之見,戴溪若是「好為新說」,其新說僅表現於解釋的方法、過程,而不是結果,也就是他常常在解釋途中會運用其獨有的比喻法,或者聯想的方式,讓詩文之意增出了不少與傳統毛、鄭舊說相異的成份,這些內容主要是表現在詩說的細節上,若就整體結果而論(即對詩旨的理解),他的創新度並不高,這一點由上一節中討論戴溪與《序》說異同的比率中即可得知。

第五節　結　語

　　詮釋學者本來就認為任何存在都受到它所在時空歷史條件的限制,呂祖謙與戴溪身為南宋時代的儒者,其時《詩經》學正面臨新舊兩派的交鋒,一方面,有很多說經者不再篤守漢唐舊說,他們以求新求變的精神,打破傳統注疏,另立說解。另一方面,固守傳統解經路線的儒者亦義無反顧地紛紛推出著作與之抗衡。

　　經學史家對於宋代《詩經》學的整體發展敘述,主要是著眼在對學者對《詩序》的態度上,對於《詩序》的忠誠度愈高

---

72 分見《續讀詩記》論〈陳風・墓門〉,卷1,頁52a;論〈曹風・候人〉,卷1,頁56a;論〈小雅・小宛〉,卷2,頁22b-23b;論〈北山〉,卷2,頁32a;論〈車舝〉,卷2,頁39b-40b;論〈采菽〉,卷2,頁43a-44b。

者，愈是容易被歸畫到舊派的陣營中。其次，對於漢唐注疏的態度如何，也是一個觀察重心。呂祖謙以集解的體式撰寫《呂氏家塾讀詩記》，保留了相當多的古說，面對《詩經》漢學，他尊重〈首序〉與毛鄭古注，對於〈續序〉則不願照單接收，這正是多數宋代「舊派」說《詩》者的共識，以呂氏在學界的分量，《讀詩記》的影響力可想而知。戴溪推出《續呂氏家塾讀詩記》，表面上此書不外是呂書的傳承、延伸或補述，但細究其內涵，卻又發現戴氏使用了與《讀詩記》迥然不同的論說體，解詩過程中對於漢唐注疏並不重視，全書不錄《詩序》，面對《序》說也勇於提出質疑與修正，他跟其他「新派」學者有相同的貢獻，即不再讓傳統篇旨共識與訓詁成果固限詩義，解放了《詩序》長期以來的的單一說解，依照這個標準，戴溪勉強可以算是「新派」學者。不過，作為「舊派」的呂氏《讀詩記》之續書，被說成是「新派」的著作，這就顯得頗為弔詭。既然戴溪已經表明其書乃接續《讀詩記》而來，我們不能不尊重他個人對自己的期許。何況，戴氏解《詩》主要又是從教化的角度切入，他同意孔子有刪《詩》之舉，對於《詩序》雖然頗少引述，但是實際上多數篇章的解釋基調與《詩序》吻合，因此，將戴溪定位為為「舊派」的《詩經》學者，絕對不會引起太大的爭議。

　　此一事實證明了《詩經》學史習慣以新舊兩派來將宋代的研《詩》學者進行歸類，這樣很容易造成某些學者找不到合適位置的窘境。從《續讀詩記》的整體內容觀之，戴溪確實屬於保守型的學者，但其時「新派」著作的反傳統思維與解《詩》方法，已經讓他有所心動，他無法免於當時的學術思潮之影

響，不自覺地也沾染上新派的解經習氣，於是其《續讀詩記》成為一部與其周圍文本密切關連的作品，所以我們必須這樣說：戴溪《續讀詩記》對於呂書的讀者有一個積極的作用，那就是調整詩旨的解釋，降低對《詩序》的依賴度，使守舊型的讀者也可以稍微跟得上時代。除此之外，兩書的傳承關係並不顯著，畢竟，呂書屬於集解體之「舊派」著作，戴溪改用論說體，融入新舊兩種不同的解經路線與觀點，《續讀詩記》其實是可以獨立而存在的。

附表一　呂祖謙《讀詩記》對《詩序》的質疑與修正

篇　名	《詩　序》	質疑或修正理由	相　異
周南・葛覃	后妃之本也。后妃在父母家，則志在於女功之事，躬儉節用，服澣濯之衣，尊敬師傅，則可以歸安父母，化天下以婦道也。	後之講師徒見《敘》稱后妃之本，而不知所謂，乃為在父母家志在女功之說以附益之，殊不知是詩皆述既為后妃之事，貴而勤儉，乃為可稱。若在室而服女功，故其常耳，不必詠歌也。	B
麟之趾	〈關雎〉之應也。〈關雎〉之化行，則天下無犯非禮，雖衰世之公子，皆信厚如麟趾之時也。	程氏曰：「自衰世公子以下，敘之誤也。麟趾之時，麟趾不成辭，言之時，謬矣。」	B

| 召南·鵲巢 | 夫人之德也。國君積行累功，以致爵位，夫人起家而居有之，德如鳲鳩，乃可以配焉。 | 〈鵲巢〉之義，其末曰德如鳲鳩，乃可以配焉。《毛傳》止曰鳲鳩不自為巢，居鵲之成巢，未嘗言鳲鳩之德。然則〈鵲巢〉之義有毛公不見者也。意者，後之為毛學者，如衛宏之徒附益之耳。《毛傳》尚簡，義之已明者，固不重出；義之未明者，亦必申言。如〈鳲鳩〉之義雖刺不一，而其旨未明，故《傳》必言鳲鳩之養其子平均如一，以訓釋之。今〈鵲巢〉之義止云德如鳲鳩，而未知鳩之德若何，使毛公果見此語，《傳》豈應略不及之乎？詩人本取鳩居鵲巢以比夫人坐享成業。蓋非有婦德者，殆無以堪之也。若又考鳲鳩之性情以比其德，詩中固亦包此意，但是說出於毛公之後絕無可疑也。 | B |
| 江有汜 | 美媵也。勤而無怨，嫡能悔過也。文王之時，江沱之間，有嫡不以其媵備數，媵遇勞而無怨，嫡亦自悔也。 | 董氏曰：「江況嫡，沱況媵。今《詩序》乃言江沱之間，是失詩人之旨也。」 | B |

邶風・北風	刺虐也。衛國並為暴虐，百姓不親，莫不相攜持而去焉。	程氏曰：「《敘》謂百姓不親，相攜而去，乃述當時之事。然考詩之辭，乃君子見幾而作，相招無及于禍患者也。君子全身遠害，唯恐去之不速，故其辭迫切，其虛其邪，既亟只且是也。」	B
鄘風・柏舟	〈柏舟〉，共姜自誓也。衛世子共伯蚤死，其妻守義，父母欲奪而嫁之，誓而弗許，故作是詩以絕之。	《史記》載，共伯，釐侯世子，釐侯已葬，武公襲攻共伯，共伯入釐侯羨自殺。案：武公在位五十五年，《國語》又稱武公年九十有五，猶箴儆于國，計其初即位，其齒蓋已四十餘矣。……共伯未嘗有見弒之事，武公未嘗有篡弒之惡也。	質疑《序》說，未立新解
衛風・氓	刺時也。宣公之時，禮義消亡，淫風大行，男女無別，遂相奔誘，華落色衰，復相棄背；或乃困而自悔，喪其妃耦，故序其事以風焉，美反正，刺淫泆也。	「美反正，刺淫泆」，此兩語煩贅，見棄而悔乃人情之常，何美之有？	B
伯兮	刺時也。言君子行役，為王前驅，過時而不反焉。	「為王前驅」特詩中之一語，非大義也。	B

王風·君子于役	刺平王也。君子行役無期度，大夫思其危難以風焉。	考經文，不見思其危難以風之意。	B
鄭風·緇衣	美武公也。父子並為周司徒，善於其職，國人宜之，故美其德，以明有國善善之功焉。	此詩武公入仕於周，而周人美之也。若鄭人所作，何為三章皆言適子之館兮？好賢如〈緇衣〉，所謂賢即謂武公父子也。後之講師，習其讀而不知其義，誤以為稱武公之好賢，遂曰明有國善善之功，失其旨矣。	B
野有蔓草	思遇時也。君之澤不下流，民窮於兵革，男女失時，思不期而會焉。	君之澤不下流，蓋講師見零露之語從而附益之。	B
齊風·東方未明	刺無節也。朝廷興居無節，號令不時，挈壺氏不能掌其職焉。	程氏曰：「言其不能正時矣，非特刺是官。」李氏曰：「觀人之政者，見其一失則逆料其餘也。號令不時，此一語贅。蓋見詩中有自公令之之文而妄附益之爾。」	C
唐風·葛生	刺晉獻公也。好攻戰，則國人多喪矣。	程氏曰：「此詩思存者，非悼亡者。」	C

豳風 · 破斧	美周公也。周大夫以惡四國焉。	程氏曰:「〈豳〉詩〈七月〉陳王業,〈鴟鴞〉遺王,〈東山〉言東征,〈破斧〉、〈伐柯〉、〈九罭〉皆刺朝廷不知周公,於刺也復有淺深之異,觀詩可見。〈狼跋〉美不失其聖。」	C
小雅 · 我行其野	刺宣王也。	王氏曰:「此民不安其居而適異邦,從其昏姻而不見收恤之詩也。先王之詩曰:既有肥牡,以速諸舅。寧適不來,微我有咎?又曰:……故使官師以時書其德行而勸之,以為徒勸之或不率也,於是乎有不孝不睦不婣不弟不任不恤之刑焉。方是時也,安有如此詩所刺之民乎?」	C
雨無正	大夫刺幽王也。雨自上下者也,眾多如雨,而非所以為政也。	歐陽氏曰:「古之人於詩多不命題,而篇名往往無義例。其或有命名者,則必述詩之意,如〈巷伯〉、〈常武〉之類是也。今〈雨無正〉之名據〈序〉曰:雨自上下者也,言眾多如雨而非政也。今考詩七章都無此義,與〈序〉絕異,當缺其所疑。」	闕疑

楚茨	刺幽王也。政煩賦重，田萊多荒，饑饉降喪，民卒流亡，祭祀不饗，故君子思古焉。	呂氏曰：「〈楚茨〉極言祭祀所以事神受福之節，致詳致備，所以推明先王致力於民者盡，則致力於神者詳。觀其威儀之盛，物品之豐，所以交神明，逮群下，至於受福無疆者，非德盛政修，何以致之？」	D
白華	周人刺幽后也。幽王取申女以為后，又得褒姒而黜申后，故下國化之，以妾為妻，以孽待宗，而王弗能治，周人為之作此詩也。	程氏曰：「詩以刺王。《序》誤作后字，自下國化之以下，言當時事如此，詩中所不及也。詩大意刺王專寵，失上下之分。」	B
緜蠻	微臣刺亂也。大臣不用仁心，遺忘微賤，不肯飲食、教、載之，故作是詩也。	程氏曰：「《詩序》必是同時所作，然亦有後人增者，如〈緜蠻·序〉不肯飲食教載之，但見詩中云飲之食之，教之誨之，命彼後車，謂之載之。即云教載，絕不成語也。」	B
大雅·旱麓	受祖也。周之先祖，世脩后稷、公劉之業，大王、王季，申以百福干祿焉。	周之先祖以下皆講師所附麗。此篇師傳以為文王之詩，故有大王王季，申以百福干祿之說，於理雖無害，然干祿百福之語則不辭矣。	B

靈臺	民始附也。文王受命，而民樂其有靈德，以及鳥獸昆蟲焉。	所以謂之靈臺者，不過如孟子之說而已。自文王受命，樂其有靈德以下，皆講師之贅說也。	B
行葦	忠厚也。周家忠厚，仁及草木，故能內睦九族，外尊事黃耇，養老乞言，以成其福祿焉。	自周家忠厚以下，論成周盛德至治則得之，然非此詩之義也。意者講師見《序》有忠厚之語而附益之歟！	B
既醉	大平也。醉酒飽德，人有士君子之行焉。	醉酒飽德以下皆講師附益之辭。	B
民勞	召穆公刺厲王也。	呂氏曰：「〈民勞〉皆諫辭也。」	D
蕩	召穆公傷周室大壞也。厲王無道，天下蕩蕩無綱紀文章，故作是詩也。	蘇氏曰：「〈蕩〉之所以為蕩，由詩有蕩蕩上帝也。《詩序》以為天下蕩蕩無綱紀文章，則非詩之意矣。」	B，不錄〈續序〉
召旻	凡伯刺幽王大壞也。旻，閔也。閔天下無如召公之臣也。	蘇氏曰：「因其首章稱旻天，卒章稱召公，故謂之〈召旻〉，以別〈小旻〉而已。」	B，不錄〈續序〉
周頌·絲衣	繹賓尸也。高子曰：靈星之尸也。	僅引〈小序〉首句	B，不錄〈續序〉

酌	告成〈大武〉也。言能酌先祖之道，以養天下也。	僅引〈小序〉首句	B，不錄〈續序〉
桓	講武，類、禡也。桓，武志也。	晁氏曰：「〈桓〉之〈序〉曰：〈桓〉，武志也。或以為《注》，或以為《序》，失其傳多如此。」	B
般	巡守而祀四嶽河海也。	朱氏曰：「鄭氏曰：〈般〉，樂也。蘇氏曰：遊般也。今考詩中無此意，當闕之。孔氏以『〈般〉，樂也』為《序》文，曰：『定本〈般〉樂為鄭《注》』，未知孰是。」	闕疑
魯頌．泮水	頌僖公能脩泮宮也。	蘇氏曰：「此詩言作泮宮、克淮夷，〈閟宮〉言作新廟，《春秋》皆不載，世疑之。泮宮、閟宮僖公因舊而脩，是以不見於《春秋》。至於淮夷之功，予亦疑焉，然此詩有之，式固爾猶，淮夷卒獲。有所未獲而欲終之，則其獲尚小也。今此詩之言甚美而大，則君臣之辭歟？或曰以君臣而為此辭可也，而孔子錄之可乎？曰：維可之，是以錄之……然孔子未嘗以廢《周書》。蓋好惡之言必有過者，要不以惡為善則已矣。此達者之所自諭也。」	疑

附表二　呂祖謙、戴溪說詩與《詩序》異同統計表

	呂祖謙					闕疑或反對	戴溪					亡逸
	A	B	C	D	E		A	B	C	D	E	
周南	9	2					7	1	2			1
召南	12	2					7	4	1			2
邶風	18	1					5	5	4	2	1	2
鄘風	10					1	5	2	2	1		
衛風	8	2					2	3	3			2
王風	9	1					4	3	2	1		
鄭風	19	2					5	6	6	2		2
齊風	10		1				3	6	2			
魏風	7						2	2	1			
唐風	11		1				7	3		2		
秦風	10						5	1	1	1		2
陳風	10						3	4	1	2		
檜風	4						1	2	1			
曹風	4						1	2	1			
豳風	6		1				2	3	2			
國風合計	147	10	3			1	59	47	30	12	1	11

小雅	69	2	1	1		1	19	19	13	12	1	10
大雅	25	5		1			5	10	8	3		5
周頌	29	1				1	18	4	1	5		3
魯頌	3					1		2	2			
商頌	5						2	2				1
三頌合計	37	1				2	19	8	3	5		4
總計	278	18	4	2		4	103	84	54	32	2	30

附表三　戴溪《續讀詩記》去除《序》文統計表

種類	風雅頌	篇　　名	數量	小計
去刺	邶風	凱風、谷風、北門、北風、靜女	5	35
	鄘風	相鼠	1	
	衛風	氓、有狐	2	
	鄭風	將仲子、羔裘、女曰雞鳴、有女同車、丰、東門之墠、子衿、溱洧	8	
	齊風	著、東方之日	2	
	魏風	汾沮洳、十畝之間、碩鼠	3	
	唐風	蟋蟀、山有樞、綢繆、無衣、采苓	5	
	秦風	蒹葭	1	
	陳風	東門之池	1	
	檜風	素冠	1	
	曹風	蜉蝣、候人、鳲鳩	3	
	豳風	伐柯	1	
	小雅	縣蠻、漸漸之石	2	
去人物時代背景	邶風	柏舟、擊鼓、雄雉	3	55
	鄘風	干旄、君子偕老	2	
	衛風	考槃、木瓜	2	
	王風	君子于役、揚之水、葛藟、丘中有麻	4	

	鄭風	山有扶蘇	1	
	齊風	還、甫田、盧令	3	
	唐風	杕杜、葛生	2	
	秦風	晨風	1	
	陳風	東門之枌、東門之楊、防有鵲巢、澤陂	4	
	曹風	下泉	1	
	小雅	白駒、我行其野、正月、小弁、巧言、巷伯、谷風、蓼莪、四月、北山、楚茨、信南山、甫田、大田、桑扈、鴛鴦、頍弁、車舝、青蠅、魚藻、采菽、角弓、采綠、隰桑、瓠葉	25	
	大雅	卷阿、抑、常武、瞻卬	4	
	周頌	烈文、時邁	2	
	魯頌	有駜	1	
去首句	王風	中谷有蓷	1	2
	小雅	車攻	1	

附　錄

呂祖謙、嚴粲《詩經》學之比較研究

摘　要

為了研究上的方便，學者經常把宋代的《詩經》學大分為疑《序》、尊《序》、兩派，前者以朱熹的《詩集傳》最受矚目，後者則以呂祖謙的《呂氏家塾讀詩記》與嚴粲的《詩緝》獲得的評價最高。《四庫全書總目》一方面認為《詩緝》的撰述以《讀詩記》為主，一方面又以為整個宋代《詩經》學以呂、嚴二書最為出色，另有清儒直指《詩緝》為宋人說《詩》第一者。

本文透過比較分析的方法，說明《呂氏家塾讀詩記》與《詩緝》之間的異同性，並且解釋兩者既尊重《詩經》漢學又高抬朱熹《詩》解的編纂用心與學術意義，最後再根據《呂氏家塾讀詩記》與嚴粲的《詩緝》的細部表現差異，以論斷「南宋尊《序》派誰第一」的相關問題，指出《詩緝》因為體例較為完整，學術論見較多，以此而使其整體表現稍優於《讀詩記》。

〔關鍵詞〕呂祖謙、嚴粲、《詩序》、《毛傳》、鄭《箋》、朱熹

一、前　言

　　在中國《詩經》研究史上，宋代具有最強的創新能力，不過，三百篇是具有嚴肅內涵意義的神聖經典，這樣的概念依然普遍存在於宋儒心中。於是，一方面，富有新貌的著作固然必須在傳統與新變之間有所拉鋸，使其論述依然帶有傳統的色彩，另一方面，新義雖然日增，獨衷古學之人也不少，於是一些優質的保守型解《詩》著作也能在當時引起學者的注意，並且在《詩經》學史上佔據一個重要的位置。[1]值得注意的是，研究者謂宋代的尊《序》派著作保守，僅是相較於對立陣營中的著作而言，從細部檢視其解經意涵，翻新的企圖往往亦充斥於書中，其中，呂祖謙（1137-1181）《呂氏家塾讀詩記》（以下視情況得簡稱《讀詩記》）、嚴粲（1197-？）《詩緝》在《詩經》學中獲得的評價最高，例如《四庫全書總目》論《讀詩記》云：

　　……陳振孫稱其「博採諸家，存其名氏，先列訓詁，後陳文義，翦截貫穿，如出一手，有所發明，則別出之，《詩》學之詳正，未有逾於此書者」；魏了翁作後序，則稱其能發明詩人「躬自厚而薄責於人之旨」。二人各舉一義，已略盡是書所長矣。了翁後序乃為眉山賀春卿重刻是書而作。時去祖謙沒未

1　相關討論可參何定生：〈宋儒對於詩經的解釋態度〉，《詩經今論》（臺北：臺灣商務印書館，1973 年 9 月），頁 220-235；劉兆祐：〈歷代詩經學概說〉，收於林慶彰編：《詩經研究論集》（臺北：臺灣學生書局，1983 年 11 月），頁 482-486；譚德興：《宋代詩經學研究》（貴陽：貴州人民出版社，2005 年 5 月），頁 18-74。

遠，而版已再新。知宋人絕重是書也。[2]

　　或謂《四庫全書總目》中的《詩經》批評思想，最主要的是堅持漢學正統觀念，毛鄭之說《詩》備受維護，以是而使得後世守《序》之著作容易受到青睞，[3]此說固然有其理據，但上引文字主要是透過宋儒陳振孫（約 1183-1262）、魏了翁（1178-1237）的相關述評而推論出宋人之「絕重是書」，與門戶之見無關。[4]《總目》又評嚴粲《詩緝》云：

　　是書以呂祖謙《讀詩記》為主，而雜採諸說以發明之，舊說有未安者，則斷以己意。如論大、小〈雅〉之別，特以其體不同，較《詩序》政有大小之說，於理為近。又如〈邶〉之〈柏舟〉，舊謂賢人自比，粲則以「柏舟」為喻國，以「汎汎」為喻無維持之人。〈干旄〉之「良馬四之」、「良馬五之」，舊以為良馬之數，粲則以為乘良馬者四五輩，見好善者之多。〈中谷有蓷〉，舊以蓷之暵乾，喻夫婦相棄，粲則以歲旱草枯，由此而致離散。凡若此類，深得詩人本意。至於音訓疑似、名物異同，考證尤為精核。宋代說《詩》之家，與呂祖謙書並稱善本，其餘莫得而鼎立，良不誣矣。[5]

2 詳〔清〕紀昀等：《四庫全書總目》（臺北：藝文印書館，1974 年 10 月），第 1 冊，卷 15，頁 341：24b-342：25a。

3 詳郭丹：〈《四庫全書總目》中的《詩經》批評〉，《福建師範大學學報》（哲學社會科學版），總第 117 期（2002 年第 4 期），頁 78-79。

4 陳振孫的《直齋書錄解題》客觀品題各書得失，考證極精，被公認為南宋私家目錄書中之傑出者，詳來新夏等著：《中國圖書事業史》（上海：上海人民出版社，1999 年 4 月），頁 225-557；王欣夫：《文獻學講義》（臺北：臺灣商務印書館，1992 年 1 月），頁 114。至於魏了翁所言呂書可以發明詩人之旨，可置不論，但四庫館臣透過魏氏後序所作時間而呂書「版已再新」的事實來進行推論，則所言可以成立。

5 《四庫全書總目》，第 1 冊，卷 15，頁 344：30a-30b。

　　此論認為嚴粲《詩緝》「以呂祖謙《讀詩記》為主，而雜採諸說以發明之」，其說大致不假，然容易招來誤會，以為嚴粲著書旨在發揚、闡釋呂氏的《詩》解（詳後），而以實例明確指出嚴說有勝於漢學之處，可知《總目》在解經的局部成果上並不堅持漢學正統觀念，當然，最值得研究者注意者為「宋代說《詩》之家，與呂祖謙書竝稱善本，其餘莫得而鼎立」的價值判斷，此一論定將朱熹的《詩集傳》排斥在外，則又可見四庫館臣對於漢學至上的大原則之掌握。

　　目前學界對於呂祖謙與嚴粲的《詩經》學已有若干的論述成果，[6]但《四庫全書總目》視《呂氏家塾讀詩記》與《詩緝》

6　目前兩岸學界有關呂祖謙的研究成果不少，但多集中在其學術思想，探索《讀詩記》者不多。吳春山《呂祖謙研究》（臺北：國立臺灣大學中文所博士論文，1978 年 6 月）於第三章對於呂祖謙的經學進行評述，其中針對《呂氏家塾讀詩記》的特色與內涵進行基本的敘述，內容稍淺。賴炎元〈呂祖謙的詩經學〉（《中國學術年刊》第 6 期，臺北：臺灣師範大學國文研究所，1984 年 6 月）算是較早而內容較為豐富的論文。該文主要是以為呂祖謙乃是南宋初期的「尊序派」代表，不過這應該是《詩經》研究史上的基本常識。至於潘富恩、徐餘慶《呂祖謙評傳》（南京：南京大學出版社，1992 年 1 月）一書雖有有三十四萬字的篇幅，對於《呂氏家塾讀詩記》卻僅停留在「書目簡介」的階段，難以被《詩經》學界所利用。郭麗娟《呂祖謙詩經學研究》（臺北：東吳大學中國文學研究所碩士論文，1994 年 10 月）是臺灣第一本專門研究呂祖謙《詩經》學的學位論文。該論文以為呂祖謙在宋學的風氣下仍能堅持「尊序」，堅持漢儒傳統，給明末以後的學者不少啟示，可以說是一篇守成的學位論文。趙制陽〈呂氏家塾讀詩記評介〉（收於趙制陽《詩經名著評介》第 3 集，臺北：萬卷樓圖書公司，1999 年 11 月）針對呂祖謙《詩經》學的某些缺陷進行評述，條理清楚，但以《詩序》不可信任之前理解批評呂書，所犯的本位主義之錯誤相當明顯。戴維（1965-2011）《詩經研究史》（長沙：湖南教育出版社，2001 年 9 月）在〈呂學系統《詩經》研究〉一節中，以六千多字的有限篇幅，條分縷析了《讀詩記》的特色與價值。杜海軍《呂祖謙文學研究》（北京：學苑出版社，2003 年 7 月）研究的是呂氏的文學，但第六章《詩經》之學」對於《呂氏家塾讀詩記》的貢獻與缺失有言簡意賅的說明，可惜在數據的提供上頗多錯誤。此外，筆者有相關論文兩篇，其一，〈呂祖謙《讀詩記》與戴

為宋代最為優質的《詩經》注本，又謂後者以前者為主，而雜採諸說以發明之，顯係以二書為一脈相承之作，此一論調似未引發相關的討論。事實上，若謂嚴粲撰寫《詩緝》以《讀詩記》為主，與事實不盡相合，且呂、嚴之作從內到外固然具有某種程度的同質性，但又能各自展現不同的解經樣態，呈現出同中有異的現象，此一真相唯有通過二書的比較研究方能具體浮現。

溪《續讀詩記》之比較研究〉（《中國文哲研究集刊》第 35 期，2009 年 9 月），本文採用比較法與統計法，將呂、戴兩書之體例、對詩旨的理解與訓詁方式的差異等作了詳細的比較研究。其二，〈經典的重構：論呂祖謙《讀詩記》在《詩經》學史上的承衍與新變〉（《清華學報》新 42 卷第 1 期，2012 年 3 月），此文根據《讀詩記》的內外特質，以發掘與解釋為重心，說明《讀詩記》在《詩經》學史上的意義，並以實際統計出來的數據與動態經學發展史的觀念，推翻學界先前已有的兩種不同的評論。在嚴粲方面，喬衍琯有〈國立中央圖書館善本書志──《詩緝》〉（《國立中央圖書館館刊》新 1 卷第 3 期，1968 年 1 月），主要討論館藏《詩緝》的版本問題。程克雅《朱熹、嚴粲二家比興釋詩體系比較及其意義〉（桃園：國立中央大學中國文學研究所碩士論文，1991 年 5 月），討論朱、嚴二家「比興」釋《詩》體系，以及兩人在《詩經》詮釋上的意義，本書雖僅由「比、興」觀念討論朱、嚴兩者不同，對闡明嚴粲《詩緝》的價值仍有相當的助益。李莉褒《嚴粲詩緝研究》（臺中：國立中興大學中國文學研究所碩士論文，1998 年 6 月）企圖對嚴粲《詩緝》進行全面性研究，不過其討論的焦點主要在嚴粲對國風地理世次的意見、《詩序》的取捨、「六義」的界義與說明，偏向於基礎研究。陳清茂〈從詩緝論嚴粲詩經學重要觀念〉（《中國學術年刊》第 30 期，2008 年 3 月），透過整理、歸納的方式，說明了嚴粲最重要的幾個《詩經》學概念。在大陸學者的研究方面，洪湛侯（1928-2012）《詩經學史》（北京：中華書局，2002 年 5 月），在第三編第六章〈宋代學者已注意到《詩》的文學特點〉，列出歐陽修、王安石、鄭樵、王質、朱熹、嚴粲六人論述，其中嚴粲部分僅三頁，內容主要舉例說明嚴粲以文學的角度看待《詩經》。戴維《詩經研究史》在〈宋理宗後朱、呂之學的發展變化〉一節中，以三千餘字之篇幅介紹了《詩緝》的特色與成績，承認嚴粲所作的貢獻。此外，筆者有《嚴粲詩緝新探》之書（臺北：文史哲出版社，2008 年 2 月），從經學、理學、文學三個面向來討論《詩緝》解經的表現與成就。

二、《讀詩記》與《詩緝》的撰述體例

及其《詩序》觀

　　呂祖謙，字伯恭，其先河東人，自其祖始居婺州（今浙江金華）。呂祖謙出身簪纓世家，家族不僅以官宦名世，在學術界中亦頗為知名。在《宋元學案》中，呂氏一門即被選入十八人之多，在宋代，擁有這樣的學術榮耀之世家並不多見。呂祖謙的學術素養主要是本之於家庭，及長，從林之奇（1112-1176）、汪應辰（1118-1176）、胡憲（1086-1162）游，又友朱熹（1130-1200）、張栻（1133-1180），講索益精。在宦途方面，呂祖謙以祖致仕恩補將仕郎，登隆興元年進士第，又中博學宏詞科，歷太學博士，兼史職、著作郎……等職。淳熙八年（1181）七月，呂氏卒，年僅四十五，謚曰成。

　　呂祖謙學問淵博，著作宏富，除了考定古《周易》、《書說》、《閫範》、《官箴》、《辨志錄》、《歐陽公本末》等書之外，又著有《呂氏家塾讀詩記》、《東萊左氏博議》、《春秋左氏傳說》、《春秋左氏傳續說》、《歷代制度詳說》、《大事記》、《文海》、《呂東萊文集》……等十餘種書籍，並與朱熹合撰《近思錄》。呂祖謙雖然以恩蔭進入官場，但是幾年後取得進士功名，便開始擔任文教方面的官職。直至過世前幾年，仍然主持著當時朝廷的編修工作。呂祖謙與當時的學者交遊密切，顯然也頗有聲望，這一點可以由他促成學術史上有名的「鵝湖之會」，以及屢次

為朱熹、陸九淵（1139-1193）學術爭端作調人之事可見。[7]

　　呂祖謙於南宋孝宗淳熙元年（1174）開始編著《呂氏家塾讀詩記》，以三年的時間完成初稿，又過三年（1179），呂氏開始進行修訂的工作，淳熙八年（1181）修訂到〈大雅‧公劉〉首章即去世，所以今本《呂氏家塾讀詩記》的書寫結束於呂祖謙生命最後一年之時，剩下的部分就由呂祖謙的弟弟呂祖儉（？-1200）接續完成，因此而使得本書的體例存在著不太一致的情況，然而《讀詩記》終究是完整之作，並無內容缺漏之問題，且呂祖儉是根據其兄之舊稿而補足，故全書仍可稱之為出自呂祖謙之手。[8]

　　《呂氏家塾讀詩記》之書名已經透露出其撰述當初所設定的讀者，這類的為自家子弟所編著的解經之作以集解體為佳，呂祖謙自云：

　　　　《詩說》（案：即《讀詩記》）止為諸弟輩看，編得詁訓甚

7　有關呂祖謙的生平與學術，詳〔元〕脫脫等：《宋史》（北京：中華書局，1977年11月），第37冊，卷434，頁12872-12874；〔清〕黃宗羲原著，〔清〕全祖望補修，陳金生、梁運華點校：《宋元學案》（北京：中華書局，1986年12月），第3冊，卷51，〈東萊學案〉，頁1652-1653。案：全祖望以為，呂氏一門被選登於學案之中者，共計17人，但王梓材以為共有七世18人之多，詳《宋元學案》，第1冊，卷19，〈范呂諸儒學案〉，頁789。細計其數，18人之說為是，其人分別為：公著、希哲、希純、好問、切問、和問、廣問、稽中、堅中、弸中、本中、大器、大倫、大猷、大同、祖謙、祖儉、祖泰，分別登於〈范呂諸儒學案〉、〈紫微學案〉、〈和靖學案〉、〈東萊學案〉等學案中。

8　呂祖儉於〈公劉〉首章下注云：「先兄己亥之秋，復脩是書，至此而終，自〈公劉〉之次章，訖於終篇，則往歲所纂輯者，皆未及刋定，如〈小序〉之有所去取，諸家之未次先後，與今編條例多未合。今不敢復有所損益，姑從其舊以補是書之闕云。」〈宋〉呂祖謙：《呂氏家塾讀詩記》，黃靈庚、吳戰壘主編：《呂祖謙全集》（杭州：浙江古籍出版社，2008年1月），第4冊，卷26，頁642。

詳,其它多以《集傳》為据,只是寫出諸家姓名,令後生知出處。[9]

　　薈集眾說,可讓子弟接觸較多的先賢意見,由此開闊見聞,只要自己對於諸說取捨的用心能被推知,那麼著書的目標即可達成。所以,《讀詩記》一方面以兼總眾說、諸解並薈為其特色,一方面也透過別擇去取、重新剪裁來呈顯一家之學,這是此書能成為《詩經》學史上的名著之最大因素。[10]

　　《呂氏家塾讀詩記》全書共三十二卷,卷首由〈綱領〉、〈詩樂〉、〈刪次〉、〈大小序〉、〈六義〉、〈風雅頌〉、〈章句音韻〉、〈卷帙〉、〈訓詁傳授〉、〈條例〉各文組成。〈條例〉旨在說明全書的寫作方式,其餘各篇簡述《詩經》學的一些基本問題,卷二以後則為《詩》三百之逐篇講述。在〈大小序〉一文中,呂祖謙引述幾位北宋大儒之語,以表達他對《詩序》的基本看法:

　　程氏曰:「學《詩》而不求《序》,猶欲入室而不由戶也。或問:『《詩》如何學?』曰:『只於〈大序〉中求。』」又曰:「國史得詩,必載其事,然後其義可知。今〈小序〉之首是也。其下則說《詩》者之辭也。」又曰:「〈詩小序〉要之皆得大意,只後之觀《詩》者亦添入。」王氏曰:「世傳以為言其義者子夏也,詩上及於文王、高宗、成湯,如〈江有汜〉之為美媵,〈那〉之為祀成湯,〈殷武〉之為祀高宗,方其作時無義以示後世,則雖孔子亦不可得而知,況子夏乎哉!」歐陽

---

9 〔宋〕呂祖謙:《東萊別集》,影印《文淵閣四庫全書》(臺北:臺灣商務印書館,1983 年 8 月-1986 年 3 月),第 1150 冊,卷 8,頁 29b。

10 詳拙文〈經典的重構:論呂祖謙《讀詩記》在《詩經》學史上的承衍與新變〉,《清華學報》新 42 卷第 1 期,頁 49。案:此文已收入本書。

氏曰：「孟子去《詩》世近而最善言《詩》，推其所說詩義，與今《序》意多同，故後儒異說為《詩》害者，常賴《序》文為證。」[11]

　　處於南宋討論《詩序》存廢的高潮期，呂祖謙在此先後引程頤（1033-1107）、王安石（1021-1086）、歐陽修（1007-1072）論《序》之言，以示子弟其對於《詩序》的基本意見，而又在引程氏說之下，引張載（1020-1077）、蘇轍（1039-1112）、《經典釋文》、《隋書・經籍志》、董逌（約1079-1140）等相關而又堪稱熱門之論點，以為注釋，[12]作為一部集解體的解經之作，正文與附註當然有輕重之異，《讀詩記・大小序》在正文中列舉諸說皆為肯定《詩序》價值之言，細節上的討論、異說皆置入注釋，如此設計之用意不言可喻。此外，歐陽修是北宋中期政治、學術、文化之領導人物，其《詩本義》自覺地扮演擺脫漢唐注疏的羈絆，倡導對經文進行獨立的省思，於宋代經學風氣的塑造具有承先啟後之關鍵，[13]呂氏引其言以作為《詩序》可用的擔保，效果倍增。

　　後人討論《詩序》往往又取別名數種，其中尤以稱各篇序文發端兩語為「前序」、「首序」、「古序」，其下申說之語為「後

---

11 《呂氏家塾讀詩記》，卷1，頁13-14。

12 詳《呂氏家塾讀詩記》，卷1，頁14。案：《讀詩記》全書所引張氏共有三位：橫渠張氏、什方張氏、南軒張氏，呂氏在此引張氏曰：「《詩序》亦有後人添入者，則極淺近，自可辨。」根據王鴻緒（1645-1723）、姜炳璋（約1709-1786）所引同樣之文字，可知呂氏所引者為張載。分見〔清〕王鴻緒等奉敕撰：《欽定詩經傳說彙纂》，影印《文淵閣四庫全書》，第83冊，卷末，〈詩序上〉，頁775：2b；〔清〕姜炳璋：《詩序補義》，影印《文淵閣四庫全書》，第89冊，卷首，〈綱領〉，頁5：2b。

13 車行健：《詩本義析論》（臺北：里仁書局，2002年2月），頁43。

序」、「下序」、「續序」最常見。[14]呂祖謙並未使用這些名詞，但他也注意到就結構與內容來看待各篇〈小序〉，仍以「前序」最值得信任，「後序」完成時間較晚，要接受多少可以再斟酌。[15]

　　《呂氏家塾讀詩記》屬於擁《序》之作，但不表示呂祖謙對於《詩序》之說沒有任何的懷疑，根據筆者原先的研究，呂氏有質疑《序》說之意的共有二十八篇，分別是：〈周南‧葛覃〉、〈召南‧鵲巢〉、〈麟之趾〉、〈江有汜〉、〈邶風‧柏舟〉、〈北風〉、〈衛風‧氓〉、〈伯兮〉、〈王風‧君子于役〉、〈鄭風‧緇衣〉、〈野有蔓草〉、〈齊風‧東方未明〉、〈唐風‧葛生〉、〈豳風‧破斧〉、〈小雅‧我行其野〉、〈楚茨〉、〈白華〉、〈緜蠻〉、〈大雅〉的〈旱麓〉、〈靈臺〉、〈行葦〉、〈既醉〉、〈民勞〉、〈蕩〉、〈召旻〉、〈周頌〉的〈絲衣〉、〈酌〉、〈桓〉，以上共計 28 篇，佔全《詩》的 9.18%，另外，〈小雅‧雨無正〉、〈周頌‧般〉、〈魯頌‧泮水〉等三篇，呂氏持闕疑之態度，兩者相加，可知《讀詩記》未能盡信《詩序》之說的共計 31 篇，占了全《詩》的

---

14 有關〈大序〉、〈小序〉、〈古序〉、〈前序〉、〈後序〉、〈續序〉等名詞，可參蔣善國：《三百篇演論》（臺北：臺灣商務印書館，1980 年 6 月），頁 79-83；文幸福：《孔子詩學研究》（臺北：臺灣學生書局，1996 年 3 月），頁 94-98。

15 呂祖謙在解釋〈鵲巢〉時提出這樣的意見：「三百篇之義，首句當時所作，或國史得詩之時，載其事以示後人，其下則說詩者之辭也。說詩者非一人，其時先後亦不同。以《毛傳》考之，有毛氏已見其說者，時在先也；有毛氏不見其說者，時在後也。……〈鵲巢〉之義有毛公所不見者也。意者後之為毛學者如衛宏之徒附益之耳。《毛傳》尚簡，義之已明者，固不重出；義之未明者，亦必申言；如〈鳲鳩〉之義雖刺不壹，而其旨未明，故《傳》必言鳲鳩之養其子，平均如一，以訓釋之，今〈鵲巢〉之義止云德如鳲鳩，而未知鳩之德若何。使毛公果見此語，《傳》豈應略不及之乎？……是說出於毛公之後，決無可疑也。」《呂氏家塾讀詩記》，卷 3，頁 47-48。

10.16％。不過，質疑是一回事，實際詮解詩義又是一回事。上述31篇中，呂氏所作的詮釋與《詩序》大同小異的有21篇、大異小同的4篇（〈東方未明〉、〈葛生〉、〈破斧〉、〈我行其野〉）、完全相異的2篇（〈楚茨〉、〈民勞〉），以及闕疑的4篇，其中以大同小異者最多。僅統計呂氏說解詩篇全與《詩序》同義的就有274篇，比率高達89.83％。若加上21篇大同小異的部份，則更有96.72％的絕高比率。值得注意的是，以上所說的呂氏未能完全接受《詩序》的31篇中，主要是針對「後序」而發，且〈蕩〉、〈召旻〉、〈絲衣〉、〈酌〉4篇，《讀詩記》僅引「首序」，不引「後序」，前兩篇有引蘇轍語以表達異議，後兩篇則無一字的批評文字。這四篇都在〈公劉〉之後，屬於呂氏來不及修訂的範圍，設使當年呂氏可以修畢全書，補進四篇「後序」的機會很大，因為這關聯到全書體例的問題。[16]

　　呂祖謙以集解的體式撰寫《讀詩記》，保留了相當多的古說，面對《詩經》漢學，他尊重「首序」與毛鄭古注，對於「後序」則不願照單接收，這正是多數宋代「舊派」說《詩》者的共識，以呂氏在學界的分量，《讀詩記》的影響力可想而知。[17]

---

16 詳拙文〈經典的重構：論呂祖謙《讀詩記》在《詩經》學史上的承衍與新變〉，《清華學報》新42卷第1期，頁57-59。案：此文已收入本書。

17 詳拙文〈呂祖謙《讀詩記》與戴溪《續讀詩記》之比較研究〉，《中國文哲研究集刊》第35期，頁150。案：此文已收入本書。又案：僅就呂祖謙的及門弟子而言，葉適（1150-1223）〈寶婺觀記〉云：「近世大儒呂公出而人以理著，四方英俊，歲常數百千人。」另據田浩（Hoyt Cleveland Tillman）估計，1180年左右，呂氏的麗澤書院已有近三百名學生，其後在他處又大量招收弟子，總數至少上千人。以上分詳〔宋〕葉適：《水心集》，影印《文淵閣四庫全書》，第1164冊，卷11，頁227：15b-228：16a；〔美〕田浩：《朱熹的思維世界》〔增訂版〕（南京：江蘇人民出版社，2011年4月），頁91。

　　被四庫館臣認為是踵承《讀詩記》而撰就的南宋晚期《詩經》名著《詩緝》，其作者為宋代詩學理論大家嚴羽（1195-1245）之族弟嚴粲。[18]嚴粲，字坦叔，一字明卿，號明谷，南宋福建邵武莒溪人。[19]寧宗嘉定十六年（1223）登進士第後，官授全州清湘令之職。其先祖無論是漢代遠祖嚴君平，抑或唐代宗時與詩聖杜甫情誼甚篤的四川劍南節度使嚴武，均為嚴家之碩彥。[20]嚴氏家族自西蜀避居南閩之後，其族亦承其家風，於宋理宗時為邵武地區詩家之盛者。嚴粲的幾位堂兄弟嚴羽、嚴仁、嚴參、嚴肅、嚴嶽、嚴必振、嚴必大、嚴奇與嚴若鳳等九人俱有詩名。不過，與呂氏家族不同的是，這些人都與仕途無緣，唯有嚴粲一人曾登進士第而任官，且以經學名傳於世。[21]

　　嚴粲之著作有《華谷集》一卷及《詩緝》三十六卷，論學術研究成果之數量，遠不如呂祖謙。《詩緝》是南宋晚期《詩經》學的重要著作，如同《讀詩記》，此書亦採集解的體例來注釋三百篇，雜採諸說，又能有所發明，所採者以漢學家之說為多，注釋部分，引《毛傳》1966 處，引鄭《箋》1262 處，引孔《疏》1164 處；宋儒部分，引用最多者為朱熹《詩集傳》，共有 643 處，其次是呂祖謙的《讀詩記》，共有 213 處。朱子向來被以為是南宋《詩經》新派中的總司令，呂氏則被歸到守

---

18 楊家駱主編：《南宋文範》（臺北：鼎文書局，1975 年 1 月），上冊，頁 22。

19 〔清〕李清馥：《閩中理學淵源考》，影印《文淵閣四庫全書》，第 460 冊，頁 140：21a。

20 許志剛：〈嚴羽家世考〉，《遼寧大學學報》第 138 期（1996 年 2 月），頁 82。

21 《重纂邵武府志・儒林傳・邵武縣》：「嚴氏有群從九人，皆能詩，惟粲以經學傳。」〔清〕王琛等修，〔清〕張景祈等纂：《重纂邵武府志》（臺北：成文出版社，1967 年 12 月），卷 21，頁 4。

《序》派的陣營中，[22]吾人在研判嚴粲的解經立場、用心之時，這是可以思量的角度之一。

　　在研究動機方面，根據林希逸（1193-1171）〈詩緝序〉的記載，嚴粲語其著書乃以「發昔人優柔溫厚之意」為宗旨，[23]而嚴氏在序中則云：「二兒初為〈周南〉、〈召南〉，受東萊義，誦之不能習。余為緝諸家說，句析其訓，章括其旨，使之瞭然易見。既而友朋訓其子若弟者，競傳寫之，困于筆箚，胥命鋟之木，此書便童習耳。」[24]依此，嚴粲撰寫《詩緝》，原不存遠大之目標，後人或謂「《詩緝》卷首論大小〈雅〉之別後有『臣考〈菁莪〉所言』，卷一〈周南〉下有『臣粲曰』，所以說他『便童習』的說法只是一種托詞」，[25]筆者以為，以嚴粲僅擔任過全州清湘令之為官經歷來看，他並無經筵獻講的機會，但若說其原有解《詩》以進呈御覽之意，則不是不可能，唯其後取消原意，轉移寫作目標至子弟身上，今《詩緝》全書自稱臣者僅九處，皆集中在卷前（一處）與解釋〈周南〉之卷一（八處），理由或許在此。

　　與呂祖謙的著作方式、解《詩》態度近似，嚴粲的《詩緝》

22　《四庫全書總目》：「楊慎《丹鉛錄》謂文公因呂成公太尊〈小序〉，遂盡變其說，雖意度之詞，或亦不無所因歟？自是以後，說《詩》者遂分攻《序》、宗《序》兩家，角立相爭，而終不能以偏廢。」《四庫全書總目》，第 1 冊，卷 15，頁 339：19a-19b。又，李家樹謂朱熹為「反《序》派」總司令，本文沿用此詞。李說見《詩經的歷史公案》（臺北：大安出版社，1990 年 11 月），頁 123。

23　〔宋〕林希逸：〈嚴氏詩緝序〉，〔宋〕嚴粲：《詩緝》（臺北：廣文書局，1983 年 8 月），卷前，頁 1b。

24　嚴粲：〈詩緝前序〉，《詩緝》，卷前，頁 3a。

25　戴維：《詩經研究史》（長沙：湖南教育出版社，2001 年 9 月），頁 383。案：「卷一〈周南〉」，戴氏原作「卷一〈周召〉」，茲逕改。

採用集解體以進行寫作，他尊重《詩序》的解題內容，對於《詩序》的相關議題也盡量容納前人各說，而呂祖謙所取材者，也頗被《詩緝》納入，但面對相同的資料，嚴粲有時會刻意加以調整，最明顯的例子是他在〈關雎・序〉「用之邦國焉」以大字正文的方式疏解其意，又以小字註解的方式提供了這樣的訊息：

《釋文》曰：「舊說云：『后妃之德也』至『用之邦國焉』，名〈關雎序〉，謂之〈小序〉。自『風，風也』迄末，名〈大序〉。沈重云：『案鄭《詩譜》意，〈大序〉是子夏作，〈小序〉是子夏毛公合作，卜商意有不盡，毛更足成之。』或云：『〈小序〉是東海衛敬仲所作。』今謂此《序》止是〈關雎〉之《序》，總論《詩》之綱領，無小大之異。」蘇氏曰：「〈大序〉其文反覆煩重，類非一人之辭者，凡此皆毛氏之學，而衛宏之所集錄也。《後漢・儒林傳》云：『衛宏從謝曼卿受學，作〈毛詩序〉，善得風雅之旨，至今傳于世。』《隋・經籍志》云：『先儒相承謂《詩序》子夏所創，毛公及衛敬仲又加潤益。』」董氏曰：「宏固不能及此，或以師授之言論著於書耳。」。

上面的文字亦見於呂祖謙所引，而詳略互見，例如陸德明（約550-630）在討論大、小序之定義時，特別強調：「今謂此〈序〉止是〈關雎〉之〈序〉，總論《詩》之綱領，無大小之異。」[26] 呂氏徵引陸氏之說，刪除此語，而嚴粲則予以保留。當《詩》之大、小序區隔標準，異說紛呈時，嚴粲對於大、小序之界定寧可取陸德明所引的舊說，且將陸氏的〈關雎・序〉

---

26 〔唐〕陸德明：《經典釋文》（臺北：學海出版社，1988年6月），上冊，卷5，〈毛詩音義上〉，頁53：1b。

無分大小之說也照樣收錄，對於朱子所謂〈大序〉指的是〈關雎・序〉從「詩者，志之所之也」至「詩之至也」一段，[27]明顯有意避開，這可能是他本就不認同朱子之見，也有可能是不願意讓其著作沾染過多的新派色彩。其次，呂祖謙引董逌曰：「古之為教者，師授而傳之，訓傳不立而能自見於世，況夫《詩》之存，不獨著之竹帛，凡聲於樂者，工師亦得以傳其言也。漢史謂宏作《詩序》，宏固不能及此。或以師授之言，論著於書耳。」[28]嚴粲僅引其「宏固不能及此，或以師授之言論著於書耳」二句，當係以為衛宏本與《詩序》無涉，自不待辨。

　　此外，嚴粲稱各〈序〉篇題之下一句為「首序」，以為乃國史所題，其下申說之語，他名為「後序」，認為出自說《詩》之人。[29]此一見解遠承程頤，近接呂祖謙，不過，程氏、呂氏並未發明「首序」、「後序」之詞，嚴粲刻意使用二詞，應有隨時分別看待兩者之意。[30]另外，蘇轍雖亦早有相似之見，但差別在於，蘇氏在引述《後漢書・儒林傳》、《隋書・經籍志》之說後，隨即表示：「古說本如此，故予存其一言而已。曰：是詩言是事也，而盡去其餘，獨采其可者，見於今傳；其尤不可

27　〔宋〕黎靖德編，王星賢點校：《朱子語類》（臺北：華世出版社，1987 年 1月），卷 80，第 6 冊，頁 2071。

28　《呂氏家塾讀詩記》，卷 1，頁 14。

29　《詩緝》，卷前，〈詩緝條例〉，頁 6b。

30　程氏之語已略見前引《讀詩記》之文，而其原文則為：「……得失之迹，刺美之義，則國史明之矣。史氏得詩，必載其事，然後其義可知。今〈小序〉之首是也，其下則說詩者之辭也。」程頤：《河南程氏經說》，〔宋〕程顥、程頤著，王孝魚點校：《二程集》（北京：中華書局，1981 年 7 月），第 4 冊，卷 3，頁 1046。

者，皆明著其失；以為此孔氏之舊也。」[31]存「首序」，廢「後序」，此一動作過大，故嚴粲不願貿然跟進，且其書中也只在徵引蘇轍之說時出現衛宏之名，他自己則是使用程頤所說的「說詩者之辭」五字來泛稱「後序」之作者身分。既然以為「首序」出自國史之手，對其詮釋詩篇主題，嚴粲也就全部認同，至於「後序」則視情況來決定是否接受，此一思維模式與呂氏無異。只是，嚴粲對於「後序」的負面意見多於呂祖謙，其說亦較具體，如面對〈關雎・序〉所云「樂得淑女」以下數語，嚴粲批判此說乃「經師因孔子之言而增益之耳，所謂不淫其色，哀窈窕，皆非詩之旨也」。[32]又如〈周南・葛覃・序〉云：「〈葛覃〉，后妃之本也。后妃在父母家，則志在於女功之事，恭儉節用，服澣濯之衣，尊敬師傅，則可以歸安父母，化天下以婦道也。」嚴粲云：「本者，務本也。國史所題，此一語而已。其下則說《詩》者之辭，如言在父母家，則志在女功之事，非詩意也。」[33]再如〈卷耳・序〉云：「〈卷耳〉，后妃之志也。又當輔佐君子，求賢審官，知臣下之勤勞，內有進賢之志，而無險詖思謁之心，朝夕思念，至於憂勤也。」嚴粲云：「言后妃之志者，謂因備酒漿，念及臣下之勤勞耳，後序以詩之周行為列位，遂支離其說，非詩之旨也。求賢審官，婦人何預！果若《序》言，開后妃與政之漸矣。朝夕思念，至于憂勤，於義

---

31 〔宋〕蘇轍：《詩集傳》，影印《文淵閣四庫全書》，第 70 冊，卷 1，頁 315：6b。

32 《詩緝》，卷 1，頁 14a。

33 嚴粲在批評「後序」之說後，又引《讀詩記》之言以加強批評之力道：「講師以為在父母家，殊不知是詩皆述既為后妃之事，貴而勤儉，乃為可稱，若在室而服女功，固其常耳。」《詩緝》，卷 1，頁 18b-19a。

為衍。」〈關雎〉、〈葛覃〉、〈卷耳〉排於《詩》之前三篇，嚴粲連續直指「後序」之言皆非詩之旨意，這是對於「後序」功過的急迫表態。又如同屬〈周南〉的〈螽斯〉、〈漢廣〉，嚴粲對其「後序」的批評分別是：「〈螽斯〉，次〈樛木〉，義相成也，後序謂『若螽斯不妬忌』，非也，螽斯微蟲，何由知其不妬忌乎！」「（〈漢廣〉）道謂脩身齊家之道也，男子見游女自無犯禮之思，後序言求而不可得，非也。」[34]類此之例，全書中另有十三處，客觀說來，亦不甚多，而且語氣不失溫和，[35]兼之嚴氏對「後序」也有直接肯定之處，並且不忘提醒讀者，「後序」仍然有其價值，例如〈常棣・序〉云：「〈常棣〉，燕兄弟也。閔管蔡之失道，故作〈常棣〉焉。」嚴粲特別標出這一句：「讀此詩，知後序亦有不可廢者矣。」[36]〈北山・序〉云：「〈北山〉，大夫刺幽王也。役使不均，已勞於從事而不得養其父母焉。」嚴粲云：「後序與孟子之言合。」[37]筆者以為，嚴粲其實並不滿意「後序」的解題，此從〈周南〉十一篇詩作，嚴粲直接批評「後序」者已多達五篇，即可推知，但是嚴氏撰寫《詩緝》，

---

34 分見《詩緝》，卷1，頁21b、25b、32a。

35 詳《詩緝》，卷3，頁13a，〈邶風・終風〉；卷8，頁5a-6b，〈鄭風・將仲子〉；卷8，頁27a-27b，〈蘀兮〉；卷9，頁9b，〈齊風・南山〉；卷11，頁6a-6b，〈唐風・山有樞〉；卷11，頁10a，〈唐風・揚之水〉；卷13，頁3a，〈陳風・東門之枌〉；卷16，頁21b〈豳風・東山〉；卷17，頁15a，〈小雅・伐木〉；卷17，頁37a，〈魚麗〉；卷24，頁1a，〈魚藻〉；卷24，頁25b，〈瓠葉〉；卷25，頁34b，〈大雅・旱麓〉。另外，嚴粲對於〈鄘風・載馳〉「後序」所言肯定、否定皆有：「味詩之意，夫人蓋欲赴愬於方伯，以圖救衛，而託歸唁為辭耳。竇氏女撫膺太息曰：『恨我不為男子，救舅氏之患。』與夫人之意正同。後序言自傷不能救，得之矣。又以為真欲歸唁，則非也。」《詩緝》，卷5，頁23a。

36 《詩緝》，卷17，頁10a。

37 《詩緝》，卷22，頁17b。

並不存批判古說之心，故能適可而止，至於〈詩大序〉的諸多論點，他在《詩緝》卷一中有詳細的申述，僅對〈大序〉以「政有小大」來作大小二〈雅〉的區分標準表示異議，[38]所以大致而言，嚴粲對於三百篇的「首序」全部都能接受，〈詩大序〉所提供的儒家詩論，他僅有小幅度的意見，「後序」比較不洽其意，但仍維持相當程度的尊重，起碼，他在《詩緝》的解說〈周南〉中連連批評「後序」，但其後的各個單元，對於「後序」負面意見逐漸縮小了下來，本文所論及的全書以「臣」自稱不見於卷二之後，或許也可從此處來考量。[39]

至此，我們已可確認，呂祖謙與嚴粲對於《詩序》都有絕高的支持度，對於「後序」也都略有不滿，雖然所質疑的篇章不盡相同，但這樣的小幅差異已不具比較上的意義，《四庫全書總目》以為《詩緝》以呂祖謙《讀詩記》為主，若從此一角度來判讀，應無問題。

三、呂祖謙、嚴粲對《毛傳》、鄭《箋》的態度

朱熹曾經譏評呂祖謙為毛、鄭之佞臣，[40]這個負面性的評

---

38 嚴粲：「……以政之小大為二〈雅〉之別，驗之經而不合，李氏以為〈大序〉者，經師次輯其所傳授之辭，不能無附益之失，其說是也。……〈雅〉之小大，特以其體之不同耳。蓋優柔委曲，意在言外者，風之體也。明白正大，直言其事者，雅之體也。純乎雅之體者為雅之大，雜乎風之體者為雅之小。」《詩緝》，卷1，頁10a-10b。

39 案：假若嚴粲在《詩緝》卷2之後，才改以子弟為其主要讀者，則其盡量不再批評「後序」，應屬人之常情。

40 朱熹：「人言何休為《公羊》忠臣，某嘗戲伯恭為毛、鄭之佞臣。」〔宋〕黎靖德編，王星賢點校：《朱子語類》，第8冊，卷122，頁2950。

語透露出呂祖謙、對《毛傳》、鄭《箋》的擁護態度。不過，呂氏支持《毛傳》、鄭《箋》其實有很充分的理由，他本有「讀《詩》應先看其大義」的一貫主張，[41]在他看來，窮研訓詁，不僅無益，反而有礙對詩之大義的探求，如果《毛傳》、鄭《箋》的解釋可稱其職，那就是理解三百篇的康衢要道；謂之為毛鄭佞臣，若非朱熹的成見，即是其急於與《詩經》漢學切斷關聯，以建立色彩鮮明的一家之學。

　　呂祖謙毫無違反時代潮流的想法，如同多數宋儒，他也不能接受破碎害道的傳統章句之學，但呂氏採取折衷的態度，既認為泥於傳注並非理解經典之常道，又認為古代大儒的優異解經成績必須給予肯定，並且勤加研習。呂祖謙曾經上疏宋孝宗：「……今陛下不待箴諫，此累自除，恢明聖道，無若此時之易。章句陋生乃徒誦詁訓，迂緩拘攣，自取厭薄，不知內省。……陛下所當留意者，夫豈鈆槧傳注之間哉？」[42]又云：「傳註之學，漢之諸儒專門名家，以至於魏晉梁隋唐，全經固失，然而王肅、鄭玄之徒說存，而猶有可見之美。自唐太宗命孔穎達集諸家之說為《正義》，纔經一番總集。後之觀經者，便只知有《正義》，而諸儒之說無復存。」[43]章句之學對漢代

41　呂祖謙：「學者多不要看先儒議論，如至大至剛，以直必有事焉而勿正。此本是趙岐說，後生却謂伊川創出此說。今所編詩，不去人姓名，正欲令人見元初說着詩先要看大義，又要研窮，如不以文害辭，不以辭害意，是看大義。研究時，却須子細看。」《東萊外集》，影印《文淵閣四庫全書》，第 1150 冊，卷 6，頁 33a。

42　〔宋〕呂祖謙：〈乾道六年輪對箚子二首〉，《東萊集》，影印《文淵閣四庫全書》，第 1150 冊，卷 3，頁 8a-9a。

43　〔宋〕呂祖謙：《左氏傳說》，影印《文淵閣四庫全書》，第 152 冊，卷 2，〈莊公〉，頁 2a。

經學教育之推展及對漢代政治之影響，有其不可忽視之作用，[44]《五經正義》的發行也有學術與政治上的意義，[45]而呂祖謙的想法則是，徒誦詁訓、迂緩拘泥的前儒不足為訓，空疏繁瑣的章句義疏之學也不需跟進，但過猶不及，盡棄古注、力求標新的時代呼聲，他也不願意盲從，以為「後生於傳注中，須是字字考始得」。[46]顯然呂祖謙以為不能忽略傳統傳注之學，唯需知所選擇，若是貪多務得，窮研訓詁，反而有礙對詩之大義的探求。

《詩序》的任務在理解全詩所要傳達的言外之意或內層意義，亦即其從事的是一種探索、詮釋聖人深意的工作，呂祖謙能夠高度接受《詩序》，則《讀詩記》的詮釋取向已經可以確立，而《毛傳》的主要功能在於解釋字義，其次是標出興體，讓讀者注意到詩的創作用心；至於鄭《箋》的寫作用意在「表識《毛傳》」，[47]有時也以今文說修正毛意，[48]此外就是針對部分

---

44 張寶三：〈漢代章句之學論考〉，《臺大中文學報》第 14 期（2001 年 5 月），頁 71。

45 有關《五經正義》的相關討論可參吳雁南、秦學頎、李禹階主編：《中國經學史》（福州：福建人民出版社，2001 年 9 月），頁 236-248；張寶三：《五經正義研究》（臺北：國立臺灣大學中國文學研究所博士論文，1992 年 6 月），上冊，頁 17-25；47-88。

46 呂祖謙：〈己亥秋所記〉：「學者多舉伊川語，云：『漢儒泥傳注。』伊川亦未嘗令學者廢傳注。近時多忽傳注，而求新說，此極害事，後生於傳注中，須是字字考始得。」《東萊外集》，卷 6，頁 39b。

47 鄭玄《六藝論》：「注《詩》宗毛為主。毛義若隱略，則更表明。如有不同，即下己意，使可識別也。」引自〔唐〕陸德明：《經典釋文》，上冊，卷 5，頁 1a。

48 惠棟：「鄭《箋》宗毛，然亦間有從《韓》、《魯》說者……。」〔清〕惠棟：《九經古義》（北京：中華書局，1985 年《叢書集成初編》影印《貸園叢書》本），卷 6，頁 77。馬瑞辰〈雜考各說〉：「鄭君箋《詩》，自云：『宗毛為主，

《序》說進行箋釋。是以考察學者的解《詩》立場，觀其對於
《詩序》的接受程度是一個最便捷的辦法，若能再留意其對《毛
傳》、鄭《箋》的依違取捨狀況，則其對於傳統《詩經》漢學
的態度即可完全確定。

　　定位為家塾讀本的《讀詩記》，在〈小雅〉八十篇（含有
目無辭者六篇）的分什部分，並不與傳統《毛詩》讀本同。傳
統《毛詩》將〈小雅〉區分為〈鹿鳴之什〉、〈南有嘉魚之什〉、
〈鴻鴈之什〉、〈節南山之什〉、〈谷風之什〉、〈甫田之什〉與〈魚
藻之什〉七個單元，其中〈鹿鳴之什〉與〈南有嘉魚之什〉連
同有目無辭的詩作分別都有十三篇之多，最後一個單元〈魚藻
之什〉則是十四篇；《讀詩記》則將〈小雅〉分為〈鹿鳴之什〉、
〈南陔之什〉、〈彤弓之什〉、〈祈父之什〉、〈小旻之什〉、〈北山
之什〉、〈桑扈之什〉與〈都人士之什〉，共八個單元。呂氏這
樣的作法是沿襲蘇轍的《詩集傳》而來，主要是因他也認為如
此改什才能恢復孔子之舊。[49]〈小雅〉的重新分什固然僅是形
式上的出入，與經旨的解釋無關，但體例的差異讓人可以一望
而知，與傳統編輯方式的不同，不失為求異的一個方式。

　　《讀詩記》卷一〈綱領〉對於漢代《詩經》學的發展有客
觀的介述，但並未出現恭維毛、鄭的文字，今人或謂「呂祖謙
並非本《序》說詩，也未堅守毛、鄭舊說。許多地方呂祖謙糾

　　其間有與毛不同者，多本三家《詩》。』以今考之，其本於《韓詩》者尤夥。」
　　〔清〕馬瑞辰：《毛詩傳箋通釋》（北京：中華書局，1992 年 2 月），上冊，
　　卷 1，頁 20-23。
49 呂祖謙：「蘇氏曰：毛公推改什首，予以為非古，於是復為〈南陔之什〉，則
　　〈小雅〉之什皆復孔子之舊。」《呂氏家塾讀詩記》，卷 18，頁 349。

正了漢人說《詩》的穿鑿」,[50]根據筆者先前的檢視、統計,呂祖謙批評毛、鄭之說者僅有〈周南‧卷耳〉(批評毛說)、〈豳風‧鴟鴞〉(毛、鄭一併批評)、〈檜風‧素冠〉、〈小雅‧楚茨〉、〈甫田〉、〈大雅‧緜〉(以上四篇批評鄭說),則呂氏反對毛、鄭之說的,委實有限之極,朱熹的「毛、鄭之佞臣」之評語,主要就是指此一現象而言。除此之外,鄭玄在《詩譜》中所提的正變區分標準,呂氏並未批評,也未接受,而是以低調的方式提出一家之言,[51]這可能與其為人之個性有關。於此,筆者特別要指出的是,呂祖謙為了拓展讀者見聞,《讀詩記》旁徵博引,漢宋兼採,「不薄今人愛古人」,完全符合集解體的撰述要件,[52]兼之,《讀詩記》解釋《詩》三百,融入各人見解的

---

50 杜海軍:〈呂祖謙的《詩》學觀〉,《浙江社會科學》2005 年第 5 期(2005年 9 月),頁 136。

51 鄭玄:「文武之德……,其時詩,〈風〉有〈周南〉、〈召南〉,〈雅〉有〈鹿鳴〉、〈文王〉之屬。及成王、周公致大平,制禮作樂,而有頌聲興焉,盛之至也。本之由此〈風〉、〈雅〉而來,故皆錄之,謂之《詩》之正經。後王稍更陵遲,懿王始受譖,亨齊哀公……,孔子錄懿王、夷王時詩,訖於陳靈公淫亂之事,謂之變〈風〉、變〈雅〉。」詳〔漢〕毛亨傳,〔漢〕鄭玄箋,〔唐〕孔穎達疏:《毛詩正義》(臺北:藝文印書館,1976 年 5 月),卷前,〈詩譜序〉,頁 5:3b-6:5b。案:《讀詩記》卷 1〈綱領〉並未有「正變」一條,但於「風雅頌」之條中,呂氏節引鄭玄之論,而又在解釋〈澤陂〉時說:「變〈風〉始於〈雞鳴〉,終於〈澤陂〉,凡一百二十八篇。……正〈風〉之所以為正者,舉其正者以勸之也。變〈風〉之所以為變者,舉其不正者以戒之也。道之升降,時之治亂,俗之汙隆,民之死生,於是乎在。錄之煩悉,篇之複重,亦何疑哉!」《呂氏家塾讀詩記》,卷 13,頁 260-261。

52 集解型著作旨在薈萃眾說,何晏《論語集解‧敘》:「……所見不同,互有得失。今集諸家之善說,記其姓名,有不安者,頗為改易,名曰《論語集解》。」皇侃:「此平叔用意也。叔言多注解家,互有得失而已,今集取錄善者之姓名,著於《集注》中也。若先儒注,非何意所安者,則何偏為改易,下己意也。頗猶偏也。既集用諸注以解此書,故名為《論語集解》也。」皇侃又在〈論語義疏敘〉中列出其所採取諸家之名,並云:「又別有通儒解釋,於何

有 131 篇，呂氏的作法是，依據《詩經》文本，綜合《詩序》
以降的諸家說解，統攝一己史學的涵養，對詩義加以釐析，增
補前人未盡之處，試圖賅備《詩》說的全旨大意，這裡面也展
現出一些解放詩旨的企圖心。[53]在解經重直觀、貴突破的宋代，
《讀詩記》大幅引述且力挺傳統之說，依然能夠成為一代名
著，必定有其引人之勝處。

　　在嚴粲方面，《詩緝》對於〈小雅〉之分什標準全依《毛
詩》古本。如眾所知，朱熹本認為〈南陔〉、〈白華〉、〈華黍〉、
〈由庚〉、〈崇丘〉、〈由儀〉等六篇並非亡逸其辭，而係六篇原
本無辭的笙詩，所以他在歸「什」的時候，〈南陔〉等詩是正
是計入各「什」的，而且他在《詩集傳》中說：「〈南陔〉，此
笙詩也。有聲無詞。舊在〈魚麗〉之後，以《儀禮》考之，其
篇次當在此。今正之。」[54]朱子依《儀禮》所載，將〈南陔〉
放到第九篇的〈杕杜〉之後，且視笙詩為正式的詩歌，於是《詩
集傳》的〈小雅・鹿鳴之什〉連同〈南陔〉在內一共是十篇，
且因朱熹是將〈南陔〉、〈白華〉、〈華黍〉同時安放到〈魚麗〉
之前，於是〈白華〉成為第二個單元的首篇，而有〈白華之什〉
之名目。依此，《詩集傳・小雅》就出現〈鹿鳴之什〉、〈白華
之什〉、〈彤弓之什〉、〈祈父之什〉、〈小旻之什〉、〈北山之什〉、

集無好者，亦引取為說，以示廣聞也」。分見〔梁〕皇侃：《論語集解義疏》
　（臺北：廣文書局，1977 年 7 月），上冊，卷首第 2 篇，〈論語集解・敘〉，
　頁 4；卷首第 1 篇，〈論語義疏敘〉，頁 10。

53 詳拙文〈經典的重構：論呂祖謙《讀詩記》在《詩經》學史上的承衍與新變〉，
　《清華學報》新 42 卷第 1 期，頁 68。案：此文已收入本書。

54 〔宋〕朱熹：《詩集傳》，收於朱傑人、嚴佐之、劉永翔主編：《朱子全書》
　（上海：上海古籍出版社，合肥：安徽教育出版社，2002 年 12 月），第 1
　冊，卷 9，頁 557。

〈桑扈之什〉與〈都人士之什〉共八個「什」了。朱熹將〈小雅〉設計成各「什」都是十篇，這是形式上與《毛詩》原本的大不同之處，而其與蘇、呂的名目不同就僅有一處，蘇、呂的〈小雅〉第二單元為〈南陔之什〉，朱子則為〈白華之什〉。嚴粲有機會將〈小雅〉的分什標準盡依《讀詩記》或《詩集傳》，但他仍然回到傳統，則四庫館臣謂《詩緝》以《讀詩記》為主，由此一角度來觀察，就不盡然正確了。

相對於呂氏的盡量不去批評《毛傳》、鄭《箋》，嚴粲面對毛、鄭，比較勇於發抒己見。《毛傳》的特色之一是簡要嚴謹，[55]鄭玄則是在古典知識、經典意義、神學觀念背景三大系統的支持之下，建構起自己的宏大之《詩》學體系，[56]但其解釋又往往溢出經文之外，[57]容易引起非議。一旦嚴粲判斷《毛傳》之說過簡，或其說出現瑕疵，就會加以補文、申述或辨析，[58]乃

---

55 阮元〈十三經注疏校勘記〉：「《傳》例簡嚴，複者甚少。」馬瑞辰：「《毛詩》詞義簡奧，非淺學所易推測。」分見《毛詩正義》，卷 16 之 3 後附，頁 566：22a；〈毛詩後箋序〉，收於〔清〕胡承珙著，郭全芝點校：《毛詩後箋》（安徽：黃山書社，1999 年 8 月），上冊，卷前，頁 1。

56 詳劉毓慶、郭萬金：《從文學到經學——先秦兩漢詩經學史論》（上海：華東師範大學出版社，2009 年 10 月），頁 465-475。

57 詳車行健：《漢代毛鄭詩經經解的思想探索》（臺北：里仁書局，2011 年 9 月），頁 77-80。

58 在補述、辨析方面，如〈召南·摽有梅〉「摽有梅，傾筐塈之」，《毛傳》：「塈，取也。」嚴粲引伸解釋為「取之於地，霑地濕也」。〈小星〉「三五在東」，嚴粲以為毛說太簡，因以〈唐風·綢繆〉之《毛傳》補足此句之義。〈邶風·泉水〉「載脂載舝」之句，嚴粲以為毛云「脂舝其車」乃是區別「載脂」與「載舝」二事，不是混言之。〈鄘風·蝃蝀〉與〈曹風·候人〉兩個「朝隮」，毛說不同，嚴粲幫忙說解區別之。〈王風·中谷有蓷〉，毛云：「蓷，鵻也。」〈大車〉，毛云：「菼，鵻也。」嚴粲表示前一「鵻」只是借用鵻字之音讀，非謂蓷草又名為鵻。〈陳風·衡門〉，毛云：「泌，泉水也。」〈邶風·泉水〉，毛云：「泉水始出，毖然流也。」嚴粲以為此二處之「泌」、「毖」為字異義

至於直接反對毛公的解釋，[59]這樣的做法，堪稱《毛傳》之功臣。至於鄭《箋》雖是漢朝時代環境、經學自身發展的必然產物，[60]但嚴粲對其涉入較少，這或許是因為他比較希望子弟能充分理解《毛傳》之故，而其面對鄭《箋》態度堪稱客觀，其目的仍在於詩句意義的詮釋。[61]比較棘手的是，《毛傳》、鄭《箋》的訓詁內容難免有所衝突，[62]要如何從中做出優劣的判斷？此時嚴粲會秉持客觀徵實的精神，調解、辨析、抉擇雙方之見，充分表現出漢學家的本色。如〈鄘風・君子偕老〉之「副笄六珈」句，《毛傳》云：「笄，衡笄也。珈笄，飾之最盛者，所以別尊卑。」鄭《箋》云：「珈之言加也，副既笄而加飾，如今步搖上飾。」嚴粲以為毛公之說以「笄」即「衡笄」，而鄭玄於《周禮・天官冢宰・追師》有關於「衡笄」之注解，將「衡

同，皆為「泉水之流貌」，非謂泌為泉水之名。以上五處分詳《詩緝》，卷2，頁17a；卷2，頁17b；卷4，頁16b；卷5，頁17b；卷7，頁10b；卷13，頁5b。

59 如以《禮記・內則》本文及鄭《注》、孔《疏》駁斥毛公之解「芼」為擇；以《禮記・月令》本文及鄭《注》、《左傳》等相關記載駁斥毛公之解「騶虞」為義獸；以《漢書・顏師古注》駁斥毛公「契闊」為勤苦之說，甚至追溯毛公說之源頭，以為始於《荀子》，《荀子》之說本已出錯，連帶影響及毛公之《傳》。以上分詳《詩緝》，卷1，頁18a；卷2，頁25a-25b；卷3，頁17b。

60 孫永娟：《毛詩鄭箋研究》（哈爾濱：哈爾濱師範大學博士論文，2010年5月），頁71。

61 如〈大雅・生民〉云：「載燔載烈。」《箋》云：「燔烈其肉。」但鄭玄於〈小雅・楚茨〉「或燔或炙」句云：「炙，肝炙也。」依嚴氏之意，〈生民〉之「烈」亦為「炙」之意，則鄭玄當以〈楚茨〉為言宗廟之祭以肝配燔，故解「炙」為炙肝，而〈生民〉皆言載祭之事，所以釋烈為燔烈其肉。《詩緝》，卷27，頁11b-13a。

62 其實鄭《箋》之所以有價值正因不僅是箋釋《毛傳》而已，鄭玄《六藝論》云：「注《詩》宗毛為主，其義若隱略，則更表明；如有不同，則下己意，使可識別也。」〔唐〕陸德明：《經典釋文》，上冊，卷5，頁53：1a。為《毛傳》作補充與訂正的工作，本來就是鄭玄作《箋》的目的之一。

筭」視為二物，故於此也將「衡筭」視為「衡」與「筭」兩種
物品。[63]又如〈王風‧大車〉「毳衣如菼」，《毛傳》：「菼，鵻也。
蘆之初生者也。」鄭《箋》：「菼，薍也。……毳衣之屬，衣繢
而裳繡，皆有五色焉，其青者如鵻。」《正義》對毛、鄭之說
無法調和，說鄭玄「似如易《傳》」、「復似從《傳》」。嚴粲則
分辨之，以為鄭玄所說的「鵻」為鳥名，毛公所說的「鵻」為
草名，而菼與薍本為異名同實之草，與蘆草為不同之草，故嚴
粲不用毛說而接受鄭說。[64]又如論〈大雅‧文王〉「維周之楨」，
《傳》云：「楨，榦也。」《箋》云：「是我周之幹事之臣」。嚴
粲以《爾雅‧釋詁‧舍人注》與《毛傳》解說相同，〈大雅‧
王文有聲〉的「王后維翰」、〈崧高〉的「維周之翰」，《毛傳》
都解「翰」為「榦」，以此駁斥鄭玄之說，以為「楨」、「翰」、
「榦」為同一物，即築牆所立之木。[65]〈大雅‧棫樸〉：「左右
奉璋。」《毛傳》：「半圭曰璋」。鄭《箋》：「璋，璋瓚也。祭祀
之禮，王祼以圭瓚，諸臣助之，亞祼以璋瓚。」嚴粲以為「璋」
有璋瓚、璋玉之不同。璋玉為禮神朝聘之用，璋瓚為祼宗廟時
所用。此處毛公解為璋玉，鄭玄釋為璋瓚，二說不同；嚴粲以
孔《疏》及《禮記‧郊特牲》等文字，證明此處之「璋」應如
鄭說，解為璋瓚。[66]又如對於《詩經》中出現的八個「京」字，
〈大雅‧文王〉「祼將于京」、〈大明〉「曰嬪于京」、「于周于京」、
〈思齊〉「京室之婦」、〈皇矣〉「依其在京」、〈公劉〉「乃覯于

63　詳《詩緝》，卷5，頁6a。
64　詳《詩緝》，卷7，頁17a。
65　詳《詩緝》，卷25，頁4a-4b。
66　關於「璋」的詳解，可見嚴粲於〈小雅‧斯干〉「載弄之章」、〈大雅‧棫樸〉
　　「左右奉璋」下之解釋，《詩緝》，卷19，頁24a-24b；卷25，頁31a-31b。

京」、「京師之野」、「于京斯依」，毛、鄭之說或不同，或相同，
嚴粲皆一一為之解說，盡到了分釋整合的責任。[67]再者，嚴粲
偶而也會利用宋儒之說來取代毛、鄭之解（詳後），雖其例不
多，但對走漢學路線的嚴粲而言，仍然具有某種意義。

　　作為漢代解詩權威的《毛傳》與鄭《箋》，自宋以後，逐
漸受到解經者的嚴格檢驗，就學術的進展而言，這是正常且可
喜的現象，然而，過於激烈的棄舊主張，亦是有違學術正軌的
表現，[68]昔王引之（1766-1834）嘗以古聲韻之原則，考求經史
傳注，發現後人不信之舊注往往信而有徵，王氏所舉例有〈周
南・關雎〉「左右芼之」之「芼」字，〈召南・甘棠〉「勿翦勿
拜」之「拜」字，〈邶風・柏舟〉「不可選也」之「選」字，〈新
臺〉「籧篨不鮮」之「鮮」字，〈小雅・采綠〉「六日不詹」之
「詹」字……等，《毛傳》或鄭《箋》之解皆不可易。[69]當然，
後人要以實例證明《毛傳》或鄭《箋》之解皆不可從，亦是輕

---

67 詳《詩緝》，卷 25，頁 8b-9a。
68 例如宋儒鄭樵（1103-1162）〈寄方禮部書〉云：「《詩》之難可以意度明者，
　　在于鳥獸草木之名也。……乃敢傳《詩》，以學者所以不識《詩》者，以大
　　小《序》與毛鄭為之蔽障也。」〔宋〕鄭樵：《夾漈遺稿》，影印《文淵閣四
　　庫全書》，第 1141 冊，卷 2，頁 7a-8a。又如清儒姚際恆（1647-約 1715）〈詩
　　經通論序〉云：「予嘗論之，《詩》解行世者有《序》，有《傳》，有《箋》，
　　有《疏》，有《集傳》，特為致多。初學茫然，罔知專一。予以為《傳》、《箋》
　　可略，今日折中是非者，惟在《序》與《集傳》而已。《毛傳》古矣，惟事
　　訓詁，與《爾雅》略同，無關經旨，雖有得失，可備觀而弗論。鄭《箋》鹵
　　莽滅裂，世多不從，又無論已。」〔清〕姚際恆：《詩經通論》，林慶彰主編：
　　《姚際恆著作集》（臺北：中央研究院中國文哲研究所，1994 年 6 月），第 1
　　冊，卷前，頁 15。
69 〔清〕王引之：〈經籍纂詁序〉，詳〔清〕阮元：《經籍纂詁》（臺北：世界書
　　局，1981 年 5 月），上冊，頁 1-2。案：出版社於書前兩〈序〉並未標示頁
　　碼，此處依實際頁碼標出。

而易舉之事，此因自古至今沒有無懈可擊之注本之故，由是觀之，嚴粲對於毛、鄭之說有較多的意見，又仍保有尊重《詩經》漢學的精神，就此部分而言，其表現似稍優於呂祖謙。

四、《讀詩記》與《詩緝》之徵引

朱熹之說及其意義

呂祖謙的《呂氏家塾讀詩記》對於《詩序》相當擁護，對於《毛傳》與鄭《箋》極為尊重，以其崇高的學術地位，《讀詩記》註定要成為宋代著名的尊《序》派著作。然而，《讀詩記》採用集解體以解三百篇，對於古今權威之說，不能不持平以對。在《詩經》漢學的陣容中，孔穎達扮演的角色十分吃重；在《詩經》漢學的營地裡，呂氏之摯友朱熹更是頂尖人物。[70]《讀詩記》所引孔《疏》之說甚多，計有 1611 條，引述次數已經超過鄭《箋》的 1402 條，接近《毛傳》的 1645 條。整體來看，《讀詩記》對於傳統《詩經》漢學的支持程度，應當還在以守《序》著稱的范處義（紹興二十四年〔1154〕進士）之上。[71]另

---

70 夏傳才：「我們評價歷史人物及其著述，不是看他們是否提供了我們現在要求的東西，而是看他們較之他們的前人提供了什麼新的東西。《詩集傳》是在宋學批評漢學和宋代考據學興起的基礎上，宋學《詩經》研究的集大成著作，是《毛詩傳箋》、《毛詩正義》之後，《詩經》研究的第三個里程碑。」夏傳才：《詩經研究史概要》（臺北：萬卷樓圖書公司，1993 年 7 月），頁 172。

71 《四庫全書總目》：「……蓋南渡之初，最攻《序》者鄭樵，最尊《序》者則處義矣。」《四庫全書總目》，第 1 冊，卷 15，頁 337：16b-338：17a。范處義深信《詩序》保留聖人對三百篇的理解，在意義上具有不可動搖的神聖性，為了對抗疑經思潮的新觀點，他推出《詩補傳》，全書刻意採取擁護傳統的

一方面，呂祖謙對於宋代對立面的研《詩》之士的解經成果也給予相當程度的尊重，尤其是朱熹，總計《讀詩記》引朱氏之見共有大字 698 條，小字 363 條，兩者合計多達 1061 條，在所引宋儒中高居第一，[72]可見呂氏對於朱子的說《詩》成果能夠給予足夠的肯定。雖然朱熹在為《讀詩記》作序時，刻意強調：「此書所謂『朱氏』者，實熹少時淺陋之說，而伯恭父誤有取焉。」但朱熹的解《詩》新說，主要是表現在對於《詩序》的態度轉變上，其次則是朱熹自言「有所未安，如雅鄭邪正之云者」的部分，[73]有關於各詩之創作手法、字詞訓釋方面，不至於會隨著篇旨理解的改變而有太大的不同（詳後）。

如同呂祖謙，嚴粲也是以漢宋兼採的方式來書寫《詩緝》，對於具有宋代說《詩》關鍵作用的歐陽修，他一共引述了 58 條，在所引宋儒中，歐陽修屬於被《詩緝》稍微冷落的一位。嚴粲頗為欣賞范處義的《詩補傳》與蘇轍的《詩集傳》，引述范氏之說 122 處，蘇氏之說則有 182 條。嚴粲對於朱熹的《詩經》學表現更是首肯，全書徵引朱氏說者如同前述，多達 643

立場進行論述。呂祖謙的性格、思維與范氏不同，《讀詩記》對於《詩序》的忠誠度略遜於范氏，但范氏雖固守《詩序》，對於毛、鄭卻勇於批評，這一點與呂氏相比，可謂大異其趣。詳拙著《范處義詩補傳與王質詩總聞比較研究》（臺北：文津出版社，2009 年 2 月），頁 2-41。

72　此中意義可參拙文〈經典的重構：論呂祖謙《讀詩記》在《詩經》學史上的承衍與新變〉，《清華學報》新 42 卷第 1 期，頁 64。案：此文已收入本書。又案：筆者在學報所登之文中謂《讀詩記》引朱氏之見共有大字 707 條，此一計數有誤，茲更正。

73　朱熹〈呂氏家塾讀詩記序〉：「此書所謂『朱氏』者，實熹少時淺陋之說，而伯恭父誤有取焉。其後歷時既久，自知其說有所未安，如〈雅〉〈鄭〉邪正之云者，或不免有所更定，則伯恭父反不能不置疑於其間，熹竊惑之。方將相與反復其說，以求真是之歸，而伯恭父已下世矣！」《呂氏家塾讀詩記》，卷前，頁 1-2。

條，[74]在宋儒中排名第一，遠高於前述諸位，甚至也明顯高於呂祖謙的 213 條。[75]就《詩緝》所徵引的宋儒之說觀之，四庫館臣謂嚴粲著書「以呂祖謙《讀詩記》為主，而雜採諸說以發明之」，與事實略有出入，若謂《詩緝》以朱、呂二氏之作為主，則為實際真相。

　　於此吾人尚可留意，呂祖謙、嚴粲的徵引朱子，意在引介其說，偶有評論，也都採取肯定的態度，例如呂祖謙解〈卷阿〉首章云：「此章具賦比興三義。其作詩之由，當從朱氏。」[76]又如嚴粲於〈召南〉總論云：「或謂召南諸侯之風，為太王、王季之化，故曰先王之所以教，然〈摽梅〉、〈野麕〉、〈騶虞〉《序》皆言被文王之化，當從朱氏以為文王也。」解〈小雅‧出車〉五章云：「此章鄭氏以為近西戎之諸侯，望王師之至，然上章述已伐西戎，歸而在道，此章覆說未至西戎，諸侯望之，則其言無倫序，當從朱氏。」解〈大雅‧旱麓〉主題：「此詩以旱麓榛楛起興，言文王承前人積累而興所謂受祖也。周之先祖以下，則講師附益其辭，贅矣。鄭氏因後序有大王、王季之說，遂以詩中豈弟君子為大王、王季。……當從朱氏，以詩中君子為文王。」解〈邶風‧泉水〉二章云：「禰無所見，與沬並言，亦衛邑可知，《箋》以沬、禰皆為所嫁國，適衛之道所經，今不從，不若王氏、朱氏為長。」[77]這種情形在呂、嚴兩人書中雖然只是偶一為之，不能過度高估其意義，但輔以引述朱氏之

74　已扣除引用朱熹之《楚辭集注》兩處，《孟子集注》兩處。

75　已扣除引用呂氏解《尚書》一處。

76　《呂氏家塾讀詩記》，卷 26，頁 648。案：呂祖謙大量引述朱說，但直接表明認同者似僅此處。

77　分見《詩緝》，卷 2，頁 1a；卷 17，頁 33a；卷 25，頁 34b；卷 4，頁 15a。

說數量之多，則朱熹在呂、嚴二人中的份量應可更加確定。

　　至於朱熹對於呂祖謙所引述其解，急於表態，強調皆為其少時淺陋之說，顯然是有劃清新舊兩派路線之意；假如新本《詩集傳》不僅對於詩篇的解題大異舊時，[78]連分章析句、訓詁名物都隨之而有相當幅度的變動，則後人在為《讀詩記》尋求定位之時，不能不格外重視朱子之言。

　　朱熹早期一本《詩序》而作的《詩集解》已佚，在此筆者以今人束景南所輯之本來跟《詩集傳》略作比對，[79]以見二者的差異性。

　　《詩序》：「〈關雎〉，后妃之德也。〈風〉之始也，所以風天下而正夫婦也。……〈關雎〉樂得淑女以配君子，憂在進賢，不淫其色。哀窈窕，思賢才，而無傷善之心焉，是〈關雎〉之義也。」[80]朱子《詩序辨說》評此說云：「后妃，文王之妃大姒也。天子之妃曰后，近世諸儒多辨文王未嘗稱王，則大姒亦未嘗稱后，《序》者遂稱之，亦未害也。但其詩雖若專美大姒，而實以深見文王之德。《序》者徒見其詞，而不察其意，遂一

---

78 朱熹：「舊曾有一老儒鄭漁仲更不信〈小序〉，只依古本與疊在後面。某今亦只如此，令人虛心看正文，久之其義自見。」「向見鄭漁仲有《詩辨妄》，力詆《詩序》，其間言語太甚，以為皆是村野妄人所作。始亦疑之，後來子細看一兩篇，因質之《史記》、《國語》，然後知《詩序》之果不足信。」《朱子語類》，第 6 冊，卷 80，頁 2068、2076。

79 束景南：「今《詩集解》亡佚，然當時主《毛序》之說者如呂祖謙《呂氏家塾讀詩記》、段昌武《毛詩集解》、嚴粲《詩緝》多引朱熹《詩集解》之說。……茲即於此三書中輯出《詩集解》，猶得太半。」詳束景南：〈輯錄說明〉，收於〔宋〕朱熹著，束景南輯錄：《詩集解》，朱傑人、嚴佐之、劉永翔主編：《朱子全書》，第 26 冊，頁 99。案：《詩緝》，束景南誤作《詩輯》，今正。

80 《毛詩正義》，卷 1 之 1，頁 12：3b-19：18b。

以后妃為主,而不復知有文王,是固已失之矣。」[81]首章「窈
窕淑女,君子好逑」,朱子在早期所作的《詩集解》中說:「淑
女,指太姒也。」「女者,未嫁之稱。蓋指文王之妃太姒為處
子時而言。」[82]《詩集傳》:「淑,善也。女者,未嫁之稱。蓋
指文王之妃大姒為處子時而言也。」[83]朱熹雖然略為批評《詩
序》之解〈關雎〉,但對關鍵句的解釋無甚差異。又如《詩序》
解〈邶風‧柏舟〉:「〈柏舟〉,言仁而不遇也。衛頃公之時,仁
人不遇,小人在側。」[84]《詩集解》:「鑒能度物,而我不能,
但有兄弟宜可據依,而不知其不可也。故或往愬焉,而反逢其
怒也。」[85]《詩集傳》不接受《序》說,而云:「婦人不得於其
夫,故以柏舟自比。言以柏為舟,堅緻牢實,而不以乘載,無
所依薄,但汎然於水中而已,故其隱憂之深如此,非為無酒可
以敖遊而解之也。《列女傳》以此為婦人之詩,今考其辭氣卑
順柔弱,且居變〈風〉之首,而與下篇相類。豈亦莊姜之詩也
歟?」「鑒,鏡。茹,度。據,依。愬,告也。言我心既匪鑒,
而不能度物。雖有兄弟,而又不可依以為重。故往告之,而反
遭其怒也。」[86]朱熹解〈柏舟〉,改用新說,但關鍵句的解釋並
無不同。再如〈鄭風‧將仲子〉,《詩序》:「刺莊公也。不勝其
母,以害其弟,弟叔失道,而公弗制,祭仲諫而公弗聽,小不

---

81 《詩序辨說》,《朱子全書》,第 1 冊,頁 355。
82 《詩集解》,卷 1,頁 117。案:據束景南標示,前者輯自段昌武《毛詩集解》、
　　嚴粲《詩緝》,後者輯自嚴粲《詩緝》。
83 《詩集傳》,《朱子全書》,第 1 冊,卷 1,頁 402。
84 《毛詩正義》,卷 2 之 1,頁 74:5a。
85 《詩集解》,卷 2,頁 141。案:據束景南標示,輯自呂祖謙《讀詩記》、段
　　昌武《毛詩集解》。
86 《詩集傳》,卷 2,頁 422-423。

忍，以致大亂焉。」[87]《詩集解》：「雖知汝之言，誠可懷思，而父母之言，亦豈不可畏哉！」[88]朱子《詩集傳》：「莆田鄭氏曰：此淫奔者之辭。」「將，請也。仲子，男子之字也。我，女子自我也。里，二十五家所居也。」[89]朱熹接受鄭樵之論，視〈將仲子〉為淫詩，補解「仲子」與「我」之義，但不害舊說的解釋。此外如〈唐風・山有樞〉，《詩序》：「刺晉昭公也。不能脩道以正其國，有財不能用，有鐘鼓不能以自樂，有朝廷不能洒埽，政荒民散，將以危亡，四鄰謀取其國家而不知，國人作詩以刺之也。」[90]朱子《詩序辨說》：「此詩蓋以答〈蟋蟀〉之意而寬其憂，非臣子所得施於君父者，《序》說大誤。」[91]《詩集解》：「山則有樞矣，隰則有榆矣。子有衣裳車馬而不服不乘，若一旦宛然以死，則它人取之以為己樂矣。」[92]《詩集傳》：「此詩蓋亦答前篇之意，而解其憂。故言山則有樞矣，隰則有榆矣。子有衣裳車馬，而不服不乘，則一旦宛然以死，而他人取之以為己樂矣。蓋言，不可不及時為樂。然其憂愈深，而意愈蹙矣。」[93]朱熹雖然批評《詩序》之說大誤，對於關鍵之章的解釋仍沿用舊說。類此之例，遍布兩書，不煩多所列舉，雖然今本《詩集解》並非舊時原貌，但仍可以讓我們獲得這樣的概念：呂祖謙的《讀詩記》在篇旨的判讀上堅守《詩序》，書中所引「朱

87　《毛詩正義》卷 4 之 2，頁 161：6b。
88　《詩集解》，卷 4，頁 186。案：據束景南標示，輯自呂祖謙《讀詩記》、段昌武《毛詩集解》。
89　《詩集傳》，卷 4，頁 469-470。
90　《毛詩正義》，卷 6 之 1，頁 6：2a。
91　《詩序辨說》，頁 376。
92　《詩集解》，卷 6，頁 214。案：據束景南標示，輯自呂祖謙《讀詩記》。
93　《詩集傳》，卷 6，頁 498。

氏曰」之內容都屬於詩文的局部解釋，與各詩主題無涉，朱熹晚出的《詩集傳》固然不再盡依《序》說，甚至將《詩序》排出書外，但在文句的訓釋，乃至章旨的說明上，新舊的差異其實極小，他為《讀詩記》作《序》時，或許並未細讀呂氏所引其說的內容，於是才急於做出「實悉少時淺陋之說」的表白，其實此一強調實屬多餘。

　　作為南宋時代的《詩經》集解之作，呂祖謙一方面保留了傳統解經風貌，一方面又不吝於將宋代疑《序》學者的意見納入書中，如此可以讓讀者同時接觸到兩種不同的解釋樣態，而主題闡釋以《詩序》為底色，以此而站穩立場；訓釋文句則漢、唐、宋儒者的成果一體納入，當代的研究結晶則特重朱熹的解釋，藉以沖淡其容易予人的保守色彩，如此可以擴展讀者階層，而不再如書名所示，僅以家塾子弟為閱讀對象。南宋晚年的嚴粲，對於閱讀、理解三百篇與呂祖謙有相同的理念。在《讀詩記》奠定的基礎上，嚴粲撰寫《詩緝》有觀摩學習的對象，得以穩步前進。認定「首序」出自國史，以此而讓《詩緝》的處理各篇主題可以心安理得；將「後序」的作者歸結為說《詩》之人，這可以在評論其說時更無心理罣礙。此外，這樣的見解承接自北宋程頤、南宋呂祖謙兩位大儒，對於保守的讀者都能有所交待。引述宋儒部分，如同呂祖謙的作法，將朱熹的地位抬舉到最高，這不僅是就事論事，尊重學術的發展結果，還可以爭取到朱派學者的認同。

　　呂祖謙的《讀詩記》與嚴粲的《詩緝》有很高的同質性，後出本就有可能轉精，兼之呂氏在三百篇中加入個人解說者，僅有 131 篇，尚有 174 篇不加一詞，容易引起研究者的質疑；

[94]嚴粲則不然，每篇都有述有作，以此而讓其書的完整性遠高於《讀詩記》，不至於遭來以述代作之譏。何況，今本呂書在〈公劉〉之後還是由呂祖儉接棒完成的，雖其內容依然來自呂祖謙初稿，但總是因為編寫時間分割而導致體例不一的現象，在與他書進行較量之時，這些都是不利於《讀詩記》之處。

五、結　語

學術史呈現一個事實：宋代《詩經》學者在疑古的態度下，勇於提出新穎的見解，全面性地對《詩經》學內容進行闡釋，呈現出嶄新的局面。在這樣的時代潮流之下，向《詩經》漢學靠攏的解經之作，很有可能獲得兩極化的評價。尊重傳統者譽之為不往流行傾斜，力求新變者譏之為食古不化。

《呂氏家塾讀詩記》與《詩緝》都是南宋著名的集解體著作，在兩位學者的心目中，《詩序》、《毛傳》、鄭《箋》容或有些許瑕疵，但仍具備永恆之價值，所以他們把這些漢學結晶當作書中的主要成份，但呂、嚴二氏畢竟深知學術演化的軌則，為了讓讀者接觸古今一流的《詩》說，《讀詩記》與《詩緝》採用漢宋並納、消除門戶之見的方式，集古今優異之解於一書，作為《詩經》讀本，如此之編排可謂情理兼顧。

---

94 趙制陽面對呂氏此舉，云：「這種以引述他人之文為主的疏解方式，實不多見。」〈呂氏家塾讀詩記評介〉，趙制陽：《詩經名著評介》，第 3 集，頁 191。案：趙氏對於呂氏解《詩》有較多的負評，特別是謂其「從未領會『風謠』的來歷與特性，故所論常常難以跳出古文詩說的範圍」（頁 218），由此可以推測，趙氏論呂氏有 174 篇不加一詞的作法「實不多見」，固然用詞溫和中性，但仍屬負評。

　　四庫館臣以為宋人絕重《讀詩記》，這是根據客觀資料而有的判斷，又以宋代說《詩》之家，《詩緝》與呂祖謙書竝稱善本，這也是合理的論述，但《總目》補進一句「其餘莫得而鼎立」，就將門戶偏見顯露無遺。宋代說《詩》之家誰第一？這個問題不會因為本文的析論而出現正解，更何況，將疑《序》學者的著作排除在外，這就大違學術的基本常態認知，甚不可取。不過，要決定呂、嚴二氏之作誰領先，則仍然可以有一些判準的依據。

　　《四庫全書總目》以為《詩緝》「以《讀詩記》為主」，這是針對書寫體例與解釋調性而言，並非指嚴粲特別鍾情於呂氏個人對於詩篇的詮釋。再者，陳振孫是從「《詩》學之詳正」的角度來恭維《讀詩記》，而稱呂書「博採諸家，存其名氏，先列訓詁，後陳文義，翦截貫穿，如出一手，有所發明，則別出之」，也僅是客觀陳述，不顯浮誇。魏了翁稱呂氏能發明詩人「躬自厚而薄責於人之旨」，此評不涉及學術價值之論斷，僅從全書特質入手，可謂合理之至。不過，這樣的論斷幾乎也可以用在《詩緝》身上。

　　嚴粲曾告訴林希逸，其書寫《詩緝》，旨在「發昔人優柔溫厚之意」，而林氏為《詩緝》作序，開首即言：「六經皆厄於《傳》、《疏》，《詩》為甚。我朝歐、蘇、王、劉諸鉅儒，雖擺落毛鄭舊說，爭出新意，而得失互有之。東萊呂氏始集百家所長，極意條理，頗見詩人趣味，然疎缺渙散，要未為全書。」顯然林氏為喜見新說之輩，但亦承認呂氏說《詩》之特長，唯惜其作不夠完足。面對《詩緝》，林希逸給予的論贊為：「鈎貫根葉，疏析條緒，或會其旨於數章，或發其微於一字，出入窮

其機綜，排布截其幅尺，辭錯而理，意曲而通，逆求情性於數千載之上，而興寄所在，若見其人而得之。至於音訓疑似，名物異同，時代之後前，制度之纖悉，訂正精密，開卷瞭然。嗚呼！《詩》於是乎盡之矣。《易》盡於伊川，《春秋》盡於文定，《中庸》、《大學》、《語》、《孟》盡於攷亭，繼自今，吾知此書與並行也。」[95]假若此說能夠得到一致的首肯，則宋人說《詩》第一者，合新舊兩派而觀之，當然就屬嚴粲了。只是，林氏上述的印象式批評見於其為《詩緝》所作之序，故帶有濃厚之酬酢意味，無庸多議。

　　值得注意的是，清儒萬斯同（1638-1702）譽呂祖謙的《讀詩記》為「最為醇正」之作，更推崇嚴粲的《詩緝》為千古卓絕之書，[96]姚際恆以為嚴氏《詩緝》「自為宋人說《詩》第一」，[97]這都是根據同類型著作多方比較之後的論斷，雖為各自之主觀見解，但亦正代表《詩緝》的價值備受後世學者肯定，衝破了世俗常有的「舊不如新」的陳見。

　　透過本文的比較分析，可以知道呂、嚴二氏都有意撰寫體系完整、漢宋並採的解《詩》之作，這樣的寫作旨趣，雖然不可能在求真、求善兩個方面都盡如人意，但卻能提供當代一般讀者最大的便利性。再以《讀詩記》與《詩緝》互作比較，兩位作者有相似的經學觀，尊古重今的論述方式殊無二致，然

95　詳〔宋〕林希逸：〈詩緝序〉，收於〔宋〕嚴粲：《詩緝》，卷前，頁1a-2b。
96　案：萬斯同以為《詩序》出自衛宏之手，其於〈詩序說〉云：「先儒惟歐陽氏《詩本義》、呂氏《讀詩記》最為醇正，蘇氏《詩解》直斥《序》為衛宏作，是也，而猶用其首句，則擇之未盡善也。嚴氏《詩緝》為千古卓絕之書，而堅執《序》為史官所作，則偏信〈大序〉之故也。」〔清〕萬斯同：《群書疑辨》（臺北：廣文書局，1972年1月），卷1，頁13。
97　〔清〕姚際恆：《詩經通論》，卷前，頁7，〈詩經論旨〉。

而，今本《讀詩記》因呂氏早逝而出現體例稍微斷裂的現象，一百多篇的述而不作也容易引發批評，相較之下，嚴粲的《詩緝》體例一致，首尾俱全，屬於完整的《詩經》讀本；其書在卷前目錄中，將「首序」之解題置於各篇之下，以利讀者快速查核；正文各卷各篇都收錄《詩序》全文，以示對傳統《詩經》詮釋的尊重，再以偶而針對「後序」的疏失提出批評的方式，減輕對《詩序》的依賴，凡此皆為《詩緝》明顯勝於《讀詩記》之處。

宋代說《詩》之家誰第一？此題永無正解，也無學術上的意義，但就《讀詩記》與《詩緝》的比較而言，答案卻是呼之欲出的。

徵引文獻

一、傳統文獻

〔漢〕毛亨傳，〔漢〕鄭玄箋，〔唐〕孔穎達疏：《毛詩正義》，
　　收入《重刊宋本十三經注疏附校勘記》第 2 冊，臺北：
　　藝文印書館，1976 年 5 月。

〔梁〕皇侃：《論語集解義疏》，臺北：廣文書局，1977 年 7 月。

〔唐〕陸德明：《經典釋文》，臺北：學海出版社，1988 年 6 月。

〔唐〕陸淳：《春秋集傳纂例》，影印《文淵閣四庫全書》第 146
　　冊，臺北：臺灣商務印書館，1983 年 12 月。

〔宋〕歐陽修：《詩本義》，影印《文淵閣四庫全書》，第 70 冊，
　　臺北：臺灣商務印書館，1983 年 8 月。

〔宋〕程頤：《河南程氏經說》，〔宋〕程顥、程頤著，王孝魚點
　　校：《二程集》第 4 冊，北京：中華書局，1981 年 7 月。

〔宋〕蘇轍：《詩集傳》，影印《文淵閣四庫全書》第 70 冊，臺
　　北：臺灣商務印書館，1983 年 8 月。

〔宋〕鄭樵：《六經奧論》，《通志堂經解》，揚州：江蘇廣陵古
　　籍刻印社，1996 年 3 月。

〔宋〕鄭樵：《夾漈遺稿》，北京：中華書局，1985 年《叢書集
　　成初編》據《藝海珠塵》本排印。

〔宋〕鄭樵:《夾漈遺稿》,影印《文淵閣四庫全書》第 1141
　　　冊,臺北:臺灣商務印書館,1985 年 9 月。

〔宋〕程大昌:《詩論》,《學海類編》,臺北:藝文印書館,
　　　1967 年。

〔宋〕尤袤:〈後序〉,收入〔宋〕呂祖謙:《呂氏家塾讀詩記》,
　　　黃靈庚、吳戰壘主編:《呂祖謙全集》第 4 冊,杭州:浙
　　　江古籍出版社,2008 年 1 月。

〔宋〕王質:《詩總聞》,臺北:新文豐出版公司,1984 年 6 月。

〔宋〕朱熹:〈呂氏家塾讀詩記序〉,收入〔宋〕呂祖謙:《呂氏
　　　家塾讀詩記》,中國詩經學會編:《詩經要籍集成》,北京:
　　　學苑出版社,2002 年 12 月。

〔宋〕朱熹著,束景南輯錄:《詩集解》,收入朱傑人、嚴佐之、
　　　劉永翔主編:《朱子全書》第 26 冊,上海:上海古籍出
　　　版社,合肥:安徽教育出版社,2002 年 12 月。

〔宋〕朱熹:《詩集傳》,臺北:中華書局,1971 年 10 月。

〔宋〕朱熹:《詩集傳》,收入朱傑人、嚴佐之、劉永翔主編:
　　　《朱子全書》第 1 冊,上海:上海古籍出版社,合肥:
　　　安徽教育出版社,2002 年 12 月。

〔宋〕朱熹:《詩序辨說》,北京:中華書局,1985 年《叢書集
　　　成初編》據《津逮秘書》本排印。

〔宋〕朱熹:《詩序辨說》,收入朱傑人、嚴佐之、劉永翔主編:
　　　《朱子全書》第 1 冊,上海:上海古籍出版社,合肥:
　　　安徽教育出版社,2002 年 12 月。

〔宋〕呂祖謙:《呂氏家塾讀詩記》,影印《文淵閣四庫全書》
　　　第 73 冊,臺北:臺灣商務印書館,1983 年 8 月。

〔宋〕呂祖謙：《呂氏家塾讀詩記》，中國詩經學會編：《詩經要籍集成》第 6-7 冊，北京：學苑出版社，2002 年 12 月。

〔宋〕呂祖謙：《呂氏家塾讀詩記》，收入黃靈庚、吳戰壘主編：《呂祖謙全集》第 4 冊，杭州：浙江古籍出版社，2008 年 1 月。

〔宋〕呂祖謙：《左氏傳說》，影印《文淵閣四庫全書》第 152 冊，臺北：臺灣商務印書館，1983 年 12 月。

〔宋〕呂祖謙：《東萊集》，影印《文淵閣四庫全書》第 1150 冊，臺北：臺灣商務印書館，1985 年 09 月。

〔宋〕呂祖謙著，呂祖儉、呂喬年編：《東萊別集》，影印《文淵閣四庫全書》第 1150 冊，臺北：臺灣商務印書館，1985 年 9 月。

〔宋〕呂祖謙：《東萊外集》，影印《文淵閣四庫全書》第 1150 冊，臺北：臺灣商務印書館，1985 年 9 月。

〔宋〕呂祖謙著，呂祖儉蒐錄，呂喬年編：《麗澤論說集錄》，影印《文淵閣四庫全書》第 703 冊，臺北：臺灣商務印書館，1985 年 2 月。

〔宋〕戴溪：《續呂氏家塾讀詩記》，影印《文淵閣四庫全書》第 73 冊，臺北：臺灣商務印書館，1983 年 8 月。

〔宋〕楊簡：《慈湖詩傳》，影印《文淵閣四庫全書》第 73 冊，臺北：臺灣商務印書館，1983 年 8 月。

〔宋〕陳亮：《龍川集》，影印《文淵閣四庫全書》第 1171 冊，臺北：臺灣商務印書館，1985 年 9 月。

〔宋〕葉適：《水心集》，影印《文淵閣四庫全書》第 1164 冊，臺北：臺灣商務印書館，1985 年 9 月。

〔宋〕黎靖德編，王星賢點校：《朱子語類》，臺北：華世出版
　　　社，1987 年 1 月。

〔宋〕輔廣：《詩童子問》，影印《文淵閣四庫全書》第 74 冊，
　　　臺北：臺灣商務印書館，1983 年 8 月。

〔宋〕陳振孫：《直齋書錄解題》，臺北：廣文書局，1979 年
　　　5 月。

〔宋〕朱鑑：《詩傳遺說》，中國詩經學會編：《詩經要籍集成》，
　　　第 10 冊，北京：學苑出版社，2002 年 12 月。

〔宋〕林希逸：〈嚴氏詩緝序〉，收入〔宋〕嚴粲：《詩緝》，臺
　　　北：廣文書局，1983 年 8 月。

〔宋〕黃震：《黃氏日抄》，影印《文淵閣四庫全書》第 707 冊，
　　　臺北：臺灣商務印書館，1985 年 2 月。

〔宋〕劉克：《詩說》，《續修四庫全書》第 57 冊，經部，上海：
　　　上海古籍出版社，2002 年 3 月。

〔宋〕俞德鄰：《佩韋齋輯聞》，影印《文淵閣四庫全書》第 865
　　　冊，臺北：臺灣商務印書館，1985 年 2 月。

〔宋〕俞琰：《讀易舉要》，影印《文淵閣四庫全書》第 21 冊，
　　　臺北：臺灣商務印書館，1983 年 8 月。

〔宋〕嚴粲：《詩緝》，臺北：廣文書局，1983 年 8 月。

〔元〕脫脫等：《宋史》，北京：中華書局，1977 年 11 月。

〔明〕陸鈘：〈呂氏家塾讀詩記原序〉，收入〔宋〕呂祖謙：《呂
　　　氏家塾讀詩記》，中國詩經學會編：《詩經要籍集成》，北
　　　京：學苑出版社，2002 年 12 月。

〔清〕黃宗羲原著，〔清〕全祖望補修，〔民〕陳金生、梁運華
　　　點校：《宋元學案》，北京：中華書局，1986 年 12 月。

〔清〕朱彝尊：《經義考》，臺北：中央研究院中國文哲研究所，
　　　2004 年 12 月。

〔清〕萬斯同：《群書疑辨》，臺北：廣文書局，1972 年 1 月。

〔清〕王鴻緒等奉敕撰：《欽定詩經傳說彙纂》，影印《文淵閣
　　　四庫全書》第 83 冊，臺北：臺灣商務印書館，1983
　　　年 8 月。

〔清〕姚際恆：《詩經通論》，《姚際恆著作集》第 1 冊，臺北：
　　　中央研究院中國文哲研究所，1994 年 6 月。

〔清〕王懋竑著，周茶仙點校：《朱子年譜》，見吳長庚主編：
　　　《朱陸學術考辨五種》，南昌：江西高校出版社，2000
　　　年 10 月。

〔清〕惠棟：《九經古義》，北京：中華書局，1985 年《叢書集
　　　成初編》影印《貸園叢書》本。

〔清〕李清馥：《閩中理學淵源考》，影印《文淵閣四庫全書》
　　　第 460 冊，臺北：臺灣商務印書館，1984 年 7 月。

〔清〕紀昀等：《四庫全書總目》，臺北：藝文印書館，1974 年
　　　10 月。

〔清〕戴震著，張岱年主編：《戴震全書》，合肥：黃山書社，
　　　1994 年 7 月。

〔清〕錢大昕：《潛研堂文集》，收入〔清〕錢大昕著，陳文和
　　　主編：《嘉定錢大昕全集》，南京：江蘇古籍出版社，1997
　　　年 12 月。

〔清〕姜炳璋：《詩序補義》，影印《文淵閣四庫全書》第 89
　　　冊，臺北：臺灣商務印書館，1983 年 8 月。

〔清〕阮元：〈十三經注疏校勘記〉，收入《重刊宋本十三經注

疏附校勘記·毛詩正義》第 2 冊，臺北：藝文印書館，
1976 年 5 月。

〔清〕王引之：〈經籍纂詁序〉，收入〔清〕阮元：《經籍纂詁》，
臺北：世界書局，1981 年 5 月。

〔清〕周中孚：《鄭堂讀書記》，臺北：廣文書局，1978 年 8 月。

〔清〕馬瑞辰：《毛詩傳箋通釋》，北京：中華書局，1992 年 2
月。

〔清〕馬瑞辰：〈毛詩後箋序〉，收入〔清〕胡承珙著，郭全芝
點校：《毛詩後箋》，安徽：黃山書社，1999 年 8 月。

〔清〕陳奐：《詩毛氏傳疏》，臺北：學生書局，1968 年 6 月。

〔清〕王先謙：《詩三家義集疏》，臺北：明文書局，1988 年
10 月。

〔清〕孫詒讓：《溫州經籍志》，《續修四庫全書》第 918 冊，上
海：上海古籍出版社，2002 年 3 月。

〔清〕王琛等修，〔清〕張景祈等纂：《重纂邵武府志》，臺北：
成文出版社，1967 年 12 月。

二、近人論著

王欣夫：《文獻學講義》，臺北：臺灣商務印書館，1992 年 1 月。

王禮卿：《四家詩恉會歸》，臺中：青蓮出版社，1995 年 10 月。

文幸福：《詩經毛傳鄭箋辨異》，臺北：文史哲出版社，1989 年
10 月。

文幸福：《孔子詩學研究》，臺北：臺灣學生書局，1996 年 3 月。

甘鵬雲：《經學源流考》，臺北：廣文書局，1977 年 1 月。

朱傑人：〈朱子詩傳綱領研究〉，收入鍾彩鈞主編：《朱子學的開
　　展——學術篇》，臺北：漢學研究中心，2002 年 6 月。

朱維錚編：《周予同經學史論著選集》，上海：上海人民出版社，
　　1996 年 7 月。

朱黎輝、王金生：〈呂祖謙家學傳承及文學貢獻分析〉，《牡丹江
　　師範學院學報（哲學社會版）》第 145 期，2008 年第 3
　　期，頁 25-28。

李中華、楊合鳴編著：《詩經主題辨析》，南寧：廣西教育出版
　　社，1989 年 7 月。

李玉平：〈互文性批評初探〉，《文藝評論》，2002 年第 5 期，頁
　　11-16。

李世萍：〈《鄭箋》對《毛詩序》的箋注〉，《蘭州學刊》第 173
　　期，2008 年第 2 期，頁 174-176。

李冬梅：《宋代詩經學專題研究》，成都：四川大學博士論文，
　　2007 年 4 月。

李家樹：《詩經的歷史公案》，臺北：大安出版社，1990 年
　　11 月。

李莉�：《嚴粲詩緝研究》，臺中：國立中興大學中國文學研究
　　所碩士論文，1998 年 6 月。

束景南：《詩集解‧輯錄說明》，收入朱傑人、嚴佐之、劉永翔
　　主編：《朱子全書》第 26 冊，上海：上海古籍出版社，
　　合肥：安徽教育出版社，2002 年 12 月。

杜海軍：〈讀詩記及其權屬與影響〉，《中國社會科學院研究生院
　　學報》，2003 年第 6 期，頁 83-86、111-112。

杜海軍：《呂祖謙文學研究》，北京：學苑出版社，2003 年 7 月。

杜海軍:〈呂祖謙的《詩》學觀〉,《浙江社會科學》2005 年第 5
　　　期,2005 年 9 月,頁 135-139。

吳冰妮:〈呂氏家塾讀詩記前後文本比較分析——以公劉首章為
　　　界線〉,《文獻季刊》2009 年 4 月第 2 期,頁 104-110。

吳春山:《呂祖謙研究》,臺北:國立臺灣大學中文所博士論文,
　　　1978 年 6 月。

吳雁南、秦學頎、李禹階主編:《中國經學史》,福州:福建人
　　　民出版社,2001 年 9 月。

余英時:《中國思想傳統的現代詮釋》,臺北:聯經出版事業公
　　　司,1992 年 2 月。

何定生:〈宋儒對於詩經的解釋態度〉,《詩經今論》,臺北:臺
　　　灣商務印書館,1973 年 9 月。

車行健:《詩本義析論》,臺北:里仁書局,2002 年 2 月。

車行健:《漢代毛鄭詩經經解的思想探索》,臺北:里仁書局,
　　　2011 年 9 月。

林慶彰:〈《毛詩序》在《詩經》解釋傳統的地位〉,收入楊儒賓
　　　編:《中國經典詮釋傳統(三)文學與道家經典篇》,臺
　　　北:喜瑪拉雅研究發展基金會,2002 年 3 月,頁 38-41。

林葉連:《中國歷代詩經學》,臺北:學生書局,1993 年 3 月。

來新夏等著:《中國圖書事業史》,上海:上海人民出版社,1999
　　　年 4 月。

洪湛侯:《詩經學史》,北京:中華書局,2002 年 5 月。

洪春音:《朱熹與呂祖謙詩說異同考》,臺中:東海大學中國文
　　　學研究所,1995 年 5 月。

洪漢鼎::《詮釋學史》,臺北:桂冠圖書公司,2002 年 6 月。

姚永輝：《朱熹與呂祖謙關於詩經的四大論辯平議》，成都：四川大學碩士論文，2005 年 4 月。

夏傳才：《詩經研究史概要》，臺北：萬卷樓圖書公司，1993 年 7 月。

夏傳才、董治安：《詩經要籍提要》，北京：學苑出版社，2003 年 8 月。

郝志達主編：《國風詩旨纂解》。天津：南開大學出版社，1990 年 2 月。

郝桂敏：《宋代詩經文獻研究》，北京：中國社會科學出版社，2006 年 2 月。

徐復觀：《中國經學史的基礎》，臺北：臺灣學生書局，1982 年 5 月。

孫永娟：《毛詩鄭箋研究》，哈爾濱：哈爾濱師範大學博士論文，2010 年 5 月。

張西堂：〈關於毛詩序的一些問題〉，《詩經六論》，上海：商務印書館，1957 年 9 月。

張學波：《詩經篇旨通考》，臺北：廣東出版社，1976 年 5 月。

張寶三：《五經正義研究》，臺北：國立臺灣大學中國文學研究所博士論文，1992 年 6 月。

張寶三：〈漢代章句之學論考〉，《臺大中文學報》第 14 期，2001 年 5 月，頁 35-75。

許志剛：〈嚴羽家世考〉，《遼寧大學學報》第 138 期，1996 年 2 月，頁 82-85。

許維萍：〈呂祖謙與「復古《易》運動」——兼談《古周易》版本衍生之相關問題〉，收於林慶彰主編：《經學研究論叢》

第八輯，臺北：臺灣學生書局，2000 年 9 月，頁 69-107。

陸侃如：〈詩經參考書提要〉，《陸侃如古典文學論文集》，上海：上海古籍出版社，1987 年 1 月，頁 219-221。

郭丹：〈《四庫全書總目》中的《詩經》批評〉，《福建師範大學學報》（哲學社會科學版），總第 117 期，2002 年第 4 期，頁 78-79。

郭麗娟：《呂祖謙詩經學研究》，臺北：東吳大學中國文學研究所碩士論文，1994 年 10 月。

章權才：《宋明經學史》，廣州：廣東人民出版社，1999 年 9 月，頁 308。

陳明義：〈戴溪續呂氏家塾讀詩記初探〉，收入林慶彰主編：《經學研究論叢》第九輯，臺北：學生書局，2001 年 1 月，頁 95-117。

陳昀昀：《王質詩總聞研究》，臺中：東海大學中文研究所碩士論文，1986 年 6 月。

陳昀昀：〈王質詩經學探微（二）〉，《湖北文獻》第 118 期，1996 年 1 月，頁 6-8。

陳清茂：〈從詩緝論嚴粲詩經學重要觀念〉，《中國學術年刊》第 30 期，2008 年 3 月。

陳戰峰：《宋代詩經學與理學——關於詩經學的思想學術史考察》，西安：陝西人民出版社，2006 年 7 月。

程元敏：《詩序新考》，臺北：五南圖書出版公司，2005 年 1 月。

程克雅：《朱熹、嚴粲二家比興釋詩體系比較及其意義》，桃園：國立中央大學中國文學研究所碩士論文，1991 年 5 月。

程穎穎：《論呂氏家塾讀詩記》，濟南：山東大學碩士論文，2007

年 4 月。

黃焯:《毛詩鄭箋平議》,上海:上海古籍出版社,1985 年 6 月。

黃忠慎:《南宋三家詩經學》,臺北:臺灣商務印書館,1988 年
　　8 月。

黃忠慎:《朱子詩經學新探》,臺北:五南圖書出版公司,2002
　　年 1 月。

黃忠慎:《嚴粲詩緝新探》,臺北:文史哲出版社,2008 年 2 月。

黃忠慎:《范處義詩補傳與王質詩總聞比較研究》,臺北:文津
　　出版社,2009 年 2 月。

黃忠慎:〈論宋儒與清儒對詩旨的解放——從朱子到姚際恆、崔
　　述、方玉潤〉,《興大中文學報》第 22 期,2007 年 12 月,
　　頁 129-158。

黃忠慎:〈呂祖謙《讀詩記》與戴溪《續讀詩記》之比較研究〉,
　　《中國文哲研究集刊》第 35 期,2009 年 9 月,頁 129-160。

黃忠慎:〈輔廣《詩童子問》新論〉,《臺大中文學報》第 34 期,
　　2010 年 6 月,頁 325-358。

黃忠慎:〈經典的重構:論呂祖謙《讀詩記》在《詩經》學史上
　　的承衍與新變〉,《清華學報》新 42 卷第 1 期, 2012 年
　　3 月,頁 45-77。

黃念然:〈當代西方文論中的互文性理論〉,《外國文學研究》第
　　83 卷第 1 期,1999 年 3 月,頁 15-21。

黃靈庚:〈呂祖謙與鵝湖之會〉,《浙江師範大學學報(社會科學
　　版)》第 139 期,2005 年第 4 期,頁 1-7。

馮友蘭:〈中國中古近古哲學與經學之關係〉,《中國哲學小史》,
　　北京:中國人民大學出版社,2005 年 2 月。

馮壽農：《文本・語言・主題》，廈門：廈門大學出版社，2001
　　年11月。

馮浩菲：《中國訓詁學》，濟南：山東大學出版社，2003年3月。

喬衍琯：〈國立中央圖書館善本書志——《詩緝》〉，《國立中央
　　圖書館館刊》新1卷第3期，1968年1月，頁53-63。

楊家駱主編：《南宋文範》，臺北：鼎文書局，1975年1月。

楊晉龍：〈兩岸比較《詩經》學前論：20世紀50年代後臺灣學
　　者對〈秦風・蒹葭〉的詮釋〉，收於洪漢鼎、傅永軍主編：
　　《中國詮釋學〔第五輯〕》，濟南：山東人民出版社，2008
　　年3月，頁123-125。

葛兆光：〈思想史：既做加法也做減法〉，楊念群、黃興濤、毛
　　丹主編：《新史學》，北京：中國人民大學出版社，2003
　　年10月，上冊，頁234。

葉國良：《宋代金石學研究》，臺北：國立臺灣大學中文研究所
　　博士論文，1982年12月。

董希文：〈文本與互文本〉，《文學文本理論研究》。北京：社會
　　科學文獻出版社，2006年3月，頁228。

趙制陽：《詩經名著評介》第3集，臺北：萬卷樓圖書公司，1999
　　年11月。

裴普賢：《詩經研讀指導》，臺北：東大圖書公司，1977年3月。

蔣見元、朱傑人：《詩經要籍解題》，上海：上海古籍出版社，
　　1996年9月。

蔣善國：《三百篇演論》，臺北：臺灣商務印書館，1980年6月。

潘富恩、徐餘慶：《呂祖謙評傳》，南京：南京大學出版社，1992
　　年1月。

蔡方鹿、付春：〈呂祖謙的詩經學探析〉，《寧波黨校學報》，2008
　　年2月，頁102-104。

劉兆祐：〈歷代詩經學概說〉，收入林慶彰編：《詩經研究論集》，
　　臺北：臺灣學生書局，1983年11月，頁482-486；

劉毓慶、郭萬金：《從文學到經學──先秦兩漢詩經學史論》，
　　上海：華東師範大學出版社，2009年10月。

賴炎元〈呂祖謙的詩經學〉，《中國學術年刊》第6期，臺北：
　　臺灣師範大學國文研究所，1984年6月，頁25。

糜文開、裴普賢：《詩經欣賞與研究》，臺北：三民書局，1987
　　年11月。

戴維：《詩經研究史》，長沙：湖南教育出版社，2001年9月。

簡澤峰：〈王質《詩總聞》一書及其詮釋觀〉，《彰雲嘉大學院校
　　聯盟 2006 年學術研討會論文集》，2006 年 12 月，頁
　　463-465。

羅婷：《克里斯多娃》，臺北：生智出版社，2002年8月。

譚德興：《宋代詩經學研究》，貴陽：貴州人民出版社，2005年
　　5月。

龔鵬程：〈四庫全書所收文學詩經學著作〉，中國詩經學會編：
　　《詩經研究叢刊》第十輯，北京：學苑出版社，2006
　　年1月。

〔英〕艾瑞克・霍布斯邦（Eric J. Hobsbawm）著，黃煜文譯：
　　《論歷史》，臺北：麥田出版社，2002年8月。

〔美〕M.H.艾布拉姆斯：《鏡與燈》，北京：北京大學出版社，
　　1989年。

〔美〕庫茲韋爾（Kurzweil,E.）著，尹大貽譯：《當代法國思
　　想》，臺北：雅典出版社，1989年1月。

〔法〕蒂費納・薩莫瓦約（Tiphaine Samoyault）著，邵煒譯：
　　《互文性研究》，天津：天津人民出版社，2003 年 1 月。

〔日〕西川直子著，王青等譯：《克里斯托娃：多元邏輯》，石
　　家莊：河北教育出版社，2002 年 1 月。

〔德〕加達默爾著，洪漢鼎譯：《真理與方法》，上海：上海譯
　　文出版社，2004 年 7 月。

〔美〕田浩：《朱熹的思維世界》〔增訂版〕，南京：江蘇人民出
　　版社，2011 年 4 月。

三、網路文獻

陶文鵬：〈呂祖謙〉，「中國大百科智慧藏」，網址：
　　http://163.17.79.102/%E4%B8%AD%E5%9C%8B%E5%
　　A4%A7%E7%99%BE%E7%A7%91/Content.asp?ID=642
　　50&Query=1，瀏覽日期：2010 年 2 月 19 日。

張立文：〈呂祖謙〉，「中國大百科智慧藏」，網址：
　　http://163.17.79.102/%E4%B8%AD%E5%9C%8B%E5%A
　　4%A7%E7%99%BE%E7%A7%91/Content.asp?ID=56959
　　&Query=1，瀏覽日期：2010 年 2 月 19 日。

　　「世界戴氏宗親網」，網址：http://www.worlddai.com/News
　　Contents.asp?id=149，瀏覽日期：2008 年 10 月 15 日。

　　「華夏經緯檢索」，網址：http://big5.huaxia.com/gate/big5/
　　search.huaxia.com/s.jsp?iDocId=476122，瀏覽日期：2008
　　年 10 月 15 日。

陳永國：〈互文性〉，網址：http://intermargins.net/intermargins/
　　TCulturalWorkshop/culturestudy/theory/01.htm，瀏覽日
　　期：2009 年 4 月 27 日。